io imprensasocial

Esta publicação foi possível graças a um programa de ação social da

imprensaoficial

Gogó de Emas

A participação das Mulheres *na história do estado de* Alagoas

Schuma Schumaher

GOVERNO DO ESTADO DE SÃO PAULO
RESPEITO POR VOCÊ

Governador Geraldo Alckmin
Secretário-chefe da Casa Civil Arnaldo Madeira

imprensaoficial

IMPRENSA OFICIAL DO ESTADO DE SÃO PAULO

Diretor-presidente Hubert Alquéres
Diretor Vice-presidente Luiz Carlos Frigerio
Diretor Industrial Teiji Tomioka
Diretor Financeiro e Administrativo Alexandre Alves Schneider
Núcleo de Projetos Institucionais Vera Lucia Wey

REDEH
REDE DE DESENVOLVIMENTO HUMANO

REDEH - REDE DE DESENVOLVIMENTO HUMANO

Coordenação Geral Thais Corral
Coordenação Executiva Schuma Schumaher
Conselho Consultivo Âmbar de Oliveira Barros
Aspásia Camargo
Denise Frossard
Gabriela Icaza
Helena Teodoro
Heloisa Helena de Oliveira
Lucia Xavier
Maristela Bezerra Bernardo
Moema Wiezzer
Samyra Crespo
Sergio Malta
Conselho Fiscal Eduardo Custódio Martins
Elisabeth Vargas
Jois Ortega

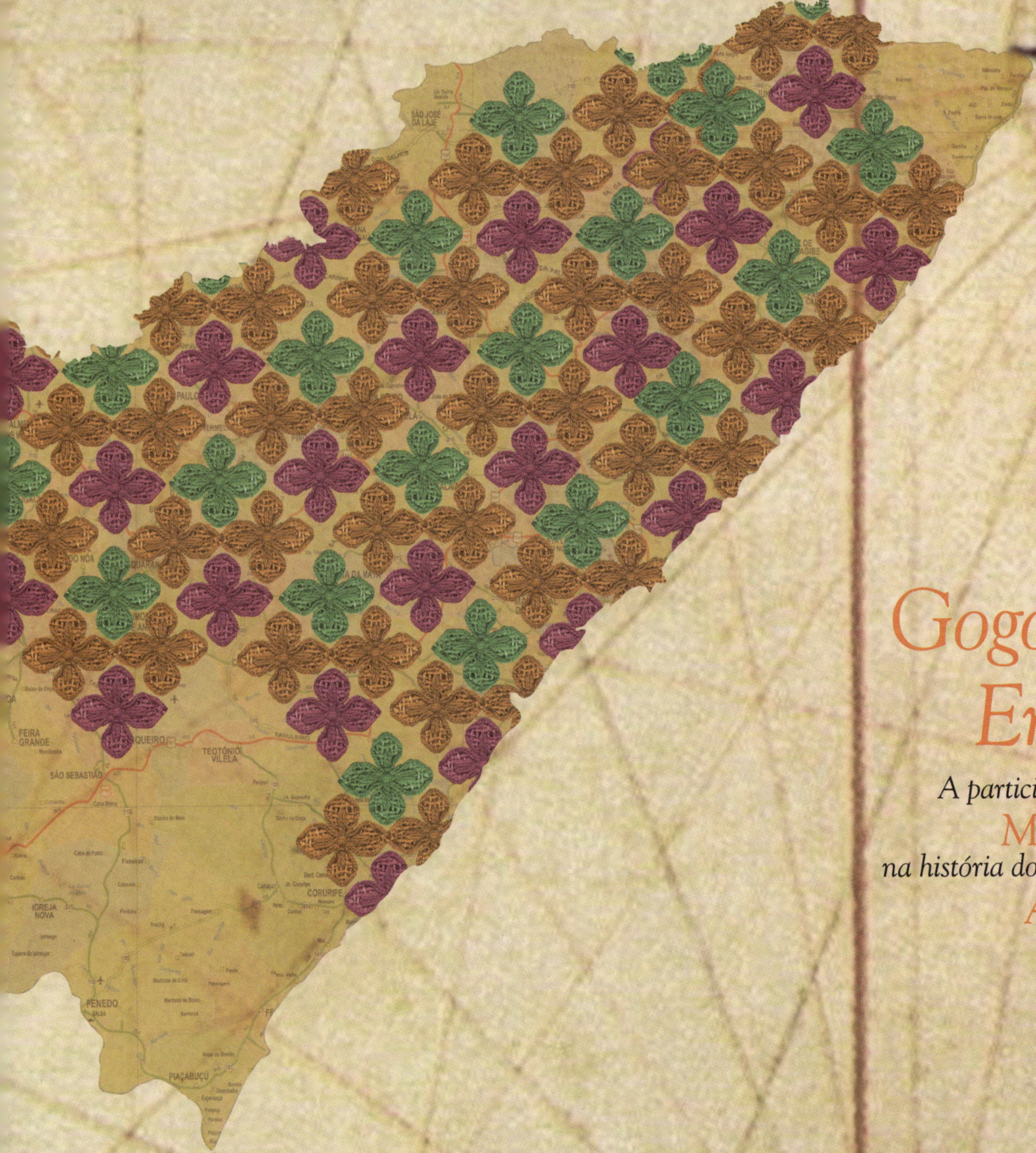

Gogó de Emas

A participação das *Mulheres* na história do estado de *Alagoas*

REDEH
REDE DE DESENVOLVIMENTO HUMANO

imprensaoficial

AD BONUM ET PROSPERITATEM

São Paulo, 2004

Dados Internacionais de Catalogação na Publicação (CIP)
(Câmara Brasileira do Livro, SP, Brasil)

Schumaher, Schuma
Gogó de Emas: a participação das mulheres na história do Estado do Alagoas. Rio de Janeiro : REDEH e Imprensa Oficial do Estado de São Paulo, 2004.

168p.
Inclui bibliografia

ISBN 85-89562-02-6 (REDEH)
ISBN 85-7060-282-0 (Imprensa Oficial do Estado de São Paulo)

1 - História. 2 - Mulheres. 3 - Alagoas. 4 - Título

Ficha catalográfica – Sandra Infurna CRB7 - 4607

Foi feito o depósito legal na Biblioteca Nacional (Lei nº 1.825, de 20/12/1907).

REDEH - Rede de Desenvolvimento Humano
Rua Álvaro Alvim, 21-16° andar - Centro
20031-010 - Rio de Janeiro - RJ
Tel.: (21) 2262-1704
Fax: (21) 2262-6454
www.mulher500.org.br
e-mail: redeh@redeh.com.br

Imprensa Oficial do Estado de São Paulo
Rua da Mooca, 1.921- Mooca
03103-902 - São Paulo - SP
Tel.: (11) 6099-9800
Fax: (11) 6099-9674
www.imprensaoficial.com.br
e-mail: livros@imprensaoficial.com.br
SAC 0800-123 401

Apresentação

A história brasileira costuma ser contada do ponto de vista dos homens, sobretudo dos grandes homens, e com a atenção concentrada na região Sudeste. Este livro, organizado por Shuma Shumaher, coordenadora da Rede de Desenvolvimento Humano, inova nesses dois aspectos: desloca o olhar para o Nordeste e para a participação feminina.

Escrito com finalidades didáticas, o texto é acessível e entremeado de ilustrações. Percorre a trajetória brasileira, desde os tempos coloniais até os dias recentes, sempre destacando a contribuição de Alagoas e das mulheres alagoanas. Integra o projeto de uma pesquisa abrangente e pioneira, iniciada em 1997, da qual já resultaram o Dicionário Mulheres do Brasil, publicado no ano 2000, e Um Rio de mulheres – A participação das fluminenses na história do Estado do Rio de Janeiro, lançado em 2003.

O livro Gogó de emas – A participação das mulheres na história do estado de Alagoas, representa o terceiro fruto dessa pesquisa oportuna, que enriquece a visão da formação histórica de nosso país. É lançado pelo selo "Imprensa Social", criado pela Imprensa Oficial do Estado de São Paulo para a edição de livros em parceria com Organizações Não-Governamentais. O objetivo é apoiar projetos dessas entidades, que geralmente enfrentam grandes dificuldades para divulgar trabalhos sérios e de interesse público, contribuindo para que sejam mais conhecidos e valorizados, inclusive como referências para a implantação de políticas públicas. Trata-se de publicações voltadas para as áreas de educação, saúde, comportamento, meio ambiente, minorias e até mesmo, como no caso deste livro, para os temas de maiorias ainda discriminadas.

Hubert Alquéres
Diretor-presidente da Imprensa Oficial do Estado de São Paulo

Gogó de Emas

A participação das Mulheres na história do estado de Alagoas
de Schuma Schumaher

Coordenação Editorial
Schuma Schumaher

Pesquisa e preparação de textos
Ângela Freitas
Edilma Acioli Bonfim
Enaura Quixabeira Rosa e Silva
Nadja Nicolaevski
Paulo Corrêa
Schuma Schumaher

Colaboradoras(es):
Agilberto Calaça
Aydete Viana
Benedito Ramos
Carmem Lúcia Dantas
Carolina P. de Araújo
Cris Duarte
Érico Vital Brazil
Flávio dos Santos Gomes
Solange Bentes Jurema
Teresinha Ramires
Ulisses Rafael

Assistentes de pesquisa
Adilene Acioli de Melo Silva
Dino Alves
Lúcia Maria Vieira da Rocha

Pesquisa Iconográfica
Mariangela Sedrez
Nadja Nicolaevski
Schuma Schumaher

Encarte
Paulo Corrêa

Imagens
Acervo do Centro de Documentação Pagu - Cemina
Acervo do Projeto Mulher 500 Anos - Redeh
Acervo do Museu da Imagem e do Som de Alagoas
Andréa Moreira
Arquivo Jornal do Cedim
Celso Quintela Brandão
Claudia Ferreira
JJ
Júnior Gama
M. Nicácio
Mila Petrillo
Ricardo Lêdo
Schuma Schumaher
Tadeu Costa
Yvette Moura

Design
Bete Esteves
Ione Alves

Assistente de Design
Bruno Pugens

Ilustrações pag. 23,88,95,99
Rodrigo Buarque

Revisão
André Telles

Equipe de Apoio
Ana Cristina Monteiro Mesquita
Carlos Augusto Júnior
Elza Lourdes dos Santos
Hélio Araújo
Kátia Regina Pereira da Silva
Márcia Lemos
Marcio Couras
Maria da Guia Oliveira Felix
Raquel Melo
Regina Celi de Oliveira Silva
Sandra Infurna

Outubro de 2004

Comitê Consultivo

Benedito Ramos
Coordenador de Ação Cultural da Associação Comercial de Maceió, Historiador, Escritor e Crítico de Arte

Cármen Lúcia Dantas
Museóloga e integrante do Instituto Histórico e Geográfico de Alagoas

Douglas Apratto Tenório
Doutor em História da Universidade Federal de Alagoas e Vice - Diretor do Instituto Histórico e Geográfico de Alagoas

Enaura Quixabeira Rosa e Silva
Professora Doutora do Depto de Letras da UFAL e integrante da Academia Alagoana de Letras

Ivone Santos
Historiadora e jornalista

Maria Aparecida Batista de Oliveira
Professora de Filosofia e Coordenadora do Núcleo Temático Mulher e Cidadania da UFAL

Moacir Medeiros de Sant'Ana
Diretor do Arquivo Público do Estado

Ranilson França de Souza
Folclorista

Solange Bentes Jurema
Advogada e integrante da Associação de Mulheres de Carreira Jurídica

Terezinha Ramires
Médica pediatra, Coordenadora do Fórum de Mulheres de Alagoas

Ulisses Rafael
Antropólogo, professor Assistente da Universidade Federal de Sergipe

Vanda Menezes
Psicóloga, militante do Movimento negro e feminista e Secretária de Estado da Mulher

Zezito Araújo
Secretaria Especializada de Defesa e Proteção das Minorias

Gogó de Emas

A participação das Mulheres na história do estado de Alagoas

Alagoas pode ser mais profundamente conhecida se acompanharmos o percurso de mulheres que, ao romper normas e desafiar preconceitos, "abriram o gogó", bradando ao mundo por autonomia, liberdade e igualdade. Elas deixaram suas marcas na História, qual o famoso Gogó da Ema, cartão-postal do estado. Contrariando a lei da gravidade, esse coqueiro, único no mundo, fez um percurso em curva com seu tronco, desenhando uma forma parecida com o pescoço da ema. O coqueiro desapareceu em 1955, por força da ação do mar e do descaso das autoridades. O Gogó da Ema ficava na praia de Ponta Verde, em Maceió, antiga praia das Acanhadas, procurada pelas "tímidas" jovens da sociedade quando queriam banhar-se, longe dos olhares críticos, ou curiosos.

Gogó de Emas traz à tona a valorosa e decisiva participação feminina das alagoanas que, rompendo com o "acanhamento", não esconderam suas inquietações e inconformismos. É uma publicação que faz parte um projeto maior que a Redeh – Rede de Desenvolvimento Humano - vem desenvolvendo, com o propósito de contribuir para quebrar os silêncios seculares que mantiveram índias, brancas e negras esquecidas pela História oficial, o que, entre outras seqüelas, se reflete na literatura escolar.

Este projeto começou em 1997, com uma vasta pesquisa no Brasil e no exterior buscando, onde poucos haviam garimpado, informações sobre trajetórias femininas ocultas ou reservadas às entrelinhas da História. No ano 2000 a Redeh publicou o ***Dicionário Mulheres do Brasil****, e, em 2003,* ***Um Rio de mulheres – A participação das fluminenses na história do estado do Rio de Janeiro****.* ***Gogó de Emas*** *é o segundo número desta série, que abrangerá 26 publicações educativas destinadas a revelar a presença feminina em cada um dos estados brasileiros.*

São poucos os escritos que contemplam trajetórias de mulheres alagoanas. Foram muitas as dificuldades para inserir nos contextos históricos as biografias de índias, escravas, quilombolas, educadoras, artesãs, escritoras, políticas, ricas, remediadas ou pobres, mulheres casadas ou solteiras que enfrentaram e superaram ao longo dos séculos diferentes obstáculos impostos pelos colonizadores, pela elite agrária e pela sociedade patriarcal. Severinas, Anas, Raimundas e Marias, estrelas nordestinas de fato e de romance.

Clarice Lispector, alagoana a partir de dois meses de idade, em A hora da estrela concebeu Macabéa, heroína anônima que, da aparente fragilidade, faz brotar um ser fortalecido pelos solavancos da vida. Macabéa simboliza um pedaço do universo feminino regional. Um dos muitos que esta publicação procura dar conta, oferecendo uma pequena amostra da diversidade e grandiosidade das mulheres alagoanas.

Enfrentar o desafio desta pesquisa até hoje singular só foi possível graças ao apoio da Fundação Avina e do Boticário, que acreditaram no ideal de contribuir para uma educação não discriminatória. É preciso registrar especialmente a decisiva parceria estabelecida, desde o início do projeto, com a Secretaria Especializada da Mulher do Governo do Estado de Alagoas.

Esta foi uma longa viagem. Muitas reuniões, entrevistas, horas debruçadas nos arquivos e, sobretudo, um delicioso aprendizado. Aprendemos e nos surpreendemos com a riqueza cultural da gente alagoana e com a hospitalidade e solidariedade encontradas nos quatro cantos por onde andamos. Contando desde o início com a colaboração de inúmeras pessoas – que nos enviaram documentos, permitiram o acesso aos seus acervos, colheram informações, sugeriram nomes, pesquisaram e escreveram textos –, não podemos deixar de destacar a a valiosa contribuição do Comitê Consultivo.

O grande desafio agora é assegurar que professoras e professores, alunas e alunos utilizem este material no ambiente escolar, abrindo espaço em sala de aula para o aprofundamento dos textos apresentados. Recomendamos que os conteúdos deste livro sejam correlacionados com as diferentes disciplinas.

Gogó de Emas – A participação das mulheres na história de Alagoas *não é uma obra que esgote o assunto, decerto apresentando lacunas. Lacunas que, como sugere o encarte, podem ser superadas com a metodologia de apontar outros nomes ainda desconhecidos do grande público, agregando a este trabalho novas informações, inspiradas nas realidades locais.*

A ***Vanda Menezes****, que acompanhou cada passo desse trabalho com seu apoio institucional, incentivo, troca de idéias e sugestões, que só não são maiores que sua amizade.*

SCHUMA SCHUMAHER
OUTUBRO DE 2004

Sumário

Parte I

Parte II

Parte III

Parte I

Nós que aqui estávamos e por vós não esperávamos !!!!

Os povos indígenas do Nordeste apenas recentemente têm recebido a atenção e os estudos mais aprofundados que sua diversidade cultural merece. As guerras, massacres e aprisionamentos que esses índios sofreram foram tamanhos que muito se perdeu de suas riquezas cultural e lingüística.

Os diversos povos da região ficaram conhecidos simplesmente como Tapuia, denominação genérica que colocava num todo homogêneo várias etnias completamente diferentes entre si. O termo foi utilizado como uma forma de classificação, já que aos olhos do colonizador pareciam carregar apenas uma identidade lingüística. Essa identidade deu origem à chamada "língua geral", uma versão do tupi inventada pelos jesuítas para facilitar a catequização. É claro que este foi um fator altamente coercitivo, que praticamente decretou a extinção dessas ricas culturas.

Em 1560, a presença de brancos na região onde hoje é o estado de Alagoas começou a se intensificar, provocando a expulsão, o massacre ou o aldeamento dos povos indígenas da região. O povoamento do norte de Alagoas pelos colonizadores começou com a bandeira capitaneada por Cristóvão Lins entre 1575 e 1585, que expulsou os Potiguar de suas terras, matando e escravizando os que eram capturados vivos. Na época, relata-se que os Kaeté[1] ocupavam o litoral enquanto os Kariri ocupavam o interior. Os primeiros foram rapidamente massacrados pelos portugueses que haviam se aliado aos Tabajara do norte de Pernambuco. Entre tantos povos, em Alagoas havia um claro predomínio dos Kariri, família lingüística composta por várias línguas distintas, das quais apenas quatro atualmente identificadas – kipeá, dzubukuá, kamuru e sapuyá –, que se espalhavam desde o Ceará e a Paraíba até o norte da Bahia.

A dizimação dos Kaeté do litoral teve início logo no primeiro século da conquista. Nos anos Quinhentos, a política da Coroa portuguesa não era exatamente a do extermínio completo, mas a da integração e submissão. Contudo, a guerra contra os Kaeté assumiu uma trágica proporção, jamais vista nas terras brasileiras. O massacre teve como estopim o ritual antropofágico no qual os índios Kaeté devoraram o bispo dom Pero Fernandes Sardinha.

Em 1556, o bispo Sardinha, divergindo da administração de Duarte da Costa, governador geral, partiu de Pernambuco para ir se queixar ao rei de Portugal. Porém, os planos de Sardinha foram, literalmente, por água abaixo. A nau em que estava, Nossa Senhora da Ajuda, naufragou em 16 de junho de 1556, próximo à foz do rio Coruripe (AL). O bispo e mais 98 tripulantes nadaram até a praia e escaparam do naufrágio, mas acabaram capturados pelos Kaeté, que os levaram até a barra do rio São Miguel. Nesse local, realizou-se o famoso ritual antropofágico no qual o bispo foi morto e devorado pelos índios, possivelmente como reação às várias tentativas de tomadas de suas terras pelos brancos. Era o pretexto que a Coroa precisava para ordenar o massacre indígena.

Já em 1562, Mem de Sá, o terceiro governador geral do Brasil, decretava a perseguição aos Kaeté como represália por terem assassinado e, mais gravemente, devorado o Bispo. No decreto, defendia que eles deveriam ser feitos escravos "onde quer que fossem achados sem

[1] *Utilizamos a grafia aprovada pela Associação Brasileira de Antropologia. Neste caso, "Caeté", como normalmente se escreveria, passa a ser "Kaeté".*

fazer exceção nenhuma, nem advertir no mal que podia vir a terra". A guerra contra os Kaeté, liderada por Jerônimo de Albuquerque, prolongou-se por quase cinco anos, resultando na dizimação da população indígena e no conseqüente despovoamento da região. Os poucos sobreviventes foram condenados à escravidão perpétua por um edito real.

A reação indígena

A famosa "Guerra dos Bárbaros" teve início, em 1650, no Recôncavo Baiano, alastrou-se pelo Nordeste e, simultaneamente à Guerra de Palmares, representou um dos mais longos conflitos nas terras brasileiras. Também conhecida como Levante Geral dos Tapuia e ainda Confederação dos Kariri, essa rebelião marcou a reação indígena ao movimento expansionista português em suas terras após a derrota dos holandeses. Para os colonizadores, a guerra era resultado dos conflitos criados a partir da expansão das fronteiras da pecuária e da conseqüente necessidade de se tomar cada vez mais terras para a criação de gado. Os índios, ao contrário dos portugueses, não mantiveram uma sólida aliança entre si e a fragmentação certamente foi decisiva para a derrota e o conseqüente aldeamento e extermínio que se seguiram. Para se ter uma idéia da tragédia, alguns autores afirmam que a população indígena do Nordeste teria sido de mais de 650 mil indivíduos, enquanto na atualidade resume-se a apenas 36 mil, ou seja, 5,5% da estimativa histórica na época do descobrimento.

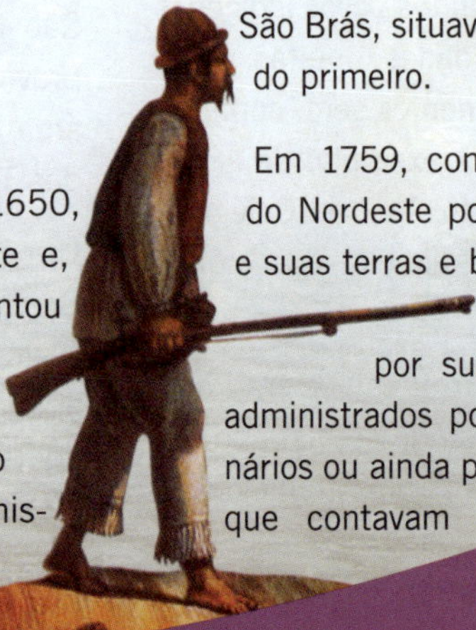

Em 1570, a Coroa portuguesa legitimou o cativeiro indígena, que perdurou até 1758. É fundamental ressaltar a importância política e econômica que os povos indígenas tinham para Portugal. Além de constituírem uma força de trabalho indispensável, os índios eram ainda bastante numerosos em uma terra que precisava ser povoada e era constantemente invadida por outros países europeus, principalmente pelos holandeses. No Nordeste, as guerras contra os holandeses mobilizaram um enorme contingente indígena, além da liderança que Felipe e **Clara Camarão,** da nação potiguar, exerceram nesse confronto.

A conquista e povoamento da região por não-índios tornaram-se ainda mais intensos a partir da segunda metade do século XVII, após a expulsão dos holandeses. A partir dessa mesma época, os jesuítas se estabeleceram nas margens do rio São Francisco. Em 1700, um alvará régio determinava que "a cada missão se dê uma légua em quadra para a sustentação dos índios e missionários". Com isso, na região alagoana, onde hoje é a cidade de Porto Real do Colégio, foram criados dois aldeamentos comandados por jesuítas para a catequese dos índios: um, o do Colégio, ficava ao norte de Penedo; o outro, de São Brás, situava-se a cerca de duas léguas acima do primeiro.

Em 1759, contudo, os jesuítas foram expulsos do Nordeste por ordem do marquês de Pombal, e suas terras e bens foram vendidos em um leilão público. Os aldeamentos, por sua vez, passaram a ser administrados por outros missionários ou ainda por leigos, que contavam com o suporte de um assistente espiritual. Outros aldeamentos da época eram os de Jacuípe, Atalaia, Cocal, Limoeiro, Urucu e Palmeira dos Índios.

Das etnias que se extinguiram com essas guerras temos pouca ou nenhuma notícia; o que dizer das tribos remanescentes, sobre as quais a documentação é escassa e confusa?

Um golpe atrás do outro

Em 1850, os povos indígenas sofreram mais uma dura perda. O governo imperial promulgou a Lei das Terras, que permitia a incorporação das terras das aldeias indígenas com o argumento de que já não existiam "índios puros". A lei autorizava "incorporar aos Próprios Nacionais as terras dos índios, que já não vivem aldeados, mas sim dispersos e confundidos na massa da população civilizada, e dá providências sobre as que se acham ocupadas". O argumento baseava-se em noções de raça, pureza e verdade típicas da segunda metade do século XIX, que acabavam por justificar a conquista legalizada das terras indígenas. É essencial notar que antes dessa lei ser adotada, o governo não apenas admitia a existência dos índios, como pedia aos missionários que deles cuidassem, já que estava interessado no povoamento e ocupação das terras permanentemente cobiçadas por outros países europeus.

A partir do século XIX, os povos indígenas da região passaram a ser denominados genericamente "caboclos", designação que justificou, em 1873, a extinção dos aldeamentos, já que "caboclos" seriam considerados "menos índios". Alguns remanescentes Xocó relatam que jagunços preparavam emboscadas noturnas nas aldeias, e, aos índios só restava "morrer, matar ou correr". Com isso, os sobreviventes Xocó juntaram-se aos Kariri, passando a habitar em Alagoas.

Após intensas perseguições e expulsões, não sobraram muitos outros lugares onde viver. Muitos povos indígenas perambulavam por fazendas e cidades, muitas vezes vivendo na proximidade dos aldeamentos sem, contudo, juntarem-se a eles. Foi o caso, por exemplo, da aldeia dos Xocó, perto da cidade de Porto Real do Colégio e da aldeia Wakoná, na cidade de Palmeira dos Índios, ambas em Alagoas.

É interessante notar que dom Pedro II esteve em Porto Real do Colégio em 1859, fato histórico registrado em seu diário de viagem. Segundo os relatos tradicionais, naquela ocasião o imperador teria doado algumas terras aos índios; no entanto, não há registros dessa doação.

Mais um confronto, tem início em 1832, quando índios aldeados de Alagoas e de Pernambuco participaram de outra grande revolta – a Guerra dos Cabanos – desencadeada com o propósito de restaurar o trono logo após a abdicação do dom Pedro.

Os poucos sobreviventes

Como podemos ver, a história dos índios de Alagoas e do Nordeste é marcada por lutas intensas, matanças desumanas e pela incrível sobrevivência indígena, a despeito de tantos percalços. Ainda no século XIX abundam relatos sobre a existência de diversas etnias, hoje muitas delas extintas: os Potiguara (habitavam desde o território de Porto Calvo até o Cabo de Santo Agostinho); os Tabajara e os Kaeté (no litoral desde o São Francisco até o Igarassu, em Pernambuco); os Abacatiara (nas ilhas do rio São Francisco); os Kariri; os Koropati (em Penedo); os Mariquito e os Xucuru (em Palmeira dos Índios); os Aconan, os Uman, os Vouvé e os Xocó (que se espalhavam pelo sertão na região do rio Ipanema e região serrana de Mata Grande); os Pipiano e os Koropotó (na Serra Cumanati, em território pernambucano); e os Karijó (em Penedo). Porém, os documentos são bastante impessoais, não havendo relatos sobre a história de vida desses índios.

Subsistem atualmente os Kariri-Xocó que vivem em Porto Real do Colégio. Tudo indica que pertenciam a grupos étnicos diferentes, porém, com o processo de colonização, guerras e massacres, não lhes restou outra opção a não ser agregarem-se. É provável que os remanescentes Kariri tenham se juntado a outros grupos indígenas extintos, como os Aconan, os Karapoté, os Ceococe e os Praquió do baixo São Francisco, sobreviventes dos aldeamentos jesuíticos coloniais. Os Xocó foram expulsos da ilha de São Pedro, no rio São Francisco, em 1855, quando a administração da província de Sergipe extinguiu as aldeias indígenas da área para arrematá-las a fazendeiros, com base na Lei das Terras.

Um outro grupo étnico remanescente é o dos Tingui-Botó, que habitam a comunidade Olho D'Água do Meio (Feira Grande), conhecidos até a década de 1980 apenas como "caboclos". A denominação Tingui-Botó, adotada pela Funai (Fundação Nacional do Índio), é recente e teria sido criada por João Botó, curandeiro e pajé que, juntamente com sua família, instalou-se nessa localidade por volta dos anos 1940. Os dados mais recentes da Funai sobre os grupos indígenas no estado de Alagoas estão discriminados no quadro a seguir.

É importante observar que a história dos grupos indígenas nordestinos é precariamente documentada, de difícil acesso e pouco estudada. **Não foi possível encontrar trajetórias de mulheres indígenas, uma vez que as informações estão dispersas e corrompidas e, mais que isso, por um claro desprezo dos brancos colonizadores pela cultura nativa. Muitas foram escravizadas, mortas e violentadas e, quando não, testemunhavam suas famílias sendo chacinadas, separadas, aldeadas. Além disso, eram proibidas de falarem sua própria língua e de praticarem os rituais de sua cultura. Como os homens eram sistematicamente aniquilados, o pouco da cultura indígena que ainda resgatamos no Nordeste deve-se em grande medida à coragem e persistência dessas mulheres, que nunca deixaram de transmitir a seus filhos a importância de suas tradições.**

A Realidade que denuncia o Passado

O cientista Alfred Wallace estranhou o "causo" contado à luz da fogueira por um dos guias de sua expedição. Como podia o nativo ter passado dez dias de fome em plena Amazônia, rica de caça e pesca, só por estar sem farinha? Pois o índio estranhou foi o estranhamento do inglês – já se viu comer bicho sem farinha?

José Roberto Alencar, citando Alfred Russel Wallace em Viagens pelos rios Amazonas e Negro

O mesmo estranhamento, citado na epígrafe de 1845, já era a marca característica da relação entre colonizadores e nativos, também chamados "negros da terra" à época do "descobrimento".

Na verdade, esse estranhamento – étnico, cultural, lingüístico, religioso e até gastronômico – traduziu-se, ao longo de 500 anos por uma política de dizimação, estrategicamente iniciada pela ação da catequese e da escravização e prosseguida com a exclusão social e educacional dos descendentes. Dos cinco milhões de índios estimados à época do descobrimento, cerca de 400 mil, espalhados por aproximadamente 220 etnias, chegaram, segundo o Censo de 2000, ao século XXI. Na metade do último século eram apenas 100 mil indivíduos.

Em 2004, pela primeira vez em sua história, a Funai indicou um representante indígena para sua administração em Alagoas. Filho de cacique, José Heleno de Souza que também responderá pela autarquia em Sergipe, é um Kariri-Xocó e, segundo a Gazeta de Alagoas (28/3), assume o cargo praticamente sem verba para promover o desenvolvimento das populações e sem recursos para agilizar os processos de legalização fundiária das terras indígenas.

Índio quer mais que apito

No Nordeste, berço da civilização brasileira, subsistem atualmente 50 nações indígenas. Em território alagoano totalizam 12 mil indivíduos, que vivem, segundo diversas lideranças, em situação precária, na maioria das vezes à beira da miséria.

Dizimados durante os séculos XVI e XVII, os índios das Alagoas, como também os das demais regiões do país, passaram a esconder-se pelas matas e "assimilaram hábitos de brancos e mulatos", o que contribuiu para que perdessem referências culturais e lingüísticas. Aliás, um dos objetivos da Secretaria de Minorias do estado de Alagoas e da atual administração da Funai Regional é justamente o resgate da língua indígena – "dos nossos antepassados", como pontua José Heleno.

Os 11 povos indígenas remanescentes do estado de Alagoas – que, segundo José dos Santos, da aldeia Karapotó, têm como referência comum o ritual religioso do Ouricuri – encontram-se assim distribuídos pelo território alagoano:

Povos	Municípios	Famílias	Aldeia
Geripancó	Pariconha	320	Ouricuri
Kalancós	Água Branca	56	* Em processo de reconhecimento pela Funai
Karapotó	São Sebastião	190	Tabuado
			Terra Nova
Karuazu	Pariconha	200	* Em processo de reconhecimento pela Funai
Katoquin	Inhapi	170	* Em processo de reconhecimento pela Funai
Tingüí-Botó	Traipu	11	Açonã
	Feira Grande	79	Tingüi
Kariri-Xucuru	Palmeira dos Índios	450	Fazenda Canto / Boquirão / Cafurna de Baixo / Cafurna de Cima / Capela /Coité
Kariri-Xocó	Porto Real do Colégio	508	Kariri-Xocó
Wassú-Cocal	Joaquim Gomes	408	Cocal
Korupancá	Inhapi	117	* Em processo de reconhecimento pela Funai

Fonte: Gazeta de Alagoas 28/03/04, Secretaria de Minorias de Alagoas e Funai

Não se chamam Iracema; mas também são índias e têm história

O surgimento de organizações indígenas, sobretudo a partir da década de 1980, revela o envolvimento da mulher índia na luta pelo exercício da cidadania, de direito e de fato, pelo respeito ao pluralismo cultural que forjou a sociedade brasileira. Movimento este acentuado nos anos 90 pelas mudanças na Constituição brasileira, que puseram fim à tutela dos povos indígenas.

Entretanto, vale ressaltar que, se índios e índias lutam pela igualdade dos direitos civis, o fazem também em defesa do respeito às diferenças individuais, pela liberdade de se expressarem e preservarem rituais e características lingüísticas.

A respeito dessa preocupação com a preservação de suas culturas, particularidade que vem se consolidando nas últimas décadas, **Mana Xucuru-Kariri**, a Maninha de Alagoas, lembra que, "o índio antes tinha vergonha de dizer que era índio" (O Globo – março 2004).

Programa de índias

Várias iniciativas desenvolvidas nas últimas décadas exemplificam as ações implementadas por lideranças femininas indígenas para articulação de mulheres dos diferentes povos. Destaca-se a constituição do Comitê Inter-Tribal de Mulheres Indígenas em Alagoas (Coimi), fundado por 21 mulheres Xucuru-Kariri, em 1997, e oficializado em 2000, que desenvolve trabalhos com índias da região Nordeste com o objetivo fomentar a organização e o associativismo feminino na luta pela saúde, educação, auto-sustentabilidade e contra a violência de gênero.

Na linha de frente e enfrentando o duplo preconceito – por serem mulheres e indígenas –, destacam-se algumas lideranças na organização da população feminina. Uma delas é **Maninha**, que tem atuado efetivamente em muitas das conquistas dos Xucuru-Kariri, como a retomada da terra Karapató em 1995, e da fazenda Jibóia. Além de ter ajudado a fundar, em 1990, a Associação dos Povos Indígenas do Nordeste, Minas Gerais e Espírito Santo (Apoinme), da qual é representante regional, Maninha administra a seção Alagoas/Sergipe da Coordenação de Apoio às Organizações Indígenas do Brasil-Capoib e, em 2001, participou da retomada de cinco propriedades da fazenda Beijinho.

Lições de amor

A professora ***Lourdes Monteiro****, de ascendência indígena, nasceu na Serra dos Macacos, no município de Palmeira dos Índios, em 6 de abril de 1926. Seus pais eram trabalhadores rurais. Sua mãe, apesar de semi-analfabeta, nutria grande desejo de que a filha fosse alfabetizada.*

A revista Jeca Tatu possibilitou à dona Josefa realizar seu sonho, pois passou "a juntar letra com letra, palavra com palavra", transformando-se em professora da filha. Assim Lourdes, aos 13 anos de idade, ingressa na Escola Almeida Cavalcanti, no terceiro ano primário. O esforço da mãe fez com que ganhasse dois anos de estudos.

Tímida, contou com a sensibilidade da professora ***Maria Julia Almeida*** *que, depois das aulas, a levava para sua casa, cuidava da sua alimentação e reforçava seu aprendizado. Até hoje Lourdes recorda-se emocionada da mestra que "me fez uma pessoa diferente".*

Em 1947 formou-se na primeira turma de professoras primárias do Colégio Cristo Redentor e, no ano seguinte, começou a lecionar, dedicando-se ao magistério durante 30 anos.

Comovida com uma cena que presenciou na porta de casa, onde meninos de rua catavam comida no lixo, resolveu acolhê-los e lhes oferecer uma sopa. No dia seguinte eles voltaram e trouxeram outros adolescentes, situação que passou a se repetir, aumentando cada vez mais o número de crianças com fome, sem nome e até desorientadas que vinham à sua porta.

Seu gesto mobilizou outras pessoas da sociedade local, que, dois anos depois, em 1980, resolveram criar uma Fundação de Amparo ao Menor. No terreno que haviam ganhado construíram um espaço onde atendem e abrigam crianças em situação de risco social.

Lourdes Monteiro não tem nenhum filho ou filha biológico, mas exibe o orgulho de ter abraçado e emprestado seu colo e seu tempo a todos aqueles e aquelas que não tiveram a chance de uma vida mais digna.

Comprovando que a disposição para a luta está no sangue da família, **Quitéria Celestina da Silva**, prima de Maninha, que aos 18 anos já havia participado da retomada das terras da Mata da Cafurna, uma das maiores conquistas dos Xucuru-Kariri, em 1986 é admitida na Funai e enviada à Bahia, onde por dois anos atua como enfermeira-sanitarista. Membro da Apoinme, participou da Eco 92, realizada no Rio de Janeiro, como representante de seu povo. Pouco antes de falecer, em 1994 tomou parte na reconquista das terras da fazenda Jibóia.

Também atuante tem sido **Graciliana Selestino Gomes da Silva**, da nação Kariri-Xucuru. Liderança jovem, foi uma das organizadoras do encontro Organização e Intercâmbio de Mulheres Indígenas do Nordeste, que reuniu no ano de 2003, em Maceió, aproximadamente 220 mulheres, de 6 estados, representando 38 nações. A participação de vários caciques e pajés no evento, pela autoridade que representam nas aldeias, traduziu o reconhecimento da importância do movimento de mulheres indígenas.

Outra "guerreira" é **Rosineide dos Santos**, da nação Wassu-Cocal, município de Joaquim Gomes. Professora da escola local é também Presidenta da Associação de Pais e Mestres, curiosamente formada apenas por mulheres. Dentre outras ações desenvolvidas junto aos alunos e alunas e seus responsáveis – como o plantio dos alimentos utilizados na merenda escolar –, realiza um trabalho de resgate da história e cultura local, entrevistando moradores idosos da comunidade. De Mata da Cafurna, em Palmeira dos Índios, junta-se ao grupo **Maria Eliete Alves**, Presidenta da Associação de Moradores que "divide" com o cacique a liderança local.

Para finalizar, não podemos nos esquecer de **Maria Berto**, figura de destaque entre os Geripankó, no município de Pariconha, na década de 1980, quando liderou a luta pelo reconhecimento das terras de seu povo. A dimensão da luta travada por essas – e outras – mulheres indígenas deve ser analisada sem perder de vista uma realidade em que a última palavra – sempre, seja qual for o assunto! – cabe exclusivamente ao cacique, sendo preciso muita força de vontade e coragem para romper com essa estrutura.

Pouca "cacique mulher" para muito índio

Inhapi, na vanguarda dos municípios alagoanos, exibe a "raridade" de contar com a primeira mulher cacique no estado. Aos 31 anos, a cacique **Graça** e seu povo Katokin, enfrentam toda sorte de dificuldades, que vão desde a terra seca e de difícil acesso até a fome, o que obriga mulheres e crianças à mendicância em cidades próximas.

O fato de não ser a aldeia, ainda hoje, reconhecida pela Funai impede que a população tenha acesso a verbas federais, que poderiam minimizar a extrema miséria. A comunidade, onde é elevado o índice de mortalidade infantil, não dispõe sequer de uma escola para crianças e jovens.

Índio "não tem" educação!

Se em Alagoas a maioria dos índios e índias adultos com idade superior a 30 anos é analfabeta, como declara o administrador regional da Funai no estado, apenas 1% – cerca de 1.300 – freqüenta as salas de aula de faculdades e universidades em todo o Brasil. Segundo **Neide Siqueira**, responsável pelo Apoio Pedagógico da Coordenação de Educação da Funai, em entrevista ao jornal Correio Brasiliense (10.3.04), "além, de poucos, os índios acabam nas escolas particulares porque não têm condição de passar nos vestibulares concorridos das federais e estaduais".

Buscando romper esse ciclo perverso de exclusão educacional, a Universidade de Brasília (UnB) e a Funai assinaram convênio, em março de 2004, que beneficiará num primeiro momento cerca de 15 índios e índias. A admissão universitária, entretanto não será automática, pois dependerá de uma prova de conhecimentos em matemática e português. Sobre isso, Hivson Leonardo, da nação Wassu, representante dos diferentes povos indígenas de Alagoas e consciente de que chegou "mais longe" do que 99% "dos seus irmãos", declarou ao Correio Brasiliense: "Queria que os colegas da UnB soubessem que não estamos roubando vagas de ninguém. Estamos preparados para enfrentar a carga de uma universidade."

Essas e tantas outras questões, resultado dos 500 anos de aculturação imposta pelo dominador europeu, merecem especial atenção dos gestores e gestoras públicos. Que a miséria e a mendicância pelo povo Katoki, liderada pela cacique Graça, no município de Inhapi, sejam de fato um drama em processo de extinção.

Uma Kariri -Xucuru "boa de briga"

No dia 17 de junho de 1975, nascia na aldeia Fazenda Canto, município de Palmeira dos Índios (AL), **Graciliana Selestino Gomes da Silva** ou **Wakanã**, seu nome indígena, filha do cacique Kariri-Xucuru, Manoel Selestino da Silva, e de Maria de Lourdes Gomes da Silva, da nação Kalankó.

Graciliana desde os 14 anos de idade participava das reuniões da comunidade, discutindo com representantes da Funai, exigindo direitos e formulando uma visão crítica da realidade em que vivia seu povo.

Em 1988, o Conselho Estadual de Defesa dos Direitos da Mulher de Alagoas encaminhava aos chefes indígenas uma carta solicitando a indicação de lideranças femininas que representassem, como conselheiras, as diferentes nações. Na lista tríplice apresentada, Graciliana foi a escolhida; tomando posse em 8 de março de 1989. Desde então imprimiu um espírito mais ousado no trato com a estrutura machista imposta pelos homens que comandavam sua aldeia, pois passou a questionar a autoridade masculina, soberana absoluta das decisões. Não aceitou se submeter, e suas reações, tachadas de revolucionárias, resultaram em sua expulsão da comunidade.

Segundo Wakanã, foi um período de aprendizado político "em que foi possível refletir e compreender melhor as influências que a cultura indígena recebeu do mundo branco patriarcal e também abraçar com convicção o feminismo e investir na organização das mulheres". Foi assim que em 1997, na Serra da Capela – primeiro aldeamento indígena reconhecido pelo governo federal –, no município de Palmeiras dos Índios, participou da fundação do Comitê Intertribal de Mulheres Indígenas (Coimi), institucionalizado em janeiro de 2000. Esse comitê tem como objetivo fortalecer as lideranças femininas e criar uma rede de articulação com organizações afins, buscando sempre melhorar as condições de vida das índias em particular e dos povos indígenas em geral.

Em 2003 Graciliana dedicou-se de corpo e alma à produção do Encontro "Organização e Intercâmbio de Mulheres Indígenas do Nordeste", uma vez que Alagoas fora escolhida para sediá-lo.

Atualmente trabalha como auxiliar de enfermagem em duas comunidades indígenas, desenvolvendo um projeto de resgate de ervas medicinais, incentivo às parteiras tradicionais, e saúde da mulher; faz parte da Diretoria do Coimi e milita no Fórum de Mulheres de Alagoas. Graciliana, a jovem contestadora que um dia desafiou a estrutura patriarcal em vigor na nação à qual pertencia, é hoje uma liderança respeitadíssima para além das fronteiras de sua comunidade e de seu estado.

Uma ***instigante*** *controvérsia*

O século XV tem como aspecto mais importante o ciclo das grandes navegações. Iniciavam-se então na Europa os processos de unificação política que teriam como desdobramento a busca por novas terras e fontes de riqueza.

A unificação política e territorial de Portugal, no século XII, e da Espanha, no século XV, depois do casamento de Fernando de Aragão e Isabel de Castela, possibilitou a esses países assumirem a liderança na conquista de além-mar. A disputa pelas novas descobertas criaria muitos impasses e desacordos diplomáticos, só resolvidos com a assinatura, em 1494, do Tratado de Tordesilhas, que dividiu o mundo em dois: as terras a leste ficavam com Lisboa, a oeste com Madri.

Quatro anos depois, em 1498, contribuindo para o sucesso da expansão ultramarina desencadeada pelos portugueses, Vasco da Gama descobre o caminho marítimo para as Índias. Logo depois de seu retorno a Coroa começa a se preparar para enviar ao Novo Continente a mais possante frota da história de Portugal, desta feita chefiada por Pedro Álvares Cabral. Num desvio de rota, talvez em busca das calmarias, em 22 de abril de 1500 as caravelas chegam ao Brasil. Contrariando a versão oficial de que o primeiro local avistado pelas naus portuguesas foi o Monte Pascoal, na Bahia, alguns historiadores alegam que este lugar teria sido o contraforte da serra da Nacéia, em Anadia, Alagoas. Com base nos argumentos do cronista Fernandes Gama e do cientista Alexandre Von Humboldt – para quem as primeiras terras encontradas ficavam a 10 graus de latitude sul e, portanto, na costa entre Jequiá e Coruripe – e num trecho da carta de Caminha que descreve "as barreiras altas e avermelhadas", Jayme de Altavila e Alfredo Brandão, duas importantes figuras da historiografia alagoana, defendem essa versão do "descobrimento". Podemos citar também a versão potiguar pela qual o primeiro local avistado teria sido a praia de Touros, no Rio Grande do Norte, além da versão pernambucana, segundo a qual teria sido o cabo de Santo Agostinho. Parafraseando o historiador Douglas Apratto Tenório, trata-se de uma bela controvérsia.

A Casa da Mãe Joana

Nos primeiros 30 anos de ocupação do território brasileiro, a colonização foi deixada em segundo plano pela Coroa portuguesa, sendo este um período marcado pela exploração e tráfico de madeira, animais e indígenas escravizados. Além dos nativos, por aqui também viviam exploradores, náufragos, desertores e degredados, sem eira nem beira, de acordo com a lei natural. Nessa época foram empreendidas expedições exploradoras da costa, realizados alguns esforços de vigilância do litoral e criadas pequenas feitorias, que serviam de depósito para os produtos nativos, sobretudo o pau-brasil. E foi justamente o pau-brasil, como o grande atrativo das terras recém descobertas, que atraiu o interesse da pirataria para o litoral brasileiro, principalmente de corsários franceses. A costa nordestina foi bastante freqüentada pelos franceses que faziam o tráfico dessa madeira para a Europa. Segundo Gabriel Soares de Souza, em seu Tratado descritivo do Brasil de 1587, havia três portos franceses no litoral alagoano, e o contrabando continuou prática corrente nas Alagoas até meados do século XIX, quando houve uma grande apreensão da matéria-prima, em 1840, na região de Coruripe.

Para pôr ordem na casa, em 1530, foi enviada ao Brasil uma poderosa expedição comandada por Martim Afonso de Souza, com amplos poderes, inclusive o de distribuir terras.

Gogó de Emas

Quando "As Lagoas" pertenciam a Pernambuco

Em 1532, o rei dom João III dividiu o Brasil em capitanias hereditárias, sendo 12 os donatários a receberem terras. A capitania Nova Lusitânia, posteriormente denominada Pernambuco, foi entregue a Duarte Coelho Pereira e em seus limites ficou o território alagoano, que só viria a se desmembrar e se tornar autônomo no século XIX.

Duarte Coelho Pereira foi empossado como donatário a 9 de março de 1535, iniciando o povoamento e a exploração de seus extensos domínios. A organização que estabeleceu em Pernambuco transformou a capitania na mais importante do reino, instalando os primeiros engenhos-de-açúcar na Colônia e ajudando a viabilizar economicamente o Brasil. A cana-de-açúcar foi a grande responsável pelo desenvolvimento da época, pois a madeira não chegava a justificar o enorme volume de investimento que um projeto de colonização exigia.

Uma mulher governa a capitania

Em 1554, Duarte Coelho Pereira, é chamado a Portugal para prestar esclarecimentos sobre o andamento das atividades em seu território e acaba morrendo em Lisboa. Na época seus dois filhos homens faziam estudos na Europa e não retornaram imediatamente ao Brasil. Coube, então, à sua esposa **Brites Mendes de Albuquerque**, portuguesa e filha de Joana de Bulhão e de Lopo de Albuquerque, assumir o governo da capitania.

O principal problema enfrentado por dona Brites foi a resistência dos indígenas na região, que, na tentativa de evitar serem aprisionados e de defender suas terras, provocaram inúmeros conflitos, causando prejuízos materiais e a destruição de vários engenhos. Foi também durante sua administração que ocorreu o mais famoso episódio antropofágico da história do Brasil, quando os Kaeté devoraram o bispo Sardinha e a tripulação do navio naufragado em território alagoano. Ainda assim, durante o governo de Brites, Pernambuco era a mais próspera capitania do Brasil, com 66 engenhos e mais de mil colonos e escravos.

A ocupação produtiva do território não era, porém, tarefa fácil para os donatários, que deviam contar com recursos próprios para fazer uso econômico de sua propriedade.

Sem lenço e sem documento, mas com testamento !!!

O final do século XVIII assiste ao início do domínio da família Mendonça sobre os engenhos do vale do Camaragibe e Porto Calvo, tomando o lugar da família Lins na região. Quem dá partida a esse processo é o ouvidor José de Mendonça de Matos Moreira ao rumar para as Alagoas por volta de 1779. Ao falecer, José deixou as propriedades para os seis filhos nascidos de sua relação amorosa com ***Maria Josefa Souza de Alarcão Ayala****, por sinal um exemplo dos muitos que a área açucareira alagoana presenciou. Em seu testamento, o ouvidor diz: "declaro que por fragilidade humana tive de dona Maria Souza Alarcão Ayala os filhos seguintes: José de Mendonça de Matos Alarcão Ayala, Jacinto Paes de Mendonça, Bernardo Antônio de Mendonça,* ***Bárbara Francisca Xavier de Matos****, Antônio de Mendonça Alarcão Ayala e* ***Maria Josefa Diniz de Alarcão Ayala****; todos eles existem e são meus filhos naturais, porque a sua referida mãe se achava no estado viduál." Os Mendonça tiveram larga influência na vida política e social de Alagoas, e sua descendência, entrecruzando-se com outras famílias de engenhos, espalhou-se por outras áreas, aumentando sua base de domínio territorial, econômico e social na região.*

O principal engenho da capitania chamava-se Nossa Senhora da Ajuda, tendo sido organizado por Brites, Duarte Coelho, seu filho, e Jerônimo de Albuquerque, irmão de Brites, que se casou com **Maria do Espírito Santo Arco-Verde**, filha do cacique da nação indígena dos Kaeté.

Em 1560 começava o governo de Duarte Coelho de Albuquerque, primogênito do casal, cessando assim a interinidade de sua mãe Brites de Albuquerque. O herdeiro deu continuidade à expansão e ao povoamento do território iniciados por seu pai. A primeira expedição, por volta de 1545, desceu o litoral até a foz do rio São Francisco, e, numa de suas margens, fundou uma feitoria que deu origem ao primeiro povoado - Penedo. A segunda bandeira, já no governo de Duarte Coelho de Albuquerque, foi capitaneada pelo oficial alemão Cristóvão Lins entre 1575 e 1585, conseguindo não só expulsar os índios de suas terras como escravizar os capturados vivos.

As colonizadoras

O povoamento do norte de Alagoas dá-se, efetivamente, a partir da expedição de Cristóvão Lins, com a fundação de alguns engenhos e do povoamento de Bom Sucesso, mais tarde denominado Porto Calvo, considerado o segundo de Alagoas. Cristóvão casou-se com a portuguesa **Adriana de Holanda**, matriarca de uma das mais importantes famílias da capitania de Pernambuco, filha de **Brites Mendes de Vasconcelos** e de Arnal de Holanda. O casal se estabeleceu na região e tiveram quatro filhos fundando sete engenhos ao longo do litoral até o cabo de Santo Agostinho e expandindo a fronteira canavieira. Um desses engenhos, o Buenos Aires – que já existia por volta de 1590 – , é considerado a mais antiga fábrica de açúcar de Alagoas.

Os filhos do casal mantiveram a tradição, atando laços através de casamentos com as mais influentes famílias açucareiras, cuja contribuição ao povoamento das terras alagoanas merece registro: Bartolomeu Lins casou-se com **Méssia Barbosa**, que vinha da região de Penedo, cujo filho foi, por volta de 1645, o restaurador de Porto Calvo, destruído durante a guerra contra os holandeses; **Inês Lins**, que foi casada com Vasco Marinho Falcão,e **Brites Lins** que constitui família com Baltazar de Almeida Botelho. Adriana de Holanda teve vida longa: em 1640 tinha perto de 100 anos e vivia cercada por seus descendentes.

Também contribuíram para o povoamento da região a irmã de Adriana, **Maria de Holanda de Barros Pimentel**, e seu marido o nobre português Antônio de Barros Pimentel.

O terceiro povoado, Santa Maria Madalena da Lagoa do Sul, no centro do litoral, desenvolveu-se em torno das lagoas. Foi fundado, por volta de 1591, ocasião em que Diogo Soares recebeu uma sesmaria que daria origem a essa localidade. Essa propriedade, através de herança, foi legada a Gabriel Soares e sua esposa **Maria de Abreu Bezerra**, origem de muitas famílias alagoanas. Mais tarde a povoação passaria a se chamar Alagoas e no século XX, por volta de 1930, Marechal Deodoro, em homenagem ao seu filho ilustre, primeiro presidente do Brasil.

Em torno dessas vilas formaram-se vários povoados. E cada núcleo que surgia, rodeando o engenho-de-açúcar e dominando o campo pastoril, procurava, pela necessidade das relações sociais e interesses mercantis, ligar-se aos outros núcleos. Pouco a pouco, foram se rasgando no seio da mata os caminhos que conduziam para o litoral as produções agrícolas e levavam da orla marítima para o sertão o socorro das armas, usadas para enfrentar a resistência indígena ou colonos rebelados. Foram surgindo então, no século XVII e XVIII, sucessivamente: Santa Luzia do Norte, Poxim, São Miguel dos Campos, Anadia, Porto de Pedras, Passo de Camaragibe, Atalaia, Viçosa, União dos Palmares, Palmeira dos Índios, Piranhas, Água Branca, Traipu, Pão de Açúcar e Maceió.

A despeito do sistema patriarcal vigente, encontramos o registro do nome de algumas colonizadoras, proprietárias de terras e engenhos, como **Felipa de Moura**, que em 1612 torna-se dona de uma sesmaria na região oeste do Rio São Francisco; **Maria Amorim Barbosa** e **Ana Deolinda**, que recebem uma extensão de terras na primeira década do século XVIII, próximas ao Mundaú; **Jerônima de Almeida**, **Méssia Lins de Almeida**, **Brites de Barros Pimentel**, **Maria Lins**, **Maria Camelo**, **Inês de Almeida Pimentel**, **Florência de Andrade**, que aparecem em documentos de 1686 e 1709, citados por Manuel Diegues Junior. Soma-se a elas **Úrsula Rodrigues Calheiros**, fundadora, juntamente, com seu esposo, Joaquim Pereira Rosa, do engenho Paú Amarelo, na região norte.

Em 1797, **Inês Teresa Caetana de Paiva** arremata à prestação um dos antigos engenhos da família Lins, situado no vale do Camaragibe. Por sua vez, **Antonia Maria de Moura** legou à sua neta **Maria José Acioli** uma parte do engenho Nossa Senhora do Rosário, doado em 1814.

O açúcar nosso de cada dia

É inegável a influência dos engenhos-de-açúcar na formação do Brasil. A evolução e a complexa história das relações econômicas, políticas e sociais alagoanas são um exemplo disso, uma vez que em seu território prosperaram centenas de engenhos.

O Estado português mostrava interesse em ampliar a atividade açucareira no Brasil, em virtude das excepcionais condições geográficas, mas encontrava dificuldades, como a escassez de mão-de-obra e a falta de capital necessário. Para solucionar esses problemas, perpetraram a mais violenta exploração humana da história brasileira – o tráfico e trabalho escravo – e recorreram aos banqueiros holandeses, que imediatamente aceitaram financiar o empreendimento açucareiro no Brasil em troca da exclusividade no transporte e distribuição do açúcar na Europa.

A Guerra do Açúcar, uma guerra nada doce

Com a União Ibérica, Portugal herdou da Espanha seus inimigos e conflitos. A Holanda, que havia finan-

ciado o empreendimento açucareiro no Nordeste, foi proibida pela Espanha de freqüentar os portos brasileiros e distribuir o açúcar na Europa, sofrendo um prejuízo de enormes proporções.

Estimulados pelo alto valor do produto no mercado internacional e conhecimento do território, os holandeses tomaram a decisão de ocupar o Nordeste brasileiro. A primeira investida foi no Recôncavo Baiano e pegou as autoridades de surpresa. A resistência, porém, começou a se organizar e, durante um mês, travaram-se sangrentos combates em terra e mar. O conflito durou um ano e, em 1625, as forças ibero-brasileiras conseguiram a rendição dos holandeses. Porém, estes não desistiram da empreitada, preparando-se para um novo ataque.

Em meados de fevereiro de 1630, os invasores batavos chegam à capitania de Pernambuco e assumem o controle de Recife e Olinda, lá permanecendo por 24 anos.

A partir de meados de 1631, Alagoas passa a tomar parte ativa no conflito. A ocupação holandesa encontrou florescentes os três principais núcleos populacionais do território alagoano: Bom Sucesso (Porto Calvo), ao norte; Santa Maria Madalena da Alagoa do Sul (Marechal Deodoro), ao centro; e Penedo, ao sul.

Em 1632 o alagoano de Porto Calvo Domingos Fernandes Calabar, que no começo lutou ao lado do governador da capitania Matias de Albuquerque, muda de lado, tornando-se um importante aliado dos holandeses: seu conhecimento do território contribuiu para a rápida expansão batava, que resultou na conquista do Rio Grande do Norte, Paraíba e Alagoas. Porto Calvo era um ponto estratégico da região, e foi lá que os holandeses se estabeleceram.

Procura-se o Pai ?

Calabar, o polêmico e controvertido personagem da guerra contra os holandeses, era "mulato" e filho de ***Ângela Soares****. Nascido em Porto Calvo, pertencente hoje ao Estado de Alagoas, e sabe-se apenas a data de seu batismo em, 15 de março de 1610, na capela de Nossa Senhora da Ajuda, Engenho Velho, perto de Olinda, onde teve como padrinhos o português Pedro Afonso Duro e sua filha, brasileira,* ***Inês Barbosa****.*

Não figura no registro batismal o seu nome paterno, o que permite deduzir –, considerando-se a época, as relações escravistas, sua cor e o fato de ter sido educado num colégio de jesuítas – que era filho de uma negra com algum senhor de engenho, categoria que tinha o hábito de manter relações sexuais com suas escravas e raramente assumiam a paternidade resultante dessas relações.

De sólida formação humanista, Calabar era culto, bem criado e muito sensível às inúmeras discriminações que sofria por sua condição étnica e por ser filho "bastardo". Talvez sua história pessoal, acrescida do injusto projeto português, especialmente no que diz respeito aos indígenas e africanos - que para cá foram sendo trazidos -, ajude a desvendar sua opção pelos holandeses.

Vivia maritalmente com uma mameluca chamada ***Bárbara Cardoso****, resultando dessa união um filho a quem deram o nome de Domingos Fernandes.*

Em junho de 1635, foi capturado, morto e esquartejado, na sua terra natal, pelas tropas luso-brasileiras.

Relações inter-raciais ou abuso de poder ??

O barão de São Miguel, Epaminondas da Rocha Vieira, recebeu seu título de nobreza em 18 de dezembro de 1870. Era casado com sua prima ***Antônia Leopoldina da Rocha Barros****, bisneta de Ana Lins, e não tiveram descendentes. O barão, porém, como era muito comum na época, engravidou a negra* ***Maria Rosa****, que era cria da casa. A primeira filha de ambos chamou-se* ***Elvira*** *e foi criada pela baronesa; porém, quando a cena se repete e resulta numa segunda gravidez, Antonia Leopoldina não aceita. Assim que Maria Rosa pariu o filho Virgílio, seus patrões deram-lhe um dote e arranjaram-lhe um marido, que ela mais tarde abandonou. Virgílio teve uma filha, chamada* ***Nair da Rocha Vieira****. Se os critérios – descendências – para os títulos de nobreza fossem, ainda hoje, considerados, em São Miguel dos Campos, teríamos as primeiras baronesas negras de Alagoas:* ***Elvira*** *e* ***Nair****.*

(Bisnetas de Ana Lins)
Antônia Leopoldina da Rocha Barros
Mariquinha
Josepha Hermelinda

Em Penedo fundaram o Forte Maurício. Estiveram também em Alagoas do Sul, Barra Grande (Maragogi) e São Miguel dos Campos. Muitos saques, incêndios, mortes e ocupações ocorrem nesse percurso. Em Santa Luzia do Norte, porém, os holandeses depararam-se com uma organizada resistência. Cada casa foi transformada numa fortaleza e tanto homens quanto mulheres participaram heroicamente do confronto. **Maria de Souza**, ao lado de seus filhos, o capitão de milícias Antônio Lopes Filgueiras, seu genro, comandaram a defesa do povoado. As mulheres usaram os mais diversos instrumentos para contra-atacar o inimigo, como água e azeite fervendo, tochas de fogo e pedras. Numa batalha acirrada a população de Santa Luzia do Norte conseguiu impedir que os invasores incendiassem a cidade, como era costume.

As tradicionais famílias da região sentiram na pele, com a perda de pessoas próximas, as conseqüências da invasão holandesa. Dos cinco filhos de Maria de Souza e Gonçalo Velho, três foram mortos nos combates, além dos cinco irmãos da família Viana. Entre outros gravemente atingidos estavam os Marinho Falcão, Lins, Acioli, Vasconcelos. Embora a coragem e liderança de Maria de Souza sejam lembradas por alguns autores e autoras, seu nome deveria ser inscrito com mais destaque na historiografia brasileira.

Na sangrenta batalha de Porto Calvo, ocorrida em fevereiro de 1635, a índia potiguar, de naturalidade controvertida – Alagoas ou Rio Grande do Norte? –, **Clara Camarão** lutou bravamente ao lado de seu companheiro Felipe Camarão. Apesar da derrota, mais uma vez as mulheres mostraram bravura diante da investida holandesa e Clara permanece até hoje na memória popular como a grande heroína desse episódio.

As conseqüências da guerra refletiram-se consideravelmente na economia da região, com o incêndio de muitos engenhos. A partir de 1640, Portugal se libertou do domínio espanhol e conquistou a independência, dando início no Brasil ao período de restauração, não sem resistência, do domínio português.

Com safras ruins, provocadas por inundações e epidemias, e atolados em dívidas, os senhores de engenho voltaram-se contra os holandeses. Foi um longo período de enfrentamentos e combates e esse apoio foi de grande importância para a vitória lusa, iniciada em Porto Calvo, em 1645.

Enquanto muitos patriotas alagoanos foram presos e torturados pelos holandeses, outros conseguiram comprar sua liberdade, como no caso do senhor de engenho Rodrigo de Barros Pimentel e sua mulher, **Jerônima de Almeida**, ativa colaboradora da restauração lusitana, que só conseguiu escapar da morte depois de entregar aos inimigos 90 caixas de açúcar.

Depois da tempestade, a bonança, digo Maceió!

Passado o difícil processo de restauração, floresce o povoado de Maceió, em torno do engenho de açúcar existente à margem do riacho Maçayó, local hoje ocupado pela praça Dom Pedro II. Desconhecido até hoje pela história, deduz-se que o fundador do engenho, com escravaria e gado, escolheu o lugar motivado por sua proximidade com o porto de Jaraguá, que facilitaria o transporte do açúcar.

Documentalmente, o nome do mais antigo proprietário de terras do lugar aparece em 1708 e é o do capitão Apolinário Fernandes Padilha – e sua mulher **Beatriz Ferreira Padilha**. Com eles teria se dado, oficialmente, o início do povoamento dessa parte da costa da capitania, onde hoje se situa a capital do estado.

Por volta de 1761, Beatriz Ferreira Padilha foi vítima de processo judicial movido pelo alferes Antônio Fernandes Teixeira e sua mulher, **Maria de Aguiar**. Após a morte de Apolinário Padilha, Beatriz perdeu a propriedade, doada pelos vencedores à Nossa Senhora dos Prazeres.

Ao findar o regime colonial, o povoado de Maceió já era um importante centro comercial, servindo de empório para uma vasta zona agrícola, que se desenvolvia pelo vale do Mandaú e do Paraíba, cortada por duas vias de acesso e rodeada por diversos centros açucareiros. No entanto, continuava pertencendo à vila de Alagoas, alçada à comarca em 1706.

Em 5 de dezembro de 1815, o príncipe dom João, regente do reino, em nome de sua mãe Maria, defere as considerações encaminhadas pelo ouvidor Antônio Ferreira Batalha, reconhecendo o direito de Maceió a se alçar à categoria de vila.

A emancipação de Maceió, com organização administrativa própria, possibilitou que em 1825 um recenseamento apontasse a existência de 9.109 habitantes. Decerto o porto foi um grande estímulo para o desenvolvimento comercial, o aumento demográfico e o nível de informação da população do lugar, que passou a ameaçar o poder político que estava nas mãos da vila de Alagoas, até então capital da Província.

Na década seguinte vão ocorrer diferentes manifestações em favor da mudança da capital para a vila de Maceió, tendo na pessoa do primeiro presidente da província Sinimbu o maior representante dessa conquista. Em 8 de dezembro de 1838, dia de Nossa Senhora da Conceição, foi aprovado o projeto que autorizou a transferência.

Escravidão, gênero e a luta pela liberdade: por uma história de Palmares

Pouco sabemos sobre a trajetória das mulheres durante a Escravidão no Brasil. Quando aparecem são quase sempre vitimizadas ou coadjuvantes. Nem mesmo protagonistas das suas próprias histórias. Nunca ouvidas ou percebidas. Porém auscultadas por sua natureza, quase sempre essencializada. Mas as mulheres fizeram (e fazem) gênero e história. Nos mundos da escravidão, se já havia pouco espaço para sinhazinhas, o que dirá daquelas africanas e crioulas, as escravas. Imagens românticas até foram desenhadas para falar das mucamas – das mulatas – e seus supostos atributos sedutores, apenas cenários da mestiçagem. Houve muita violência, sabemos. Igualmente ocorreram incontáveis experiências históricas femininas, onde não devemos procurar heroínas de fôlego olímpico ou donas das certezas. Mas mulheres tornadas invisíveis, que politizaram o cotidiano das suas vidas e daqueles que as cercavam Com rostos, almas, desejos, corpos, nomes e expectativas. E que fizeram escolhas políticas.

Que mulheres eram estas? De onde vieram? Quais as suas histórias de vida? E as suas experiências no mundo da escravidão? Infelizmente ainda são poucos os estudos específicos que tratem das estratégias e do cotidiano de cativas e libertas. É um desafio seguir adiante, com pesquisas, indagações e inquietude diante de explicações naturalizadas. Tanto em várias sociedades na África como na diáspora, mulheres africanas e suas descendentes eram conhecidas por sua força e poder espiritual. Em várias rebeliões importantes temos evidências da participação efetiva delas na organização. As mulheres negras – fossem livres, libertas ou cativas, crioulas ou africanas – procuraram elaborar e manejar mecanismos diversos de enfrentamentos, visando modificar suas vidas e a de seus familiares.

Estudos enfocando as experiências das mulheres escravas nas Américas têm apontado para o grau de resistência delas no interior das roças. Não-cooperadoras no trabalho diário, muitas vezes, tinham que ser castigadas severamente. Nas áreas rurais, onde a maior parte estava empregada nas plantações, era através da linguagem e da música que educavam os seus filhos e que recriavam elementos fundamentais de suas identidades culturais. Ajudavam a reinventar tradições e costumes. Surgiam Áfricas reelaboradas. A função das mulheres no interior das senzalas podia representar a reconstrução e recriação permanente de aspectos culturais e, portanto, a edificação de sólidas comunidades escravas.

Palmares e interpretações

Não exclusivas, mas importantes experiências históricas de protesto nas sociedades escravistas surgiram nas comunidades de fugitivos. Na Venezuela eram chamadas cumbes; palenques era a denominação na Colômbia; maroons no Caribe inglês e EUA, e cimarones em Cuba. No Brasil, as comunidades de fugitivos escravos foram denominadas pelas autoridades de quilombos e/ou mocambos.

O que significa a palavra quilombo/mocambo? Em muitos povos de línguas bantu da África Central e Centro-ocidental era sinônimo de acampamento. Mas não só isso. Em regiões africanas centro-ocidentais, especialmente nos séculos XVII e XVIII, a palavra kilombo tinha o significado também de um ritual de iniciação da sociedade militar dos guerreiros dos povos Imbangala (igualmente denominados Jaga).

No Brasil, entre os séculos XVI e XIX surgiram inúmeros mocambos/quilombos por toda a parte. Grandes e pequenos, com quatro ou cinco habitantes, mas também com milhares deles. O principal foi – sem dúvida – Palmares, localizado em Alagoas, na antiga capitania de Pernambuco. Pode-se dizer que o Quilombo de Palmares estabeleceu-se em pleno coração do império colonial português. Até o início do século XVIII, as capitanias de Pernambuco e Bahia eram as mais importantes – principalmente em termos econômicos – para os interesses comerciais lusitanos. Palmares nasceu, portanto, junto com o mundo colonial do açúcar. Ao que se sabe, os primeiros núcleos quilombolas – escravos fugitivos – de Palmares instalam-se nas últimas décadas do século XVI. Em 1597 aparece a primeira referência documentada sobre a existência de Palmares.

As serras daquela capitania foram consideradas locais ideais para refúgio. Havia ali não só um quilombo, mas sim vários, talvez dezenas. Cercados por montanhas e florestas de difícil acesso, os habitantes de Palmares contavam com uma considerável proteção natural. A escolha – devido a flora e a fauna – desse local também era garantia de caça e pesca abundante, como igualmente de frutos, raízes e plantas. Assim, quilombolas poderiam garantir suas sobrevivências, bem escondidos no interior da floresta. Esse ambiente ecológico foi fundamental. Numa área hostil – nem sempre semelhante às suas regiões de origem africanas –, tiveram que conhecer e dominar a geografia, a topografia, fauna e flora daquelas matas, fazendo delas aliadas.

Assim como nascia Palmares, renasciam aqueles primeiros habitantes palmarinos, recriando um novo mundo. Foi um mundo africano reinventado no Brasil pelos negros fugitivos, vale a pena repetir. Quilombolas – crioulos e africanos de identidades étnicas e procedências diversas – forjaram um mundo próprio para viverem sua liberdade. Recriaram culturas e organizaram-se militarmente para combater os invasores. Estabeleceram igualmente suas práticas econômicas para garantirem sobrevivência. Foi a gestação deste espaço social original que assustou sobremaneira grandes fazendeiros e autoridades lusitanas. Em várias partes do Império atlântico

português e por que não dizer do Atlântico Negro (no sentido das experiências da diáspora em outras partes) se ouviu falar de Palmares. Ao findar o primeiro quartel do século XVII, seus habitantes já contavam milhares. As primeiras gerações de palmarinos começavam a nascer. Tal fato faz incrementar ainda mais o aumento de sua população. Também novas e continuadas fugas de escravos para Palmares aconteciam.

A produção econômica palmarina não era somente destinada à subsistência de sua numerosa população. Tem-se notícia de que com os excedentes realizavam trocas mercantis com taberneiros e moradores de localidades próximas. Levavam farinha-de-mandioca, vinho de palma, manteiga e outros produtos, obtendo em troca armas de fogo, pólvora, tecidos, sal e ferramentas de que precisavam nos seus mocambos. Esse comércio de quilombolas, pequenos sitiantes e taberneiros da capitania preocupavam em muito as autoridades. Formava-se assim uma rede mercantil clandestina. Acabava-se não só trocando bens econômicos. Havia mesmo solidariedade para com os quilombolas. Muitos moradores eram acusados de dar proteção aos palmarinos. Dizia-se mesmo que muitas expedições punitivas fracassaram em virtude das informações antecipadas feitas por esses vendeiros. Há até notícias de que alguns brancos – pequenos comerciantes, mascates e taberneiros – freqüentavam alguns quilombos em Palmares, visando estabelecer relações comerciais. Afora isso, os constantes ataques deixavam as populações próximas sobressaltadas. Os quilombolas faziam isso não só para obterem os produtos que necessitavam, mas também para amedrontarem e punirem – principalmente os senhores-de-engenho – aqueles que promoviam as expedições punitivas contra seus mocambos. Consta mesmo que os palmarinos cobravam tributos – em mantimentos, dinheiro e armas – aos moradores das vilas e povoados. Quem não colaborasse poderia ver suas propriedades saqueadas, suas plantações incendiadas e seus escravos seqüestrados. Era a resposta que os palmarinos davam àqueles que escravizavam outros negros e defendiam a sua destruição.

Inicialmente, os quilombos foram formados por africanos de procedências diversas e identidades étnicas e línguas diferentes. Palmares foi, assim, engendrado por práticas culturais variadas. Predominavam africanos do grupo étnico-lingüístico Bantu, originário das áreas centro-ocidentais da África (Congo e Angola). De qualquer modo, as culturas dos palmarinos constituíram-se em algo novo. As práticas religiosas forjadas tinham tanto traços de práticas mágicas e rituais de várias partes da África como aquelas dos indígenas e de catolicismo popular aprendido nas senzalas. Aliás, parte dos africanos já tinha entrado em contato com o cristianismo na própria África, quando do início da ocupação européia em meados do século XV. Em Palmares, as expedições punitivas encontraram capelas e santuários. Havia, inclusive, imagens de santos católicos como a do Menino-Jesus e a de Nossa Senhora da Conceição. Este sincretismo religioso dos palmarinos bem demonstra de que modo estes reelaboraram uma cultura própria e original naqueles quilombos. Cultuavam deuses africanos, santos católicos e criaram novos símbolos e significados religiosos em Palmares. De uma maneira geral – tal qual na África – percebiam seus deuses como detentores das forças da natureza. As plantas, o fogo e água podiam ter os mesmos poderes espirituais das imagens e símbolos cristãos.

Em meados do século XVII, a população palmarina já alcançava mais de 20 mil pessoas. Alguns cronistas da época com certo exagero falam em 30 mil. Naquelas serras residiam, além de negros, mestiços e índios. Palmares estava dividido em inúmeros quilombos ao longo da serra da Barriga. Os mais importantes eram denominados pelos nomes de seus chefes e comandantes. O quilombo principal era conhecido como Macaco. Era o centro político e administrativo, funcionando como se fosse a capital de Palmares. Além disso, era o mais povoado – com milhares de casas – e nele residia Ganga-Zumba, um dos principais líderes dos palmarinos.

Caiu na rede é peixe !!!

***Joana Maria da Conceição** nasceu em Santa Luzia do Norte (AL), em 25 de maio de 1902, filha de José Francisco dos Santos e Josefa Francisca dos Santos. **Dona Nazinha**, como é chamada, casou-se e teve 15 filhos entre vivos e mortos. Trabalhou na roça e pescava ostras, sururu e camarão na Lagoa Mundaú, que levava, de canoa, para vender na feira de Fernão Velho. Segundo ela, essa era uma atividade comum às mulheres de Santa Luzia do Norte. Lamenta nunca ter ido à escola e vive com seus 101 anos de idade cercada de filhos, netos, bisnetos e tetranetos no bairro dos Quilombos, onde, segundo o imaginário popular, existiu um reduto que se localizava a 800 metros da antiga vila de Santa Luzia do Norte e abrigava negros fugitivos da escravidão.*

Esparsamente dispostos naquele imenso bosque, tinham proteção, constituindo uma inteligente estratégia militar de defesa. Quando um quilombo era atacado, os palmarinos refugiavam-se em outros. Era, assim, impossível atacar todos conjuntamente. Afora estes quilombos nomeados havia dezenas de outros espalhados. Muitos podiam funcionar apenas como acampamentos militares ou entrepostos de trocas mercantis. Já começavam a aparecer quilombos palmarinos – além de Sergipe – nas capitanias da Paraíba e Rio Grande do Norte. Mesmo com toda essa dispersão numa extensa área geográfica, havia unidade e comunicação entre eles. Suas práticas econômicas poderiam ser complementares. Enquanto um quilombo podia produzir a manteiga de amêndoa outro fabricava o vinho de palma. O poder central ficava nas mãos de Ganga-Zumba, ainda que houvesse autonomia militar e econômica em alguns deles. A estrutura socioeconômica de Palmares – principalmente quando recrudesceram os ataques contra eles na segunda metade do século XVII – foi fortemente marcada pela organização político-militar.

Depois de dezenas de expedições punitivas – já nos primeiros anos do século XVII – autoridades conscientizaram-se (inclusive aquelas neerlandesas que ocuparam a capitania de Pernambuco) de que vencer definitivamente Palmares era tarefa quase impossível. Sua existência assim como as dificuldades para destruí-lo já estavam ficando centenárias. Na década de 1670 ganha força a intenção de propor um acordo. Em 1678 houve uma trégua. Um casal de quilombolas capturados é liberado. Estava incumbido de levar até Ganga-Zumba uma proposta para que depusesse as armas. O momento era propício, posto que as guerras contra Palmares tinham se intensificado. A alternativa dada pelas autoridades era uma só: caso os quilombolas não depusessem as armas, dando fim aos seus ataques contra vilas e engenhos, aumentariam o número e a freqüência do envio de tropas para perseguí-los.

Começam as negociações. Depois do contato inicial nos quilombos – através de um oficial do terço dos Henriques –, os próprios palmarinos organizam uma comitiva para ir a Recife tratar diretamente com as principais autoridades coloniais, notadamente dom Pedro de Almeida, governador de Pernambuco. Faziam parte desta comitiva três filhos do rei palmarino Ganga-Zumba. Visando fundamentalmente garantir sua sobrevivência e autonomia, os quilombolas de Palmares inicialmente aceitam o tratado. Outras questões surgiram. As terras de Palmares eram altamente valorizadas. Vários senhores-de-engenhos estavam nelas interessados. Aos próprios comandantes de tropas contra Palmares eram prometidas sesmarias

e lotes de terras na região. O acordo, além de demarcar as terras em que os palmarinos iriam se estabelecer, os obrigava a não aceitar mais nenhum fugitivo escravo em seus quilombos.

Os quilombolas de Palmares dividem-se, porém, quanto à aceitação integral daquele acordo. Enquanto Ganga-Zumba e inúmeros palmarinos migram para a região do Cucau, Zumbi – uma importante liderança militar – opta por continuar no quilombo Macaco com outros tantos. A negociação estava ameaçada. A guerra continuaria. Parte dela iria se dar no interior do próprio Palmares. As autoridades, de fato, preocupam-se com a recusa de Zumbi em negociar naqueles termos, ou seja, a rendição dos quilombolas não nascidos em Palmares, o confinamento em algumas partes da serra e o pior, a devolução dos negros fugidos dos engenhos que chegassem aos quilombos depois daquela data. Iniciam-se novas ofensivas contra Palmares.

Já no final dos anos 80 do século XVII renasce a idéia de utilizar os paulistas (bandeirantes e suas tropas de resgate) para guerrear Palmares. Começam as negociações para a participação dos mesmos nas expedições. Havia, porém, outros interesses em jogo. De início há recuos das autoridades, e principalmente dos senhores-de-engenho de Pernambuco, em aceitar as condições impostas pelos paulistas. A questão principal estava nas terras dos palmarinos. Eram muito valiosas. Com a destruição dos quilombos estas ficariam nas mãos dos paulistas, mais propriamente de Domingos Jorge Velho, seu principal chefe. Enquanto isso, palmarinos continuam movimentando-se nas serras. Aproximam-se das vilas. Mais uma vez amedrontam autoridades e moradores. A operação de guerra dos paulistas tinha que ser iniciada imediatamente.

Em agosto de 1692, depois de muita preparação, vários impasses e diversas discussões sobre as condições ajustadas para a sua realização, a expedição de Domingos Jorge Velho inicia sua marcha. São centenas de soldados, enorme quantidade de armamento e provisões. Antes mesmo de atingir os principais quilombos em Palmares, as tropas são atacadas. Os palmarinos mudam de tática. Assim como eram capazes de evacuar a população civil – principalmente idosos e crianças –, realizavam ataques na tentativa de impedir a rápida aproximação dos repressores. O palco das batalhas situava-se nas florestas. Domingos Jorge Velho sentiu de perto a força dos quilombolas de Palmares. Mesmo estacionando suas tropas em arraiais situados na serra, os costumeiros problemas de abastecimento surgiram: fome e falta de munição. Houve também muita deserção. Os ataques fulminantes dos palmarinos deixavam os integrantes das expedições cada vez mais amedrontados. A noite se transformava num terror. O perigo de novos ataques era eminente.

No início de 1694, a operação de guerra é reiniciada. Mais soldados e índios, e agora canhões, são dirigidos a Palmares. A idéia era aproximar-se o máximo possível das cercas fortificadas de Macaco para poder fazer uso dos canhões. Os quilombolas rechaçavam qualquer tentativa de aproximação. Em duas ocasiões os paulistas são derrotados. Os quilombolas também tinham seu poderio de fogo e estratégias militares. Ponderando que para vencer os quilombolas tinha

Lava roupa todo dia...

Maria Izabel Santos Carvalho *nasceu em 16 de abril de 1910, na terra de Zumbi, União dos Palmares. Filha dos ex-escravos* ***Maria Izabel Santos*** *e Antonio dos Santos, foi criada pelos padrinhos* ***Clara Ribeiro da Silva*** *e José Ribeiro da Silva, pois sua mãe, morreu quando tinha apenas dois anos de vida e o pai, ao contrair novo casamento, desapareceu.*

Aos 16 anos casou-se com Antonio de Souza Carvalho com quem teve quatro filhos. Ao enviuvar em 1962, enfrentou grandes dificuldades para sustentar a família. Foi trabalhando como lavadeira que criou os filhos, podendo orgulhar-se de hoje, aos 94 anos de idade, ser a mulher mais idosa de Palmeira dos Índios, cidade que escolheu para morar desde 1949.

que utilizar os canhões, visando transpor as cercas da fortificação palmarina, Domingos Jorge Velho tenta outros planos. Em meados de 1694 continuariam chegando mais homens e armas. Foi uma mobilização militar contra Palmares. Mais de mil homens com armamentos e provisões foram para lá enviados. Porém, esta não era ainda a solução. É decidida a construção de uma contra-cerca. Só deste modo as forças ficariam suficientemente protegidas contra o fogo intenso dos quilombolas. Poderiam, assim, chegar perto das cercas e paliçadas da capital palmarina.

Com a ajuda de um prisioneiro quilombola, as forças coloniais vasculham as serras à procura de Zumbi. Mais do que destruir todo Palmares, sua captura é considerada fundamental para as autoridades da Colônia. André Furtado de Mendonça é responsável pelo comando da tropa para a sua captura. Sabendo que Zumbi morava num quilombo situado na serra Dois Irmãos, as ações da repressão são para lá concentradas. O líder palmarino bem protegido acaba traído. É localizado e assassinado em 20 de novembro de 1695. Apesar da morte de Zumbi – anunciada

Os palmarinos descobrem o plano dos paulistas. Como contra-estratégia preparam uma rápida retirada dos mocambos. Antes disso, o ataque das forças paulistas começa. Como Macaco ficava na parte mais alta da serra da Barriga, alguns palmarinos em fuga acabam caindo num abismo. Os que permaneceram como retaguarda da evacuação entram em combate direto com as forças coloniais. Batalhas sangrentas são travadas. Duram dias e atravessam noites. **Mais de 500 quilombolas foram presos, a maior parte de mulheres e crianças.** Outros tantos foram mortos. Pouco sabemos dos recapturados na ocasião. Inúmeros retiram-se para a floresta. Mesmo festejando a vitória contra a capital palmarina, as autoridades perceberiam que o problema dos quilombolas em Alagoas não estava ainda totalmente solucionado. Zumbi deveria ser capturado e vários quilombos remanescentes destruídos.

nos quatro cantos da Colônia –, as autoridades bem sabiam que a luta contra os quilombos de Palmares não estava concluída. Havia ainda milhares de quilombolas naquelas serras alagoanas. Mesmo nas capitanias vizinhas os palmarinos já se faziam presentes. As batalhas contra Palmares continuam. Em 1696 é atacado o quilombo do Quissama. A liderança de Palmares passa a ser de Camoanga. A ocupação paulatina das serras pernambucanas vai empurrando os quilombolas para outras regiões. Nos primeiros anos do século XVIII, Palmares continuava a dar trabalho para as autoridades coloniais. Em 1703, o líder Camoanga é morto durante um ataque. Pelo menos até o ano de 1725 forças paulistas permanecem acantonadas na região. Qualquer tentativa de reorganização de Palmares tinha que ser impedida. Alguns quilombos ainda povoavam a região. Desta vez estão mais dispersos, posto que foram empurrados para o interior. Muitos grupos quilombolas migram para a capitania da Paraíba, onde estabelecem seus mocambos. Mesmo sem serem totalmente destruídos, a unidade dos quilombos em torno de Palmares nunca mais seria reconstituída. Até 1736, Alagoas continuaria a ter notícia de quilombos ali estabelecidos.

A memória de Palmares, por certo, continuaria viva nas mentes tanto dos escravos como das autoridades coloniais. Em 1763, em Minas Gerais, o conde de Assumar falava do perigo de Palmares. Em 1792, com medo do aumento e movimentação dos quilombolas do Rio de Janeiro, as autoridades coloniais diziam que era preciso perseguí-los a todo custo, pois poderiam se transformar em um novo Palmares. No Brasil, por toda parte, inúmeros quilombos surgiriam até as últimas décadas da escravidão. A tradição quilombola tinha suas raízes.

Mas o que não sabemos sobre Palmares? Muitos historiadores trataram do tema, utilizando fontes e crônicas da época. De todo modo, pensamos que o problema não estava na falta ou na abundância de documentos. Duas questões devem ser consideradas. Em primeiro lugar, o que sabemos sobre Palmares não nos chegou por intermédio de registros dos próprios palmarinos, mas sim daqueles que tentavam destruí-los, no caso os relatórios das expedições punitivas. A grandeza ou descrições sobre a estrutura de Palmares são destacadas mais para justificar recursos, tropas, dificuldades e bravuras dos comandantes da repressão do que para avaliar a organização de Palmares. Diríamos que só temos informações daquilo que os palmarinos nos permitiram conhecer. Da sua organização interna? Lógicas de poder? Estruturas simbólicas? Pouco sabemos. A segunda questão diz respeito às perguntas e expectativas daqueles que escreveram sobre Palmares. Mesmo considerando a natureza das fontes, quais as perguntas que os historiadores formularam diante dos documentos? O que quiseram ver? O que não viram ou calaram?

Estas são questões importantes por meio das quais – pelo menos à guisa de reflexões iniciais – poderíamos abordar o tema das relações de gênero. As mulheres pouco aparecem nas fontes de Palmares, tampouco nas de outros quilombos no Brasil. Não foram importantes? Eram em número reduzido? Certamente mais que isso. Nos seus mocambos, os palmarinos procuravam constituir famílias, compondo-se em comunidades. O pequeno número de mulheres sempre foi um problema para os quilombos brasileiros, principalmente na sua primeira fase de formação. Havia poucas mulheres nas senzalas e nas plantações escravistas. Predominavam os homens. **Os navios-negreiros traziam apenas uma mulher para cada dez homens. A preferência dos traficantes escravistas por homens devia-se ao alto preço das mulheres no tráfico africano. Na própria África elas eram mais valorizadas para o trabalho.**

Para contornar o problema da falta de mulheres nos mocambos, os palmarinos adotaram a prática dos seqüestros. Mulheres escravas eram procuradas nas senzalas e muito vezes levadas forçadas para os quilombos. Com mulheres negras livres, libertas, mestiças e até mesmo com aquelas indígenas poderia acontecer o mesmo. Em Palmares, a partir de 1630, a falta de mulheres já não era o principal problema. O crescimento interno da população palmarina estabeleceu um equilíbrio numérico entre homens e mulheres nos mocambos. Lá elas podiam trabalhar tanto nas plantações, como no fabrico de farinha e em outras atividades produtivas. **Nos quilombos, as**

Serra da Barriga, local escolhido pelos escravos pela visão privilegiada de quem vinha ao longe e pela dificuldade dos inimigos em subir até ao topo.

mulheres também participavam das batalhas contra os "reescravizadores". Tornavam-se também importantes líderes religiosas. Em várias ocasiões entravam em transe e adivinhavam o local, a direção e o momento do ataque das tropas anti-mocambos. Também durante as rápidas evacuações dos mocambos podiam ter a função de esconder o máximo possível de grãos e sementes em suas cabeças e fugirem para o interior da mata. Seria através destes que os quilombolas reorganizariam suas economias em outras paragens.

Havia quilombos espalhados em todos os lados e serras da região. Alguns nomes de quilombos estavam relacionados aos seus líderes. Não muito distante da vila de Serinhaém existia o quilombo do Amaro, nome de um importante guerreiro palmarino. Era composto também por cerca de 1.000 casas. Para o lado da vila de Alagoas, próximo a serra do Cafuxi, situava-se o quilombo chamado Andalaquituche. E na direção da vila de Porto Calvo existiam os quilombos denominados Zumbi, Acotirene, Dambraganga, Aqualtune e Tabocas. Há indícios de que **Acotirene** e **Aqualtune** eram lideranças femininas em Palmares. Mas podiam haver outras, construídas tanto no processo histórico, como na memória ou na simbologia contemporânea dos movimentos sociais. Como eram as vidas das mulheres no quilombo? E em Palmares? Mas não é difícil imaginar o cotidiano de uma mulher no quilombo e como poderia ser em Palmares. Vejamos.

Podemos analisar alguns poucos registros e evidências sobre a organização social, as mulheres e as relações de gênero no quilombo de Palmares. No diário da viagem do capitão João Blaer aos Palmares de 1645, foi anotado: "Ao amanhecer do dia 21, chegamos à porta ocidental dos Palmares, que era dupla e cercada de duas ordens de paliçadas, com grossas travessas entre ambas, arrombando-a e encontramos do lado interior um fosso cheio de estrepes em que caíram ambos os nossos cornetas; não ouvimos ruído algum senão o produzido por dois negros, um dos quais prendemos, junto com a mulher e filho, os quais disseram que desde cinco ou seis dias ali havia apenas pouca gente, porquanto a maioria estava nas suas plantações e armando mundéus no mato." Nesse mesmo diário, há comentários ainda sobre a estrutura interna dos palmarinos: "as suas roupas são quase todas de entrecasca de árvores e pouca chita e todas as roças são habitadas por dois ou três indivíduos; perguntamos aos negros qual o número da sua gente, ao que nos responderam haver 500 homens; além das mulheres e crianças; presumimos que uns pelos outros há 1.500 habitantes". Por último destaca-se: "A 24 do dito, pela manhã, subimos este rio durante milha e meia, ora na margem norte, ora na meridional, e ali encontramos um negro cheio de boubas em companhia de uma velha brasiliense [uma mulher indígena], escrava da filha do rei, que nos disseram

que nas vizinhanças ainda corriam outros negros, pelo que acampamos ali e com 20 homens batemos o mato; chegando à casa da filha do rei, que não estava nela, queimamo-la, mas nada conseguimos achar."

De personagens como **Dandara** e Acotirene pouco sabemos. A primeira teria sido uma brava guerreira que teria acompanhado Zumbi logo após o assassinato de Ganga Zumba em 1678. Já Acotirene (em diversos documentos, Arotirene) teria sido uma liderança feminina dos primeiros tempos de Palmares, influenciando as lideranças posteriores como Zumbi e Ganga-Zumba. Ao que parece a mãe do rei de Palmares residia no quilombo denominado Aqualtune. Alguns documentos falam que seu nome era Acainene. Mas já falamos das armadilhas dos documentos. Sempre houve um olhar de quem queria destruir Palmares. E temia seus habitantes. Talvez seja interessante pensar como deviam existir inúmeras Dandaras e Acotirenes, assim como outras mulheres anônimas e fundamentais na manutenção e desenvolvimento de Palmares. E isso não significar dizer que não havia hierarquias entre homens e mulheres. Não se deve esquecer que Palmares era sociedade em guerra permanente, tendo portanto uma estrutura socioeconômica igualmente militar.

Mesmos os quilombos maiores – são os casos de Palmares e os quilombos da capitania de Minas Gerais na primeira metade do século XVII – que possuíam mocambos com paliçadas e numerosas habitações, procuravam rechaçar as tropas inimigas antes que elas pudessem alcançar o local de suas habitações, utilizando para isso, além das armadilhas, algumas escaramuças de grupos de quilombolas que, tocaiados, emboscavam os soldados em marcha pelas matas. Os quilombolas de Palmares, que se organizavam em vários acampamentos fortificados e contavam com força militar para defendê-los, não desprezavam em certas situações a possibilidade de abandonar seus mocambos mais avançados, refugiando-se em outros mais para o interior da serra da Barriga, onde estacionavam, protegendo assim mulheres, crianças e provisões.

O movimento da população de alguns quilombos às vezes sofria o impacto direto das influências e das transformações demográficas locais. Contudo, a despeito disso e apesar das privações, as quais freqüentemente podiam passar em conseqüência das repetidas perseguições policiais, o nível de vida dos quilombolas era provavelmente mais alto que o da maioria dos escravos empregados nas plantações. O desequilíbrio de sexos entre a população escrava também evidenciou-se na maioria dos quilombos. A base populacional dos quilombos era constituída de homens. A falta de mulheres representava um problema crônico para as comunidades de fugitivos. Muitos ódios e tensões entre escravos e quilombolas podiam ser frutos dos seqüestros por estes de mulheres escravas nas plantações. Por conseguinte, a carência de mulheres nos mocambos fez com que algumas comunidades provavelmente criassem regras próprias de convivência, adotando interdições sexuais e até a poligamia.

Seja na manutenção material, com o abastecimento de provimentos, como confecções de roupas, utensílios, etc., seja na espiritual, **a presença da mulher foi destacada em várias comunidades quilombolas. Em alguns mocambos elas possuíam uma função religiosa de destaque e fortaleciam o espírito combativo de seus habitantes. Através de amuletos e banhos de ervas, elas ofereciam sacrifícios às divindades, protegendo os quilombolas em suas caçadas e enfrentamentos com as tropas reescravizadoras. Muitas vezes, em transes, as mulheres quilombolas adivinhavam a aproximação e ataques de patrulhas inimigas. De maneira geral, ficavam responsáveis pelo trabalho agrícola das comunidades e da preparação dos alimentos, embora também pudessem acompanhar os quilombolas em seus ataques às plantações vizinhas. Além de combaterem lado a lado com os homens, exerciam, freqüentemente, funções logísticas significativas, conduzindo alimentos, pólvora e armamentos, assim como removendo e cuidando dos**

feridos. Ademais, é possível supor que em alguns mocambos a população feminina fosse maior do que a documentação tem até aqui apontado. Como estratégias, alguns quilombolas podem ter mantido suas mulheres e crianças em locais mais seguros, em acampamentos afastados, onde dificilmente seriam encontrados pelas expedições de captura. Outro fato interessante, que mostra a importância fundamental – e aparentemente invisível – da presença feminina nos quilombos, é o da estratégia das mulheres Saramaka que, nos momentos de ataques das tropas às suas vilas, tinham a função de esconder o máximo possível de grãos de milho e arroz sob seus cabelos e fugirem rapidamente para o interior da floresta. Era a partir desses grãos que os Saramaka reorganizavam sua economia. Em diversas situações, quando se viam cercados e atacados, os quilombolas embarcavam em suas canoas e desapareciam no meio daqueles riachos, entre brejos e pântanos. Esse recurso utilizado talvez indique que os quilombolas construíssem igualmente outros acampamentos onde situavam suas roças, ranchos e principalmente suas mulheres e crianças em locais mais afastados daquela planície totalmente escondidos e protegidos. Um exemplo de tal ocorrência em 1823, na Jamaica: uma força policial descobriu uma vila de quilombolas locais formada na sua maior parte por mulheres e crianças que tinham extensivas plantações, de onde retiravam provisões (plantavam em mais de 200 acres de terra), criando também aves domésticas e porcos. Essa povoação, conhecida como Congo Town, segundo constava, já era antiga na região.

Mas não foi só em Palmares que tivemos mulheres negras quilombolas. Entre 1814 e 1815, passados mais de 100 anos da destruição, surge a escrava **Gracia** como liderança de um quilombo nas cercanias de Maceió. Acabou capturada e morta.

Enfim, com inventiva obstinação e persistência, também minaram a escravidão e, em conseqüência, contrariaram a idéia de que a aceitavam com passividade. A essência do poder da maioria das mulheres negras sob a escravidão pode ser verificada – entre outras coisas – nas suas lutas em torno da manutenção da família e reinvenções culturais. Agiam determinadamente na proteção da integridade física e psicológica de seus filhos e companheiros, e mesmo de toda a comunidade da qual faziam parte. Muitas escravas, na tentativa de impedir que seus filhos e maridos fossem vendidos separadamente delas, recusavam-se a trabalhar e ameaçavam os senhores com o suicídio e o infanticídio. Alguns fazendeiros nutriam constantes temores com relação à possibilidade de serem envenenados por mucamas. Num mundo de opressão permanente, a mulher escrava procurava, sempre que possível, construir pacientemente um ambiente de auto-estima e senso de dignidade para seus familiares. Em algumas ocasiões, tornavam-se elementos decisivos para o êxito de diversas fugas. Obtendo informações a respeito de vendas e transferências indesejáveis e providenciando suprimentos, muitas delas prestavam excelente auxílio aos escravos em fuga ou àqueles interessados em fugir. Em variadas circunstâncias, mulheres escravizadas ajudavam a manter a integridade dos arranjos familiares, assim como a riqueza e a originalidade da cultura forjada em torno delas. A manutenção da família constitui-se característica fundamental da organização das culturas escravas em toda a América. **Espinha dorsal nas lógicas de parentesco e de laços familiares, a mulher era o principal agente na transmissão oral das crenças e valores das comunidades afro-americanas em formação. Podemos argumentar que as mulheres foram as primeiras agentes da emancipação das comunidades afro-descendentes na diáspora.**

Texto adaptado do prof. Flávio Gomes - (professor do Departamento de História da Universidade Federal do Rio de Janeiro)

Quilombolas, com muito orgulho!

Durante os 300 anos de tratamento desumano sofrido por negros e negras, submetidos que eram à chibata, ao trabalho forçado e a todo tipo de humilhações, os quilombos representavam a conquista da liberdade. Quase sempre construídos em matas fechadas e lugares de difícil acesso, constituíram um espaço de forte resistência cultural.

Com a abolição da escravatura, em 1888, os negros e negras recém-libertos não tiveram nenhum tipo de assistência do governo, sendo abandonados à sua própria sorte. A Revista do Instituto Histórico e Geográfico de Alagoas, de 1934, aponta que quatro anos antes da Lei Áurea, a população de "negros puros" estava estimada em 12% dos alagoanos. A grande maioria dessa população permaneceu na marginalidade, procurando meios de sobreviver numa sociedade fechada à sua inserção. Porém, mesmo com tantas dificuldades e discriminações, resistiram bravamente e lutaram para que seus direitos fossem respeitados.

A descrição que Craveiro Costa faz de Maceió, no começo do século XX, nos dá uma idéia da realidade vivida pelas afro-descendentes, em especial as chamadas negras do tabuleiro, para sobreviver. "Os intendentes, depois denominados prefeitos, procuram endireitar as ruas da cidade, ruas cheirando a peixe frito, a tapioca, a arroz-doce, vendidos nas esquinas, em tabuleiros enfeitados com papel de seda cortado em desenhos ou figurinhas de variadas cores – verde, amarelo, vermelho, azul; ruas cheias de negras trajando vistosos chalés e turbantes de cores fortes na cabeça..."

Foi necessária muita determinação para enfrentar a "herança da escravidão", não permitindo a continuidade das condições impiedosas que lhes foram impostas ao longo da história.

Vencendo muitos obstáculos, com organização e pressão política, a comunidade negra tem tomado iniciativas no sentido de resgatar a dívida social que a sociedade tem para com os(as) afro-descendentes. Em Alagoas, foi criada, em 2001, a Secretaria Especializada de Defesa e Proteção das Minorias, que tem dentre seus objetivos investir em políticas compensatórias que possam fortalecer a cidadania dos remanescentes de quilombos.

Na década de 1980 o Núcleo de Estudos Afro-Brasileiros (NEAB/UFAL) identificou 35 comunidades remanescentes de quilombos em Alagoas. A Secretaria, preocupada em desenvolver um trabalho nesses locais, está investindo em novo mapeamento para diagnosticar a realidade e confirmar tais dados. Até o momento 25 comunidades já foram identificadas, totalizando 2.800 famílias.

O Programa de Desenvolvimento Sustentável das Comunidades Remanescentes de Quilombos está sendo implementado em seis locais, com diversificadas atividades. O Projeto das Boleras, já bastante avançado, é desenvolvido na comunidade de "Quilombo", em Santa Luzia do Norte. Essa localidade conta com uma população de 350 famílias, ou aproximadamente 2.000 habitantes. Esse projeto envolve a população feminina do lugar e tem como objetivo a melhoria da infra-estrutura de produção, gestão e comercialização da "Culinária Senzala". A Associação das Boleras do Quilombo tem como presidente **D. Rosália Romeiro dos Santos**, forte liderança local.

COMUNIDADES REMANESCENTES DE QUILOMBOS

Comunidade	Município	Nº de famílias (aproximado)
Alto do Tamanduá	Poço das Trincheiras	85
Barro Preto	Água Branca	50
Boca da Mata	Taquarana	60
Cajá dos Negros	Batalha	86
Carrasco	Arapiraca	225
Chifre de Bode	Pão de Açúcar	180
Cruz	Delmiro Gouveia	80
Fojo	Taquarana	40
Guaxinim	Cacimbinhas	87
Jacu-mocó	Poço das Trincheiras	100
Jorge	Poço das Trincheiras	80
Lagoa da Pedra	Taquarana	65
Lagoa do Cocho	Taquarana	80
Mameluco	Taquarana	150
Mineiro	Taquarana	170
Morro dos Cachorros	Santana do Mundaú	40
Muquém	União dos Palmares	68
Oiteiro	Penedo	149
Palmeira dos Negros	Igreja Nova	100
Pau Darco	Arapiraca	150
Paus Pretos	Monteirópolis	180
Poço do Sal	Pão de Açúcar	80
Quilombo	Santa Luzia do Norte	350
Serra das Morenas	Anadia	40
Tabuleiro dos Negros	Penedo	120

Rosália Romeiro dos Santos

O Projeto conhecido como das Costureiras está sendo desenvolvido em Paus Pretos, no município de Monteirópolis, e em Cajá dos Negros, no de Batalha. Em Paus Pretos já havia uma forte tradição das mulheres com a costura. O que faltava era apenas um incentivo à comercialização dos produtos criados, como bonecas, almofadas e roupas. **Margarida Félix** é uma das motivadoras desse projeto, bem como representante do grupo em eventos, encontros e reuniões de articulação. Já em Cajá dos Negros este processo está concentrado principalmente nas mãos da juventude. É possível perceber isso através das lideranças que se têm formado por lá, como a coordenadora do projeto, **Ivaniza Leite da Silva**, de apenas 24 anos de idade.

Em Muquiém, no município de União dos Palmares, o projeto foi batizado como "Loiceiras", que é como a comunidade pronuncia. É formado por um grupo de mulheres que trabalha na feitura de objetos de barro, como potes, panelas e outras louças. Como ainda não contam com uma organização específica, estão ligadas à Associação de Pequenos Produtores de Muquiém, comunidade a qual pertencem.

A alfabetização de jovens e adultos é outra preocupação das populações locais. Dos 10 professores disponibilizados para atenderem algumas comunidades, nove são mulheres que buscam em suas aulas resgatar a história e a cultura dessas populações, trabalhando com a memória como forma de valorizar as heranças e as ricas tradições daquelas comunidades.

Um exemplo de determinação

Rosália Romeiro dos Santos, *mais conhecida como Dona Rosa, bisneta de escravos, tem 53 anos, é Presidenta da Associação de Boleras da comunidade de Quilombo, no município de Santa Luzia do Norte, mãe de sete filhos e com uma história de vida tão rica em coragem e determinação que transcrevemos abaixo um resumo do diálogo que travou com Valkiria da Paz, da Secretaria de Minorias do governo do estado de Alagoas.*

Dona Rosa, fale um pouco do seu trabalho....

Com bolo eu trabalho toda a minha vida, comecei a andar pra feira com a minha mãe, eu com 10 anos. Quando aprendi a fazer, ela vendia o dela, e eu vendia o meu, foi tempo que conheci seu Petrúcio, no Tabuleiro dos Martins.

Nem só de bolo vivia dona Rosa...

Eu tirava sururu. Eu fazia vassoura, quando batia a cheia, tempo de inverno, o sururu acabava, aí qu'era que nós fazia?... A minha mãe possuía um cavalinho, um animal, a gente ia lá pr'esse meio de mundo, muito longe, prá de Coqueiro Seco, buscar palha de ouricuri pra fazer vassoura, minhas crianças tudo pequena, uma dificuldade enorme, eu sofri muito, e o pior é que todo inverno eu estava grávida, quando não tava grávida, tava de resguardo. A casa da minha mãe, todo inverno pocava aquele oieiro dentro de casa, eu de resguardo....

Então a senhora fazia no verão e eles nasciam no inverno...

Era, fazia com a quintura, nascia no frio... Só de agosto eu tenho três, a última é de agosto, o resto tudinho foi mês de inverno que meus filhos nasceu. Foram oito, uma tá com Deus... e eu tenho sete...

E sobrava tempo pra namorar...

Mas o "chen-nhen-nhem" era de noite, não empatava de nada... podia fazer vassoura, catar o sururu... Êita mulher coisa séria!... a nossa história... dava um livro de vida... Olhe, eu conheci o Petrúcio no Tabuleiro, ele trabalhava em negócio de fazer taco, sabe o que é taco?... ele também era de menor... No fim a gente se namorou, não sei o que ele fez da firma, pagou os outros, saiu, viemos morar aqui... Pense na dificuldade, ele sem conhecer ninguém...

Sofria com a falta de sua outra metade, o marido quando viajava, mas não desanimava, trabalhava com os filhos, para os filhos, ensinava os filhos a trabalhar...

Eu passava assim e o pessoal dizia: "Olha menina, cadê a sua outra metade, que tu só tá uma metade."

E eu trabalhando, fiquei trabalhando para sustentar meus filhos, porque ele foi pra lá, e eu fiquei com esses meninos tudinho!... E batalhando, era na casa de farinha com meus dois filhos pequenos, mas trabalhava, mexia farinha, arrancava mandioca, plantava, tudo, tudo, tudo... olha eu passei muitas dificuldades, só nunca passei fome, e nem hei de passar, porque toda vida eu fui disposta pra trabalhá...

Criei os meus filhos tudo trabalhando. Eu nunca recebi uma reclamação de ninguém sobre um filho meu que andasse reinando, porque o tempo não dava. Eles pinicava sururu, pra escola, quando não tavam na roça mais eu, cada um tinha uma enxadinha, um tá casado, trabalha no Fórum, outro tá no Rio, nunca desrespeitaram ninguém, todo mundo gosta deles...

A base de tudo é a família, e a base da família é a mulher, e a mulher sofre com o abandono do seu homem, mas não desanima...

Meu pai se separou-se da minha mãe, deixou os filhos pequeno, eram seis, minha mão foi quem criou com isso, com a Massa Puba !... "Tudo difícil naquele tempo; saía pra Maceió com uma canoa, com a mãe de dona Maria...Agora a minha mãe sofreu muito.

Rosa tinha um sonho... Uma inveja...

Graças a Deus, a coisa que eu queria muito na minha vida, que eu tinha muita inveja, eu não tinha, era uma casa pra morar... Deus mandou meu tio que morava em Santos pr'aqui, que esse terreno aqui todo era dele, aí ele foi e dividiu essa parte daqui e deu para o meu pai que entregou pra nós: Faça uma casa pra morar que eu já tô velho não tenho porque querer uma casa, vou acabar o resto dos meus anos mais vocês.

Uma risada gostosa, um suspiro....

Uma vida sofrida, mas no mesmo instante não é, porque essa é a vida que hoje nós cheguemos aonde nós está. É uma vida que nós não depende de ninguém. Nós depende só de Deus porque ele é que nos dá nossa saúde que é pra gente trabalhar. Se depender da prefeitura nada feito, quantas propostas boas que nós fizemos e eles não assumem. Por que é que a gente tem só que esperar por eles?...

Parte II

Quando Alagoas conquista a independência

A vinda da família real para o Brasil, em 1808 é considerada um episódio controverso. Para alguns significava um passo fundamental no processo de emancipação da então colônia, com a abertura dos portos ao comércio exterior, instalação de fábricas e oficinas, criação de bancos, escolas e academias. Para outros, ao contrário, representava um entrave para os planos de libertação do Brasil do domínio português. O conflito entre brasileiros e portugueses era constante e a situação tornava-se cada vez mais agitada.

Em março de 1817, explode em Pernambuco uma rebelião nativista, de caráter liberal, que ficou conhecida como Revolução Pernambucana. Tinha como objetivo a constituição de um Estado republicano independente da Monarquia portuguesa. Os revolucionários instalaram um governo provisório, e a notícia do levante se espalhou por toda a capitania. Na parte sul do território pernambucano, onde mais tarde surgiria Alagoas, foram distribuídos panfletos subversivos conclamando a população a se unir aos rebelados.

A revolução repercutiu fragorosamente em Alagoas, alarmando os espíritos cautelosos e entusiasmando os irrequietos. Passados 15 dias, Penedo tomou conhecimento da notícia e aderiu aos pernambucanos. Em São Miguel dos Campos o movimento tomou grandes proporções, tendo à frente a valente **Ana Lins** e seu marido, o caudilho Manoel Vieira Dantas. O engenho Sinimbu, de propriedade do casal, tornou-se um grande centro de combate. Ana foi uma ativa colaboradora do movimento rebelde, atuando na propaganda das idéias revolucionárias, indo de engenho a engenho, vencendo léguas sem desânimo, para convencer a todos, com seu próprio exemplo de coragem, a se engajarem na luta. "Fez jurar bandeira, sob promessa de liberdade, os escravos de sua fazenda e dos engenhos circunvizinhos", conta Craveiro Costa em sua História das Alagoas. Em Atalaia, porém, a propaganda rebelde não teve boa receptividade, já que lá se encontrava o ouvidor Antonio Ferreira Batalha, que impediu a leitura das proclamações e decretos.

Segundo Guiomar Alcides da Costa, uma outra heroína teve destaque em São Miguel dos Campos: a escrava **Rosa do Gentio da Costa.** Rosa foi encontrada entre os soldados insurgentes, presos após o fracasso da revolução. Apesar de torturada, esta negra da "nação Uça", como confessara, forte, dentes perfeitos, cerca de 17 anos, negara-se a dizer o nome de seu senhor, certamente um ardoroso republicano como ela, que vestira a farda militar idealizando a libertação da terra brasileira. Um edital de arrematação, publicado em setembro de 1817, fazia sua descrição física e a avaliava, visando identificar-lhe o dono.

Não se sabe com certeza qual foi o seu destino. Presume-se que morreu como os outros revolucionários nos calabouços da Bahia ou chicoteada num pelourinho, em nome da justiça reinol, sob as ordens do cruel ouvidor Batalha, fiel ao terrível conde dos Arcos. São Miguel dos Campos (AL) deve se orgulhar dos gestos ousados dessas duas mulheres que, embora, de classes sociais distintas, combateram corajosamente pela chama cívica da Independência.

A reação daqueles que se mantinham fiéis ao rei, porém, já estava sendo preparada e, sob o comando do ouvidor Batalha, as tropas puseram-se em marcha a fim de sufocar a sublevação republicana em território alagoano. Diante da agitação reinante, o ouvidor toma a iniciativa de desmembrar a comarca de Alagoas da jurisdição de Pernambuco, com objetivo de isolar o território alagoano da influência dos revolucionários, sendo este provisoriamente anexado à Bahia.

Em 16 de setembro de 1817, dom João VI decreta a emancipação política de Alagoas, que se separa de Pernambuco e se transforma em capitania, com a capital na cidade de Alagoas, atual Marechal Deodoro. Com essa estratégia o ouvidor consegue aplacar os ânimos dos alagoanos que haviam aderido à revolução, já que assim satisfazia um antigo desejo de todos: a emancipação de Alagoas da capitania de Pernambuco.

O alvará que concedia independência administrativa à comarca não foi apenas uma conseqüência da rebelião de março visando o enfraquecimento de Pernambuco por meio da fragmentação de seu território, como pregam alguns. Foi, sobretudo, resultado do progresso material alcançado pela comarca e da pressão das forças locais, que pressionavam as pessoas mais representativas com os anseios de liberdade.

Em 27 de dezembro de 1818, Sebastião Francisco de Mélo e Póvoas, nomeado governador da nova capitania, desembarcava no porto de Jaraguá, em Maceió, onde montou uma estrutura administrativa que permitiria, em futuro próximo, a transferência da capital da província da cidade de Alagoas para Maceió, fato que ocorreria em 29 de outubro de 1839.

Aqui vocês não ficam!

O Fico e os acontecimentos que culminaram na proclamação da independência do Brasil, em 1822, tiveram grande repercussão nas Alagoas. A capitania foi a primeira província brasileira a assumir uma atitude de franca hostilidade às Cortes, depondo autoridades portuguesas locais e instituindo um governo essencialmente brasileiro.

Mas a proclamação da Independência não acalmou os ânimos da população. A campanha contra o elemento português continuou em franco progresso, enquanto a vida administrativa não só da província de Alagoas, como de todo país ficava prejudicada. Um episódio, relatado por Abelardo Duarte, do qual participaram diferentes segmentos da população das Alagoas, ilustra bem a luta por um Brasil independente. Em 1823, a vila de Maceió ficou em pé de guerra quando uma esquadra – supostamente portuguesa – ameaçou ancorar no porto de Jaraguá. Armados, homens de todas as idades se posicionaram em locais estratégicos, em defesa da pátria. **A eles juntou-se a mulher alagoana que, de arma em punho, saiu às ruas convocando outras mulheres dispostas a enfrentar o inimigo. Embora, no caso, não se tratasse de adversários mas de tropas que se dirigiam à Bahia, o papel desempenhado por essas mulheres foi considerado um feito histórico.**

Durante o período imperial as províncias eram governadas por presidentes (denominação da época) nomeados pelo imperador. Como em Alagoas a maioria deles era oriunda de outras províncias, atraíam certa hostilidade por parte da população, o que contribuía para uma gestão curta: Alagoas teve 139 gestores no período entre 1818 a 1889, sendo apenas dois deles alagoanos.

Ana Lins

Confederação do Equador – A valentia de Ana Lins, um exemplo para as alagoanas

A revolução de 1824 também foi liderada por Pernambuco, e tinha por objetivo a criação de um governo republicano e a implantação de um Estado independente do monarquia portuguesa, que vinha espoliando as riquezas nordestinas. Batizada com nome de Confederação do Equador, a revolta eclodiu no Recife, alastrou-se pelo Nordeste, e teve grandes repercussões na capitania das Alagoas. São Miguel dos Campos e Anadia aderiram rapidamente ao movimento, com esta última constituindo-se em centro irradiador da Confederação em Alagoas.

As tropas imperiais, entretanto, prepararam sua reação e atacaram Palmeira dos Índios, Anadia e São Miguel dos Campos, tentando evitar que a influência revolucionária se deslocasse para a cidade de Alagoas, então capital.

A chefia do movimento de apoio aos republicanos na província coube a Manoel Vieira Dantas, sua esposa, a revolucionária Ana Lins, e seus filhos. Vieira Dantas concentrou-se em São Miguel, onde combateu arduamente, sendo porém preso juntamente com seu filho. Mas a prisão do marido não arrefeceu o ânimo de Ana. Em seu engenho, o Sinimbu, liderou a mais feroz reação, congregando os últimos fiéis da resistência. Na casa grande do engenho, a que Craveiro Costa chamou de "trincheira republicana", os últimos rebeldes combateram até a munição se esgotar. A senhora de engenho, que dirigiu pessoalmente este combate desigual, mesmo obrigada a assistir o incêndio devorar seus canaviais, destruir as casas dos moradores locais e ameaçar todo seu patrimônio, ainda assim não perdeu a garra. Quando as tropas legais entraram na casa grande, já não havia homens no local, pois Ana garantira a fuga de seus aliados, ainda que ao preço de ser detida.

Mais tarde, depois de libertada e anistiados os rebeldes, a senhora do engenho Sinimbu assumiu o encargo de restaurar sua propriedade arrasada. Corajosa, enfrentou muitas dificuldades, porém, quando seu marido retornou, encontrou o engenho restaurado e imponente como antes. E momento algum o desânimo brotou na alma dessa heroína alagoana.

Apesar da derrota da Confederação, algumas das ambições revolucionárias se realizaram, como a expulsão dos comerciantes portugueses, que, pressionados pela população, embarcaram num veleiro em Jaraguá.

Reflexões alagoanas sobre a abdicação de dom Pedro

A confirmação da notícia da abdicação de dom Pedro só chegou a Maceió no dia 30 de abril de 1831. Durante o dia houve grandes manifestações de júbilo por parte dos elementos nacionalistas. Num primeiro momento, uma imensa multidão percorreu as ruas da vila para homenagear e exaltar o Imperador e a nação brasileira, porém, pouco depois, a manifestação que começara pacífica, transformou-se em conflito generalizado, reivindicando que os portugueses fossem demitidos e mandados de volta para a Europa.

O presidente da província, visconde de Praia Grande, dirigiu-se à população argumentando não haver uma justificativa plausível para medidas tão drásticas. Inconformada com a decisão, a população começou a organizar motins e a perseguir os colonizadores. Sem conseguir conter os ânimos, o presidente foi obrigado a voltar atrás, determinando a demissão dos portugueses que exerciam funções públicas e mandando-os para o Rio de Janeiro. Nem assim conseguiu acalmar a massa exaltada. Desgastado e contrariado, o visconde da Praia Grande acabou renunciando à presidência da província.

Cabanada Selvagem, 1832

Não demora a eclodir uma contra-revolta por parte dos portugueses em aliança com os brasileiros conservadores, cujo objetivo era restaurar o trono de dom Pedro I. Com o desenrolar do conflito, porém, a mobilização vai perdendo seu caráter monárquico e ganhando um contorno fortemente popular. Designada como "Cabanagem Selvagem", o grupo insurreto incluía índios das aldeias, moradores dos engenhos, pequenos lavradores e negros. Nos primeiros dias de 1832, Manoel Lobo de Miranda Henriques, então presidente da província de Alagoas, determina que o alferes João Lins de Vasconcellos proceda a um recrutamento de índios, em Jacuípe, para ajudar a conter a rebelião.

Em virtude de uma traição de que foi vítima o cacique Hipólito, os índios de Jacuípe juntam-se ao grupo dos rebeldes para vingar a morte de seu chefe. Ambos os lados incendeiam engenhos, capturam escravos e cometem toda sorte de violências contra as famílias da casa grande. A rebelião se estendeu por longo tempo paralisando a vida agrícola na região e aniquilando o comércio, com depredações, guerrilhas e assaltos.

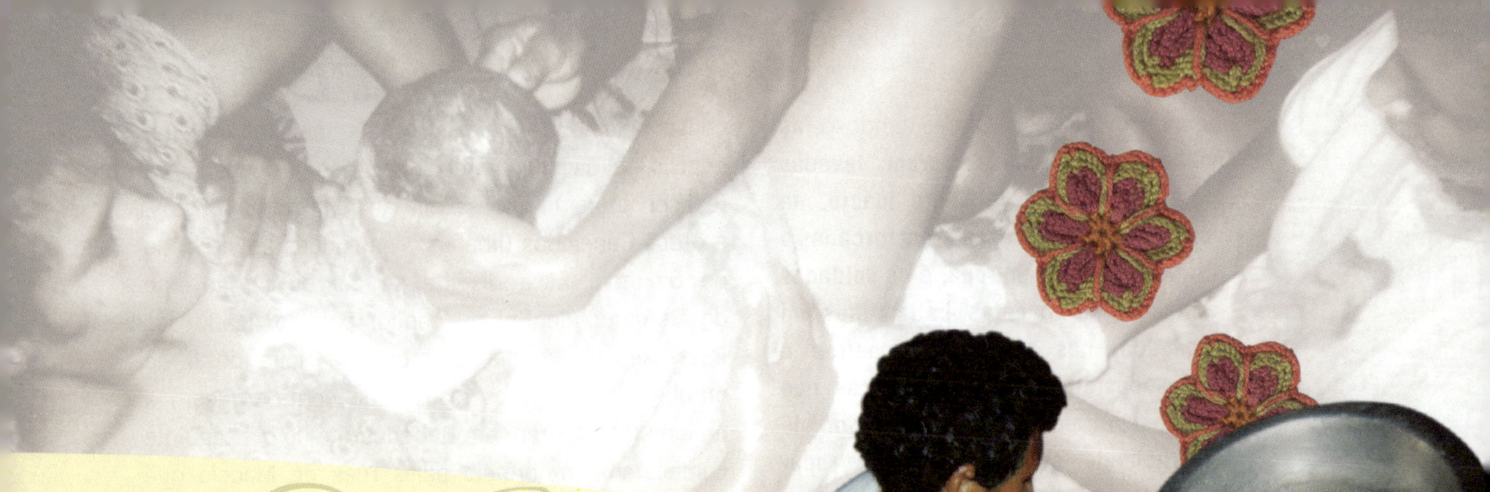

Aparando a vida !!!

Até o século XIX, com o surgimento da obstetrícia, o cuidado com os diferentes aspectos que envolvem o saber e a prática de partejar era de responsabilidade exclusiva das mulheres. A origem dessa profissão no Brasil está associada aos costumes indígenas e à tradição africana, nesse caso praticada no país pelas escravas nas senzalas e casas grandes. Essa experiência foi sendo transmitida, durante séculos, de mãe para filha.

Conforme o relato do cronista Fernão Cardim, do século XVII, as mulheres indígenas ao parir – e parem no chão – não levantavam a criança, e sim o pai. Ele cortava o cordão umbilical com os dentes ou com duas pedras e logo se punha a jejuar até que o umbigo da criança caísse. A mãe ia sozinha para o rio ou lagoa mais próximos onde se lavava várias vezes. Voltava para casa e encontrava o marido na rede, como se fosse quem tivesse parido. Continuava então a executar as tarefas domésticas, como se nada tivesse acontecido. Essa independência da mulher no parto indígena é muito valorizada socialmente, bem como a utilização das técnicas de cócoras e do parto no escuro.

O Indicador das Alagoas, publicado em 1902, já registrava a profissão de parteira. Era a época das "aparadoras", "assistentes curiosas", "comadres", que, embora sem conhecimento técnico formal, por experiência, propiciavam assistência fundamental à população. No século XX, com a profissão já regulamentada, foram surgindo várias possibilidades de treinamento. Exemplo desse tipo de iniciativa aconteceu na Maternidade Sampaio Marques, na segunda década do século, onde foram registradas como assistentes, mesmo sem diplomação legal, **Antônia Maria da Conceição**, *na Levada, e* **Luzia Custódio Ferraz**, *conhecida como Lulu Ferraz. Um pouco mais tarde,* **D. Suzana**, *também prestigiada como diretora dessa Maternidade,* **Rosinha Ambrósio Moreira**, *esposa do pintor Moreira e Silva,* **Evangelina Botelho**, *cuja fama estimulava a preferência de muita gente, tendo apenas como concorrente a ilustre* **Hormezinda Caldas**, *portadora do diploma de parteira concedido pelo curso de obstetrícia da Faculdade de Medicina da Bahia.*

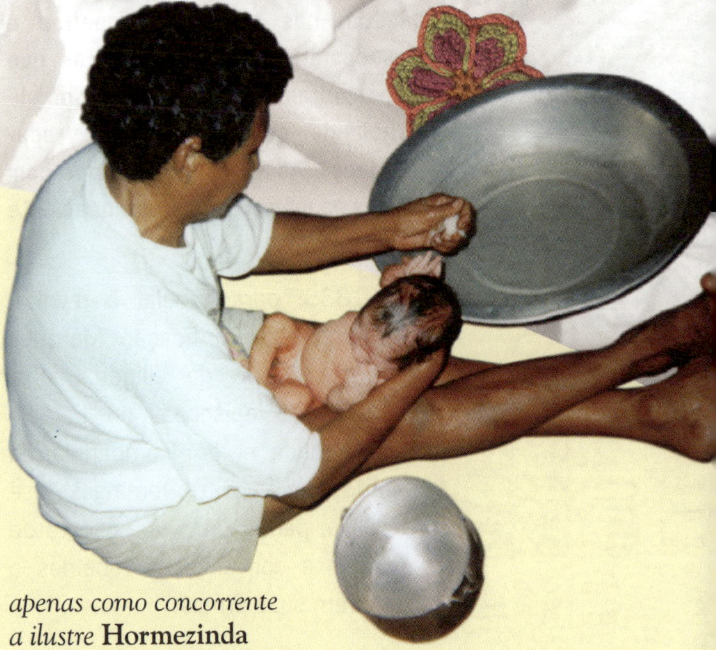

A assistência ao parto domiciliar, por parteiras tradicionais, faz parte do cotidiano de comunidades extrativistas, rurais, ribeirinhas e indígenas de todo Brasil. Essas mulheres pertencem, em sua maioria, às classes populares na faixa etária de 20 até 89 anos e muitas vezes moram em lugares de difícil acesso, onde desempenham papel essencial na reprodução da vida humana.

Não podemos deixar de homenagear dona **Nenê**, *indígena conhecida por todos em Porto Real do Colégio (AL) pela arte de partejar;* **Mãeduvirge da Ponte**, *de Matriz de Camaragibe (AL), que durante anos foi referência querida e respeitada na comunidade, pois assistia todas as parturientes independentemente da classe social a que pertenciam; e* **Anésia Maria da Conceição**, *natural de Atalaia (AL), que além de parteira é também rezadeira. Quando encontrava alguma dificuldade no momento do parto, Anésia usava seus dons e rezava o "Rosário apressado", pedindo ajuda divina. Em 2004 completou 91 anos de idade, lúcida, privada da visão direita, continua rezando para a cura dos que a procuram e convivendo com a numerosa prole de 40 netos, 24 bisnetos e quatro tetranetos. Existem atualmente no Brasil cerca de 60 mil parteiras em atividade. A maioria está concentrada nas regiões Norte, Nordeste e Centro-Oeste e, desse total, 75% estão na zona rural.*

Segundo o professor Dirceu Lindoso, **as mulheres aprisionadas eram levadas para a fortaleza de Santo Inácio, na praia de Tamandaré. Lá eram forçadas a sentar no chão em roda, e os soldados armados de cacetes batiam-lhes na cabeça, nas costas, nos peitos e nas costelas. Foram poucas as que conseguiram escapar desse tipo de crueldade conhecida como "roda-de-paus". As mulheres flagradas com armas na mão eram instantaneamente fuziladas.**

Em 1835, para debelar a revolta, dom João da Purificação Marques Perdigão, bispo de Olinda, deixa sua cadeira episcopal no Palácio da Soledade e, em companhia do vigário das Alagoas, Domingos José da Silva, penetra na mata escura de Jacuípe e convence os rebeldes a deporem suas armas.

Pode-se dizer que essa foi uma guerra das mais cruéis, vitimando pessoas das camadas mais simples da população alagoana. No entanto, o professor Dirceu Lindoso avalia que o episódio tem uma importância histórica fundamental, pois forjou nos alagoanos uma identidade cultural, a identidade cabana, que vai além das conseqüências da guerra. A Cabanada Selvagem começou com um grito monárquico-libertário e culminou num grande genocídio em território alagoano contra o povo cabano.

Lisos e Cabeludos, 1844 – O primeiro conflito interoligárquico

Não havia, na província das Alagoas, nesse período, partidos políticos definidos, mas uma aglutinação de indivíduos que se distribuíam entre conservadores e liberais. Depois de uma revolta, o povo se dividiu em dois partidos – o dos Lisos (conservadores), que se aliaram a Tavares Bastos, e o dos Cabeludos (liberais), vinculados ao visconde de Sinimbu. Essa disputa se acirrou no governo de Bernardo de Souza Franco, político ligado aos interesses da família Sinimbu. Na noite de 4 de outubro de 1844, os Lisos, que contavam com a maioria, acamparam em Bebedouro e no dia seguinte começaram um tiroteio pelas ruas de Maceió que durou duas horas.

O visconde de Sinimbu contra-atacou, cercando e ocupando as cidades do interior simpatizantes dos conservadores. Os combates prosseguiram até as tropas dos Lisos serem destroçadas. Porém, apesar da vitória militar dos Cabeludos, os Lisos continuaram no poder, sabendo transformar sua derrota militar em vitória política.

Nesse episódio, o sangue ancestral de Ana Lins se manifestou não apenas na atuação do visconde de Sinimbu, como também na de sua irmã, **Ana Luiza Vieira de Sinimbu**, igualmente filha de Ana Lins e casada com o barão de Atalaia. Muito inteligente e politizada, mostrou-se atuante na vida social e política da província naquele conturbado momento.

Campanha abolicionista

O regime escravocrata no Brasil forneceu por três séculos a mão-de-obra que sustentou a economia nordestina. No final do século XVIII e primeiras décadas do XIX, especialmente na região açucareira, que nessa época aumentou consideravelmente sua produção, exacerbou-se o tráfico negreiro. Estimativas apontam que no final do período colonial o país contava com aproximadamente 3.500.000 habitantes, sendo 40% escravos e 6% índios. Os demais foram classificados como metade "pardos" e metade "brancos".

O surgimento dos quilombos possibilitou que muitos homens e mulheres abandonassem as senzalas, forçando "seus senhores" a aceitarem gradativamente a proibição ao tráfico de escravos. Em 1831 o governo regente, pressionado por diversos levantes dos cativos e pelos ingleses, promulgou a Lei Feijó, que proibia o tráfico negreiro para o Brasil. Tanto essa lei quanto a de 1850, conhecida como Lei Euzébio de Queiroz – com o mesmo propósito, apenas determinando que a

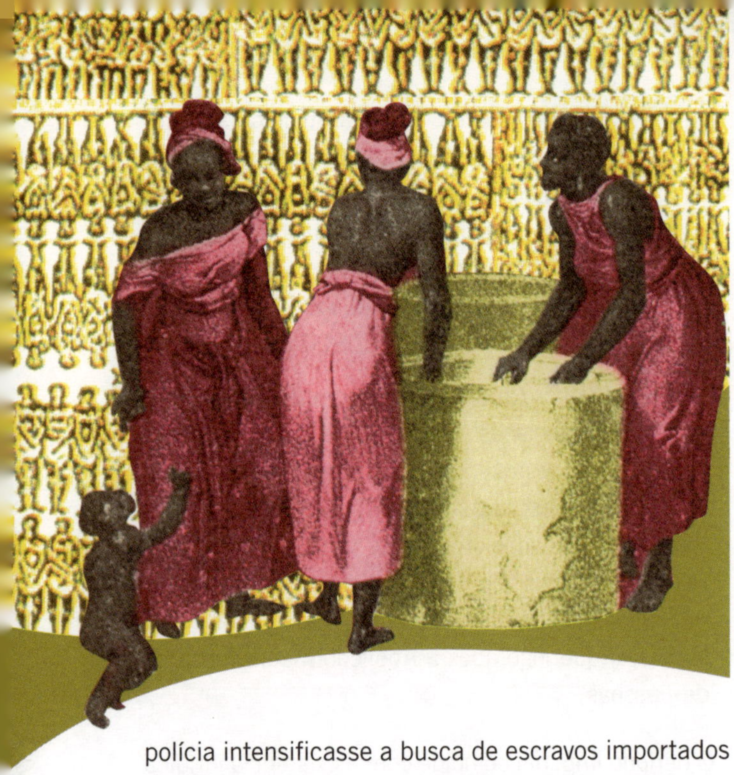

polícia intensificasse a busca de escravos importados ilegalmente – eram burladas. A costa alagoana, freqüentemente ameaçada por novos contrabandistas, exigia especial atenção do governo provincial. Uma das medidas tomadas foi a nomeação de João Camilo de Araújo como curador de africanos, cuja atribuição maior era defender os direitos das negras e negros africanos livres, especialmente as petições em que requeriam formalmente suas emancipações.

No entanto, o presidente da província foi diversas vezes chamado a intermediar as "supostas decisões injustas" cometidas pelo curador contra os negros. Abelardo Duarte cita o caso das negras **Joaquina** e **Benedita**, que, reclamavam ao dr. Souza Franco – presidente em exercício – sua carta de emancipação, "visto que o Sr. Curador dos Africanos se opõe a que as suplicantes gozem de sua plena liberdade".

Nesse período, um número considerável de africanos livres prestava serviços em órgãos do poder executivo, tais como correios, cadeia pública, hospitais, cemitério público e outros. No Hospital de Caridade de Maceió, por volta de 1862, trabalhavam nove deles, dentre os quais a africana **Rita**, elogiada por sua dedicação e altivez, e mais outras duas mulheres. Essas inúmeras petições comprovam que os africanos preferiam trabalhar para o governo do que para particulares, em virtude dos maus tratos a que geralmente eram submetidos nesse último caso. A despeito de algumas leis de amparo aos negros, vigoravam na sociedade e entre algumas autoridades um olhar enviesado e uma clara má vontade contra os africanos e africanas alforriados ou apreendidos.

Era tão descarado o preconceito que em julho de 1859 uma campanha foi lançada no jornal Diário de Alagoas responsabilizando negros e negras pelo aumento do custo de vida, uma vez que vendiam gêneros alimentícios nas feiras e ruas da cidade. Tal disparate levou a Câmara Municipal de Maceió a aprovar dispositivos proibindo africanos e africanas de negociar qualquer tipo de alimentos.

Destacando-se como importante centro político, Maceió foi palco privilegiado da campanha abolicionista, que já no inicio da década de 1850, com a adesão de setores médios da sociedade, misturava-se ao debate sobre a causa republicana. Os jornais O Gutemberg e O Lincoln (este praticamente um encarte do primeiro) agitavam o dia-a-dia da cidade, alimentando os argumentos contra a escravidão. O Lincoln, impresso no Colégio Bom Jesus e buscando divulgar sua causa, era fixado nos muros da cidade e distribuído gratuitamente. Em suas páginas não se publicavam notícias de escravos fugidos dos senhores. Infelizmente, teve uma existência precária devido às dificuldades financeiras. Seu diretor era Francisco Domingues Silva, fundador da "Escola Central" voltada para filhos de escravos. Em 1851, surgiu o jornal O Apóstolo que, ao lado de A República, firmou-se como um espaço aberto de disseminação das idéias republicanas; em dezembro de 1888 é criado o Centro Republicano Federal de Maceió.

A elite agrária alagoana resistiu até o último momento contra o crescente movimento pelo fim da escravidão. Mas já em 1880, uma grande mobilização ganhou corpo nas vilas, com a adesão de profissionais liberais, políticos, artistas, jornalistas na arrecadação de fundos para as alforrias. A agitação na província acentuou-se com a fuga de escravos para as cidades, que ganharam reforços do Exército.

Enquanto isto a intelectualidade, políticos do campo democrático e a classe média se organizavam. Em setembro de 1881, era solenemente fundada a Sociedade Libertadora Alagoana, cujo objetivo era conscientizar a população a lutar pelo fim da escravidão. Durante anos foi considerada o coração cívico do movimento antiescravista em Alagoas.

Como em outras partes do Brasil, também em Alagoas as mulheres participaram ativamente de toda mobilização contra a escravidão. Merecem destaque, como integrantes da Sociedade: **Clotilde Menezes**, **Francisca Falcão**, **Felisbela Porto**, **Amélia Passos da Cunha**, **Silvina Ribeiro**, **Virgínia Falcão**,

A heroína Rosa da Fonseca

Rosa Maria Paulina de Barros Cavalcanti nasceu em 1802, na vila de Alagoas, sede da comarca do mesmo nome, então pertencente à capitania de Pernambuco. Casou-se aos 20 anos com o capitão de infantaria Manuel Mendes da Fonseca.

Mendes da Fonseca foi comandante das forças provinciais que estiveram à frente das tropas que lutaram em Pernambuco na revolta da Cabanada. Comandou também a rebelião militar contra o governo de Agostinho da Silva Neves, que queria transferir a capital da província de Alagoas para Maceió. Em 9 de dezembro de 1839, com a transferência da capital alagoana consumada pelo imperador Pedro II, Mendes da Fonseca foi transferido para o Rio de Janeiro, onde ficou preso por dez meses e onde permaneceu após ser absolvido, tendo mandado buscar a família.

Identificada com a tradição militar, Rosa criou os filhos – oito homens e duas mulheres – dentro deste espírito, incentivando os rapazes a se alistarem para a Guerra do Paraguai. Três deles morreram em combate e dois distinguiram-se pela bravura em campos de batalha, entre eles Deodoro, que foi ferido.

Conta-se que enquanto se comemorava a vitória de Itororó com grandes manifestações públicas no Rio de Janeiro, Rosa recebia o boletim com a notícia da morte dos filhos. Nem por isso deixou de homenagear as tropas, estampando a bandeira nacional em uma das janelas de sua casa. E quando pessoas amigas chegaram para lhe dar os pêsames, teria afirmado: "Sei o que houve; talvez até Deodoro mesmo esteja morto. Mas hoje é dia de gala pela vitória; amanhã chorarei a morte deles." E de fato chorou por três dias, fechada em seu quarto.

Rosa morreu três anos após o término da Guerra do Paraguai, aos 71 anos. Talvez tenha presenciado as homenagens públicas que os filhos Deodoro e Hermes receberam pela bravura demonstrada nos campos de batalha, mas não acompanhou as últimas promoções do filho e tampouco suas movimentações em prol de uma maior independência do exército e contra as perseguições de escravos, caminho que o levou a unir-se a forças republicanas, proclamar a República e ocupar a cadeira de primeiro presidente do Brasil, em 1889.

Hoje a cidade natal de Rosa leva o nome de seu filho, Marechal Deodoro.

Amélia Domingues, Bárbara Guimarães, Lucie Lordsleem e outras damas da sociedade local. Essas mulheres eram consideradas "anjos-da-guarda dos negros cativos". Nas vésperas da abolição, estimava-se que a população escrava das Alagoas era de 15.296 indivíduos, sendo 7.449 do sexo masculino e 7.820 do feminino.

A esse quadro somava-se um cenário de miséria que entristecia as vilas. Sem voz durante todo o processo estava uma população de escravos fugidos, ex-escravos e mestiços, setores sem acesso a educação ou serviços de saúde, povoando as cidades, vivendo em mocambos em péssimas condições sanitárias e expostos a epidemias como o cólera, que logo após a Abolição matou milhares de pessoas.

O período imperial coincide com a existência jurídica de Alagoas como capitania autônoma, tendo sido portanto um período de disputas e conflitos entre as diversas camadas da população visando definir e organizar aquele novo contexto social. A abolição da escravatura e a proclamação da República vão acirrar as dificuldades e desavenças já existentes e criar novas, que campearão ainda por todo século XX.

Desaguando Talentos

A contribuição das mulheres na vida cultural alagoana

Embora a vida cultural em Alagoas seja marcada por fortes influências e traços europeus, são as tradições indígenas e africanas, com a beleza estética e a diversidade de suas manifestações, que hoje povoam o estado alagoano.

Os costumes da época impunham às mulheres um regime de exclusão. Enquanto os homens tinham sua atenção voltada especialmente para o acúmulo de riquezas e a defesa de suas propriedades, as mulheres faziam renda ou se dedicavam à culinária. Nesse contexto não havia preocupação com o investimento intelectual. As manifestações culturais dessa fase colonial de prosperidade dos engenhos ficaram praticamente restritas ao folclore.

A partir do século XIX, com a chegada da família real e de um grande contingente de artistas, além da criação dos primeiros cursos superiores no país, surge uma elite consciente que, oriunda dos engenhos, não mais retornava à vida rural, fixando-se nos centros urbanos a fim de se desenvolver cultural e intelectualmente.

No entanto, é nas primeiras décadas do século XX que o panorama cultural de Maceió ganha um novo colorido, com o nascimento da **Academia Alagoana de Letras**, do **Instituto Histórico e Geográfico de Alagoas**, do **Teatro Deodoro** – recebendo companhias famosas –, do **cinema Floriano**, do **Grêmio Guimarães Passos** – voltado para atividades literárias – e do **Instituto Rosalvo Ribeiro** – destinado ao ensino de artes plásticas. A isso soma-se a criação de muitos jornais, além de publicações de cunho nitidamente cultural.

Em todo o país, mas, sobretudo, nas cidades nordestinas caracterizadas pelo conservadorismo e rigidez dos costumes, as mulheres tinham enormes dificuldades para ultrapassar os limites do lar a fim de exercer outra atividade que não as identificadas como habilidades domésticas. Mesmo com competência e vocação, eram muitas vezes obrigadas a abandonar seus sonhos ou, no caso de insistirem neles, a se esconder por trás de pseudônimos, para que a força de seu talento e determinação se espraiasse publicamente.

Alagoanas em cena

As origens do teatro nacional remontam à época dos jesuítas, no início da colonização, por volta de 1563 ou 1570, quando foi encenado o auto da Pregação universal, na capitania de São Vicente, escrito por José de Anchieta. **As índias, acostumadas a preservar suas tradições através da oralidade e das expressões corporais, deram grande contribuição ao desenvolvimento do teatro, utilizado pelos missionários como meio de catequese. Porém, no início do século XVII, a moral religiosa proibiu a participação das mulheres nos espetáculos da Companhia de Jesus, sob a alegação de que poderiam excitar os homens.**

É antigo o registro de peças teatrais escritas ou publicadas por alagoanos, em que sobressaíam o drama e a comédia. No século XIX são constantes as referências a casas de espetáculos em Maceió: Teatro Maceioense, Teatro Minerva, Teatro 16 de Setembro, fundado em 1884, Teatro do Montepio dos Artistas, Politeama (de 1846 e que recebeu o imperador dom Pedro II e dona Teresa Cristina, quando de sua visita às Alagoas), Teatro do Bazar Jaguarense, Teatro Santo Antônio, Cine-Teatro Helvética, Cine-Teatro Floriano, Cine-Teatro Moderno e Parque Clube.

Segundo Abelardo Duarte, a primeira casa de espetáculos em Maceió, de 1830, foi o Teatro Imperatriz Amélia, porém ao que tudo indica o mais antigo teatro alagoano foi o São Francisco, de propriedade da Ordem Terceira de São Francisco, em Penedo. Apesar da imprecisão dos documentos quanto às circunstâncias de sua fundação, sabe-se que foi extinto provavelmente em 1884, ano da fundação do Teatro Sete de Setembro, também em Penedo. Na cidade de São Miguel dos Campos, data de 1860 a fundação do Teatro Carlos Gomes, com capacidade para 300 pessoas. Apenas no início do século XX, em 1902, surge o Teatro Municipal da cidade de Passo de Camaragibe. O Teatro Deodoro, mais famoso palco alagoano, surgiu em 15 de novembro de 1910, e a ribalta dessa grandiosa casa de espetáculos iluminou-

Primeira dama, do teatro

Laurinda Vieira Mascarenhas nasceu na última década do século XIX, na cidade de Maceió. Teve a oportunidade de estudar várias línguas: inglês, francês, grego, latim e alemão, além de aprender piano e canto. Mas foi como professora pública, atividade que exerceu até a idade de 51 anos, que **Linda Mascarenhas**, *como ficou conhecida, sustentou-se e pôde levar uma vida independente.*

Aos 37 anos, engajou-se na fundação da Federação Alagoana para o Progresso Feminino, ocupando lugar de destaque em sua direção. Paralelamente ajudava a criar a Ação Católica em Alagoas, da qual foi Presidenta durante cinco anos, sendo substituída em 1945 por **Nieta Lessa Souza**.

Embora de natureza diversa, essas atividades não a impediram de se interessar pela literatura e pelo teatro, sua grande paixão. Em 1944 o movimento de teatro amador, que vinha crescendo nacionalmente, chega a Alagoas de maneira mais estruturada, com o nascimento do Teatro Amador de Maceió, o TAM. Linda Mascarenhas fazia parte do grupo fundador e chegou a presidir a entidade.

Onze anos depois, em 1955, foi fundada a ATA, Associação Teatral de Alagoas. Linda não só estava entre seus criadores, como foi Presidenta da Associação, até falecer aos 96 anos. A ATA incorporou setores jovens que estimularam a revitalização do teatro local encenando peças mais contemporâneas e de cunho sociológico. Em 1956, portanto aos 61 anos, Linda realizou o sonho de pisar no palco, atuando pela primeira vez no papel de Lizaveta, em uma adaptação cênica de Léo Vítor do romance O idiota, *de Dostoiévski.*

A partir de então, atuou em diversas montagens, ganhando um prêmio pelo papel-título na peça Dona Xepa *de Pedro Bloch, com a qual percorreu várias capitais nordestinas. Em 1958 recebeu o prêmio de melhor atriz com a peça* Mulheres feias, *de Aquille Asitta, montada no Teatro Deodoro. Nesta fase, montou e dirigiu ao todo 20 peças.*

Na década de 60 acompanhou a vanguarda brasileira, encenando Eles não usam black tie *de Gianfrancesco Guarnieri, peça com a qual introduziu o teatro de arena no estado, provocando críticas ferozes. Em 1970, foi a vez de* Hoje é dia de rock, *de José Vicente, considerada, segundo alguns críticos, "uma verdadeira invasão no santuário do tradicionalismo alagoano".*

Em comemoração aos seus 50 anos de trabalho no campo teatral, em 1985, foi lançado o livro Certas paixões – Linda: 50 anos de refletores, *justa homenagem a essa autodidata que, com seu entusiasmo, apresentou tantos jovens às artes cênicas.*

se pela primeira vez com a apresentação da peça *O dote*, de Arthur Azevedo, contando para isso com a excepcional atriz **Lucila Peres**, que ainda homenageou a dramaturgia alagoana interpretando o monólogo *O beijo*, de autoria de J. Brito.

Dentre as estrelas que atuavam no cenário nacional, duas, de primeira grandeza, animaram o teatro nas Alagoas a partir da década de 1910. Lucila Peres, que logo no início da carreira conquistou o público que superlotava seus espetáculos, e a portuguesa **Maria de Castro**, que a sucedeu no proscênio do Teatro Deodoro.

As mulheres também revelaram seus talentos como gestoras culturais, destacando-se nesse aspecto as pioneiras **Alita Andrade, Maria Thereza Pereira de Lyra Collor de Mello e Sue Chamusca,** primeiros nomes femininos na administração do Deodoro.

Com o Modernismo, o teatro em Alagoas experimentou, a partir da década de 1920, um novo surto – quer na arte dramática, com várias tentativas de formação de grupos amadores, quer no surgimento de autores que escreviam e encenavam suas próprias peças. Merece lembrança **Margarida Maria de Almeida**, que, nascida em 1905 na cidade do Pilar (AL), dedicou-se desde a década de 1940 a escrever artigos, crônicas e poesias em jornais, sob o pseudônimo de **Rita Palmares**. Musicógrafa e teatróloga, escreveu *Festa no pomar* peça infantil ainda inédita. Além dela, **Rosinha Coelho Pereira do Carmo**, sem deixar de lado sua rica produção literária, aventurou-se pelos campos da dramaturgia. Algumas de suas peças, como *Dois destinos* e *Vencidos pelo amor* foram radiofonizadas e selecionadas pelo teatro da rádio Mayrink Veiga, no Rio de Janeiro, tendo a segunda obra sido representada em noite de gala pelo grupo teatral da emissora.

Talvez os três melhores "teatrinhos", como eram chamados os espaços cênicos nas escolas – que em Maceió se tornam um ambiente social prestigiado, além de parte fundamental da obra educacional e cultural do estado – tenham sido os do Liceu Alagoano, da Escola Normal e do Colégio Coração de Jesus. Este último, liderado pela professora **Ana Prado**, valiosa mestra e diretora.

Em 1944, em plena guerra mundial, uma corajosa mulher – **Linda Mascarenhas** – une-se a um grupo de jovens idealistas, criando o Teatro de Amadores de Maceió com o objetivo de descobrir novos talentos e revelar valores teatrais. Três mulheres integravam o elenco inicial: **Norma Cabral**, **Eva Bezerra** e **Eunice Pontes**, com apenas 19 anos.

Eunice Pontes

Eunice Pontes dedicou toda sua vida ao palco. Com as peças *Os inimigos não mandam flores* e *Amanhã se não chover*, ganhou uma medalha de ouro como melhor atriz do Norte/Nordeste. Seu nome também figura no seleto grupo de mulheres que atuaram nas novelas de rádio. Além de Eunice, falecida em 1960, outras intrépidas artistas questionaram a moral vigente, romperam com as barreiras impostas e conquistaram algumas brechas de participação e manifestação. Seguramente, a expressão artística foi um dos mais importantes espaços de resistência.

Outros nomes femininos se destacaram com grandeza no teatro amador alagoano, dentre elas: **Anilda Leão, Benita Oliveira**, **Cibele Barbosa**, **Clandira Halliday**, **Clésia Santos**, **Edna Leite**, **Lourdinha Sarmento**, **Maria Tomásia**, **Marina Barbosa**, **Melita Fernando**, **Nelita Góes**, **Norma Cabral**, **Teresa Cabral**, **Zezé Campos Torres** e tantas outras. Entretanto, foi com a presença de Linda Mascarenhas nesse cenário que um novo capítulo foi escrito na memória cultural de Alagoas.

Praça Deodoro

Praça Montepio dos Artistas

E eis que surge o Conservatório de Música de Alagoas

Apesar de poucas, as mulheres tiveram papel de destaque nas distintas expressões culturais da sociedade alagoana do século XX. Maria Aída Wucherer é um dos grandes exemplos da dedicação das mulheres alagoanas à cultura. Musicista, poeta, cantora lírica, escritora e diretora teatral, dedicou sua vida a descobrir e incentivar as vocações artísticas de seus conterrâneos e conterrâneas.

A professora **Aída Wucherer**, como era comumente chamada, sonhava com um projeto mais ambicioso do que a escola que possuía, em Maceió, onde lecionava canto e declamação. Para isso, buscou parceria com sua amiga, a maestrina **Venúzia de Barros Melo**, também proprietária de uma academia particular, onde dava aulas de piano, acordeom, teoria musical e sofejo. Juntas, criaram em 15 de junho de 1956 o Conservatório de Música de Alagoas, iniciativa que contou com o apoio das ex-alunas **Maria Lúcia Tenório Albuquerque**, **Maria Thereza Wucherer Braga** e **Maria Augusta Correia Monteiro**.

Suas filhas foram, de certa maneira, contaminadas pelo talento materno: Maria Thereza Wucherer Braga tornou-se cantora e declamadora; **Maria de Lourdes Wucherer Braga (Lulu)**, pianista; **Maria Rita Wucherer de Mendonça Braga**, declamadora; e **Maria Edwiges de Mendonça Braga**, bailarina. Embora tenha dedicado a maior parte de sua vida às notas musicais, Aída encontrou tempo para produzir peças teatrais, dirigir óperas e integrar várias entidades de classe, artística e intelectual.

Por volta de 1954, ao mudar-se para o Rio de Janeiro, passou a direção do conservatório à professora e regente Venúzia – que desde 1952 pertencia à Sociedade Cultural Artística de Alagoas na condição de sócia-fundadora e em 1967 ingressou no Conselho Estadual de Cultura, exercendo, ainda hoje, papel fundamental no desenvolvimento cultural do estado.

A sociedade local sempre participava com fervor das atividades culturais de sua terra, e a organização de festas e saraus revelava-se um ambiente propício ao desenvolvimento e aprimoramento artístico e cultural de futuros artistas.

Testemunha da importância do incentivo familiar, **Selma Teixeira Britto**, estimulada pela mãe, **Hilda Calheiros Teixeira**, habilidosa pianista amadora, teve condições de dar asas a seu talento, transformando-se em extraordinária e reconhecida pianista erudita.

Nome de destaque é também o de **Maria Éster Buarque da Costa Barros,** de São Miguel dos Campos (AL), nascida em 1888. Além de poeta e professora, diplomou-se pianista e acumulou em sua trajetória dezenas de concertos musicais, até falecer aos 68 anos. Dessa mesma época podemos ainda citar a cantora lírica **Liége Guimarães Tozzi**, as pianistas **Lourdes Caldas**, **Gabriela Milito** e a penedense **Flora Ferraz Whithurst**.

Venuzia de Barros Melo

Aída Wucherer

Mergulhando nas ondas do rádio

Em 16 de setembro de 1948, foi inaugurada oficialmente a primeira emissora radiofônica de Alagoas, a Rádio Difusora, ZYO-4, conhecida como a "Caçula das Américas", 26 anos depois da primeira transmissão, que aconteceu na capital do país, então cidade do Rio de Janeiro.

O rádio tornou-se logo, o grande amigo e companheiro de todas as horas, alegrando a solidão do trabalho diário das donas de casa e das trabalhadoras domésticas. Falando-lhes ao pé do ouvido, com intimidade e confiança, tocando fundo o coração e a alma de cada ouvinte, o rádio tornou as mulheres mais esclarecidas quanto aos preconceitos e mazelas sociais. Assim, com o passar do tempo, o compartilhamento das dores e delícias de ser mulher tomou o lugar da vergonha e do medo.

Tamanha era a importância desse veículo de comunicação na vida das pessoas que alguns de seus profissionais se transformaram em grandes ídolos. Cantoras como **Zezé de Almeida**, **Marlene Silva** e **Nilda Neves** serão sempre lembradas. O grande fenômeno da Difusora era o rádio-teatro, com novelas que se tornaram atrações imperdíveis. As personagens ganhavam vida através da interpretação de artistas da terra; nas décadas de 50 e 60 foi grande o sucesso de **Eunice Pontes**, **Luza de Andrade**, **Elza Montenegro**, **Rúbia Machado**, **Alda Maria** (nome usado por **Zezé de Almeida**) e **Sílvia Lorena** (nome artístico da advogada **Aydete Viana**).

No comando dos programas de auditório da Rádio Difusora, destacava-se **Odete Pacheco**, que ainda criança, brincava de apresentadora. Nascida em Passo de Camaragibe (AL), de onde saiu, aos 11 anos, para estudar no Instituto de Educação, na capital do estado, tornou-se professora.

Odete Pacheco

Neuza Moreno

Zezé de Almeida

Aos 20 anos, apesar dos vários tabus que dificultavam a participação feminina nos meios de comunicação, conseguiu uma vaga como locutora da recém-criada emissora. Odete passou a fazer programas de auditório, tornando-se um sucesso de audiência. Mulher de muitas lutas e conquistas, sua postura num mercado de trabalho eminentemente masculino custou-lhe alguns dissabores, mas o reconhecimento por parte do público ouvinte lhe trouxe muita satisfação. Ao enfrentar preconceitos arraigados e sempre seguir em frente, Odete Pacheco foi uma pioneira na radiofonia alagoana, contribuindo para que outras mulheres se animassem a trabalhar e lutar por seus objetivos. Faleceu em 12 de outubro de 1971.

Floraci Cavalcante é outro exemplo de determinação e garra. Aos 14 anos resolveu tentar uma vaga como locutora na Rádio Progresso de Alagoas, que entrara no ar em 15 de novembro de 1958. Aos 16 anos, sua estréia no rádio causou enorme repercussão devido ao inusitado de uma mulher, sobretudo uma adolescente, exercer tal função. Fez tanto sucesso que acabou por ganhar um programa próprio, voltado para o público feminino. Radialista há mais de 40 anos, é uma das comunicadoras mais respeitadas da história da radiofonia nordestina, unanimemente considerada a voz mais bonita das ondas do rádio do estado de Alagoas.

Maria de Jesus Albuquerque Almeida nasceu em 24 de abril de 1952, em Maceió (AL). Formou-se em Letras pela Universidade Federal de Alagoas e especializou-se em Tecnologia da Educação no Centro de Ensino Superior de Maceió, onde leciona atualmente as disciplinas de Literatura Brasileira e Alagoana.

Maria de Jesus, como é conhecida, começou na Rádio Educativa como produtora do programa *Canal 07, música e poesia para você*, apresentado aos domingos. Programa pioneiro no gênero, voltado para a divulgação da literatura de escritores locais, foi ao ar durante nove anos. Nesse período, era apresentado por **Floraci Cavalcante** e **Beatriz Bargen**, amigas e incentivadoras de Maria, que mais tarde assumiu o posto, deixando de ser apenas produtora. No campo literário, produziu vários livros de poesia e em 2002 gravou o CD *A sedução do verso*, em que reúne os seus melhores poemas. Atualmente, Maria de Jesus, além de trabalhar como assessora da TV Educativa, faz shows e está na produção do seu quarto CD.

A alagoana que canta, dança, pinta e borda!

Pensar música em Alagoas significa considerar as inspirações coletivas, em geral manifestadas no canto folclórico e na música popular. No Brasil, os programas radiofônicos de auditório constituíram um espaço privilegiado para a revelação de novos talentos. Em Maceió, por exemplo, vamos encontrar **Neuza Moreno**, cantora exclusiva da Rádio Difusora nas décadas de 1950 e 60; **Leureny Barbosa**, intérprete alagoana de música popular e bossa nova, que se dedica a divulgar compositores locais. No final da década de 1960 Leureny foi para o Rio de Janeiro participar do programa de Flávio Cavalcanti na televisão, ocasião em que sobressaiu pelo desempenho e belíssima voz, o que orgulhou seus conterrâneos. Voltando para Alagoas fez inúmeros shows, com muito sucesso. Ainda hoje dedica sua vida à música.

O aparecimento da pintura feita por alagoanos data da segunda metade do século XIX. Registros anteriores, especialmente as manifestações de natureza religiosa na decoração de igrejas, foram obras de artistas de outras localidades.

Se a busca se restringir à representação feminina, somente a partir da primeira metade do século XX, é que vamos encontrar mulheres em evidência nas artes plásticas. **Miriam Falcão Lima** é uma delas. Nascida em Passo do Camaragibe(AL), em 23 de abril de 1892, desde criança demonstrou sua vocação para as artes. Por seu talento, em 1915, tornou-se professora de desenho da Escola Normal, na vaga deixada pelo falecimento de Rosalvo Ribeiro, grande pintor alagoano. Teve participação no movimento que desencadeou a renovação dos padrões estéticos na arte brasileira, a Semana de Arte Moderna. Em 1934, funda em Maceió, uma Escola de Belas Artes.

Miriam Lima

A outra é **Noêmia Duarte**, considerada uma das figuras femininas de maior valor na área da pintura. Natural de Maceió(AL), nasceu em 1897 e desde cedo enveredou para o campo das artes plásticas. Foi aluna do grande artista alagoano Rosalvo Ribeiro. Rabiscou, desenhou, pintou e expôs seus quadros em 1916, conquistando a admiração do público e manifestação elogiosa na imprensa local. Além de obras originais, fez a reprodução de quadros célebres e na fase mais madura produziu telas do gênero sacro. Suas obras encontram-se espalhadas por Recife, Santos e Maceió, cidades onde a artista viveu em diferentes períodos da sua vida.

Várias iniciativas foram lançadas no sentido de democratizar a pintura no estado. Em 1925 é criado o Instituto de Belas Artes Rosalvo Ribeiro, que inicialmente se chamava Instituto de Belas Artes de Alagoas, responsável pela organização de várias exposições. Na Semana das Cores, patrocinada pela Academia Guimarães Passos, em 1930, foi feita uma exposição com artistas alagoanos, da melhor safra, dentre os quais podemos destacar três mulheres: Miriam Lima, **Noêmia Duarte** e **Olívia Torres** se fizeram presentes.

Com o fim da Primeira Guerra Mundial, o movimento cultural em todo mundo toma um novo impulso. Novas correntes de pensamento, principalmente vindas da Europa vêm influenciar os movimentos nacionais. No sul do país, a Semana de Arte Moderna, provoca um grande rebuliço nas concepções artísticas vigentes no Brasil. Aparecem também no cenário alagoano, **Ana Sampaio Duarte** e a chargista **Maria Aline de Moraes Sarmento**.

A partir da segunda metade do século XX, a pintura alagoana toma impulso e as manifestações femininas conquistam o reconhecimento. Nascida em Maceió, no ano de 1932, **Maria Teresa Vieira**, que revelava talento para a pintura desde a adolescência, ao completar 18 anos vai estudar na Escola Nacional de Belas Artes, no Rio de Janeiro, fruto de uma bolsa que ganhara em sua primeira exposição, na Câmara Municipal de Maceió, em 1949.

Nessa nova realidade, passou a se dedicar com afinco à arte-educação, fundando em 1988, na capital fluminense, a Oficina de Artes Maria Teresa Vieira, com objetivo de desenvolver projetos artístico-sociais. Embora tenha passado grande parte de sua vida no Rio de Janeiro, Maria Teresa nunca abandonou suas origens, voltando todos os anos à sua cidade natal e retratando a paisagem alagoana em inúmeros de seus quadros.

Leide Serafim

Filha de Benita Matilde de Maya, professora de música, e Paulo Pedrosa, reconhecido ambientalista, **Tânia de Maya Pedrosa** ainda jovem mergulhou com profundidade na vida cultural alagoana, destacando-se como pintora primitiva e uma das maiores incentivadoras da arte popular. Assumiu assim a função de mecenas, descobrindo, protegendo e divulgando artistas anônimos. Teve muitos de seus quadros premiados para além das fronteiras alagoanas.

Além de Tânia, duas artistas alagoanas sobressaem na arte naïf: **Maria Amélia Vieira** e **Stelia Maria Motta**. Essa trinca retrata com autenticidade a cultura nordestina, sua gente e seus enfrentamentos cotidianos.

As características modernas da escultora **Bárbara Lessa** vêm surpreendendo os apreciadores da arte. Outra artista em evidência é **Marta Arruda**, que, com seu trabalho baseado em sucata, aço, ferro e outros materiais, projeta o abstrato, estimulando a reflexão. **Vânia Lima**, maceioense, formada em pintura na escola de Belas Artes da Universidade de Pernambuco, desde a década de 1970 participa de mostras em galerias e espaços culturais de todo Brasil.

Duas mulheres projetam-se como grandes bailarinas no estado de Alagoas: **Eliana Cavalcanti**, pernambucana "de origem alagoana" – tendo sido primeira-bailarina do Grupo de Ballet de Recife – retorna a Alagoas, terra de seus ancestrais, e em 1981 cria o Grupo de Ballet com seu nome. Em 1983, com outros abnegados bailarinos e bailarinas, rebatizaram o grupo, prestando assim homenagem ao primeiro jornal da província, criado em 1831. Atualmente, apesar das muitas dificuldades, o Ballet Íris de Alagoas é uma realidade, descobrindo novos talentos e enriquecendo a vida cultural nordestina.

A valorização da cultura negra e das diferentes expressões corporais e rítmicas do Nordeste brasileiro também se faz presente na vida cultural de Alagoas através do trabalho desenvolvido pelo grupo Sururu do Capote. Faz parte do grupo **Leide Serafim da Silva**, conhecida popularmente como Olodum, que em 1995, ainda adolescente, fez sua estréia como dançarina da banda Afro-Mandela.

Mecenas das artes

Desde 1950 ligada à cultura e às artes de Alagoas, o nome de **Leda Collor de Mello** não pode ser esquecido. Primeira-dama do estado, casada com o jornalista e político Arnon de Mello, nunca deixou de apoiar e incentivar as manifestações do Teatro Amador de Maceió, da Juventude Musical Brasileira e da Sociedade de Cultura Artística. Preocupou-se em desenvolver a cultura e a educação alagoana, sobretudo a voltada para os segmentos populares, como brilhantemente apontou a ilustre professora **Enaura Quixabeira Rosa e Silva** na série *"Memória Feminina de Alagoas"*, publicada pela Gazeta de Alagoas.

Outro expressivo nome é o da intelectual, ainda hoje atuante no meio cultural alagoano, **Solange Lages Chalita**. Solange, que sempre se mostrou uma artista polivalente, iniciou sua carreira como poeta, tornando-se mestre em literatura brasileira. Membro do Instituto Histórico e Geográfico, da Academia Alagoana de Letras e da União Brasileira de Escritores, dirigiu entre 1971 e 1975 o Departamento de Assuntos Culturais da Secretaria de Educação e Cultura de Alagoas.

Maria Thereza Collor destacou-se por sua atuação à frente da Secretaria de Turismo, tendo entregue aos alagoanos o Teatro Deodoro, reformado sob seus auspícios em 1998.

Imprensa: palavra que se escreve no feminino

A imprensa brasileira deu seus primeiros passos no Brasil ainda durante o período colonial, através da Imprensa Régia, criada em 1808 por Dom João. Sob forte censura, não podia publicar artigos considerados contrários ao reino, à religião, a família e os bons costumes. O primeiro jornal "nativo", A Gazeta do Rio de Janeiro, lançado em 10 de setembro de 1808, era oficial e dava ênfase às virtudes da família real.

Nesse mesmo ano, contrabandeado da Inglaterra, onde era impresso, já circulava mensalmente pelas ruas da capital do Império o Correio Brasiliense ou Armazém Literário, cuja linha ideológica em defesa da independência do Brasil lhe custou censura, apreensão e processo. Ainda assim, o jornal continuou sendo publicado até 1822.

Em 1821 o príncipe regente dom Pedro decreta o fim da censura prévia, possibilitando o surgimento de vários órgãos de comunicação. Durante o processo da independência, destaca-se o Revérbero Constitucional Fluminense, que tem como rival o Diário do Rio de Janeiro, famoso por sua neutralidade. Nesse período a aristocracia rural perseguia implacavelmente seus opositores, inclusive com agressões a jornalistas. Ao criticar a falta de liberdade da imprensa através de seu jornal, o Malagueta Extraordinária, Augusto May foi violentamente espancado em sua própria casa.

No século XIX, em especial na segunda metade, o país assistiu ao nascimento de jornais e revistas editados e escritos por mulheres em diferentes regiões brasileiras, como por exemplo O Jornal das Senhoras (1852) e Bello Sexo (1862), ambos no Rio de Janeiro; O Sexo Feminino (1873), em Minas Gerais; A Família (1888) e A Mensageira (1897), em São Paulo, dentre outros. Porém, anteriores a 1850 e pioneiríssimos foram o pernambucano Espelho das Brasileiras (1831) e o gaúcho Belona, que circulou nos anos de 1933 e 1934.

A prática de escrever para os meios de comunicação foi uma importante manifestação pública das mulheres, que se empenharam não só na defesa de seu florescimento cultural e do acesso à educação, como também pelo direito de serem cidadãs integrais.

As notícias das Alagoas...

Nas Alagoas, a primeira tentativa de criar uma imprensa local data de 1822, através de pedido oficial encaminhado pela Junta de Governo a Lisboa, solicitando uma tipografia pública.

Entretanto, o jornal Íris Alagoense, que teve seu primeiro número impresso na Bahia e o segundo em Maceió em 17 de agosto de 1831, foi o primeiro jornal alagoano, além de pioneiro na abrangência estadual. Em fevereiro do ano seguinte nascia o segundo periódico, o Federalista Alagoense. Mas o hábito da leitura diária só pôde ser desfrutado pelos alagoanos e alagoanas em 1850, com a fundação do Correio Maceioense.

E assim as mulheres eram retratadas...

Nessa época era mínima a presença da mulher na imprensa. Maceió contava, nos primeiros anos do século XX, com nove veículos de comunicação impressa: **A Tribuna**, **O Gutemberg**, **O Jornal de Debates**, **O Evolucionista**, **O Trocista**, **O Spírita Alagoano**, **A Cruz** (semanário católico), a **Revista Agrícola** e uma revista publicada pelo Instituto Arqueológico.

Nos jornais por nós pesquisados, entre os anos de 1900 a 1912, especialmente em *A Tribuna*, onde era divulgado o expediente do governo do estado no período, chegam a ser vergonhosas as referências ao sexo feminino. Em *Festas do Lar*, espaço voltado para notas sobre casamento, as noivas aparecem sempre associadas ao nome do pai, revelando o grau de patriarcalismo a que se viam submetidas.

Situação semelhante também se percebe em relação ao anúncio de datas de aniversário, em que o nome e sobrenome do marido eram as referências utilizadas para dar *"o devido destaque"* à homenageada. Em raríssimos casos, seus autênticos nomes eram citados. Quando isso ocorria, sua condição social de mãe, esposa ou filha de alguma celebridade local era a razão desse privilégio. Um exemplo disso eram as menções anuais de congratulações que a primeira-dama **Maria Ribeiro** – esposa do governador Euclides Malta, um dos homens mais poderosos naquele momento, e filha do barão de Traipu – recebia por ocasião de seus aniversários. Percebe-se pelos textos que a intenção do colunista era muito mais afagar o ego dos "donos" dessas mulheres do que homenageá-las, reconhecendo-as como sujeitos individuais.

Mas não só as datas festivas, como casamentos ou aniversários, justificavam a presença das mulheres nos jornais, uma vez que nascimentos e falecimentos também lhes garantiam esse espaço. No primeiro caso, ocasião em que de certo modo a sexualidade da pessoa estava neutralizada, portanto independia da questão de gênero, considerando-se que nascimentos de meninos também eram noticiados. Já em relação à morte, acreditava-se que a divulgação do passado ilibado da falecida servisse de exemplo de honestidade e virtude a ser imitado pelas que permaneciam vivas e *"sempre carentes de bons caminhos a seguir"*.

Em 1931 entra em circulação a **revista Novidade**, apontada como uma das melhores no campo literário, embora também abordasse outros assuntos, que teve a façanha de chegar ao número 24. Cabe ressaltar, no entanto, que tinha um posicionamento bastante preconceituoso com relação à mulher e sua luta emancipatória. Um dos editores da revista, Valdemar Cavalcanti, assim se manifestava num de seus artigos a respeito do voto feminino: ***"Convenhamos que as mulheres absorvidas irremediavelmente com os figurinos de elegância e literatura de Paris, não poderão pensar nunca sobre os problemas do país."*** Não contente com o disparate reacionário, prosseguia: ***"O que parece é que é bem cedo para se dar à mulher brasileira os mesmos direitos políticos que os homens"***.

Um jornal ousado

Ao lado da educação, o surgimento da imprensa teve um papel central na disseminação de idéias e na formação de opinião para o segmento feminino da população – excluído da cena pública da época, na maioria das vezes em nome da filosofia cientificista, que pregava a inferioridade biológica e racional da mulher.

O grande mérito da escrita das mulheres – dentro da diversidade de veículos e das linguagens empregadas – foi difundir a luta pela emancipação feminina. Uma das valiosas estratégias adotadas foi reivindicar o acesso das mulheres à educação, como podemos observar numa atrevida publicação surgida no estado de Alagoas no início do século XX: ***O Feminista***.

Lançado em 9 de fevereiro de 1902, o jornal O Feminista não passou despercebido ao editor da Tribuna: ***"Vimos egualmente Marie Annette, trajando riquíssima phantasia, a qual percorreu***

O Rosal

Jornal que teria tido influência nas décadas de 1910 a 1920, contando com o talento literário de **Rosália Sandoval**, *a grande redatora do periódico de circulação bimensal. Infelizmente não foi encontrado nenhum exemplar nos arquivos alagoanos.*

O FEMINISTA

Orgão de Propaganda da Emancipação da Mulher

Liga contra a Tuberculose

diversas ruas em luxuosos carros ladeado por um esquadrão de garbosos cavalheiros, que distribuíam o primeiro número d'O Feminista, jornal dedicado "a emancipação da mulher do século XX."

De vida efêmera, o único exemplar acessível encontra-se na Biblioteca Nacional do Rio de Janeiro. Infelizmente não foi possível saber quantas edições foram publicadas nem certificar o nome da responsável pela iniciativa e produção desse jornal, embora vários artigos sejam assinados por **Marie Annette**. O editorial, dirigido às senhoras, diz: ***"É a vós e aos vossos direitos que se dedica O Feminista".*** Num longo texto, aparecem, várias vezes, frases em que a autora enaltece a natureza feminina e seus predicados, buscando sempre uma comparação com o sexo oposto:

"A victória da mulher é mais certa nos emprehendimentos, porque ella, como nenhum homem, sabe suavizar o plano da peleja. É mais dócil e menos ambiciosa".

Um conto intitulado *Bruto*, da escritora carioca **Julia Lopes de Almeida**, é transcrito no periódico, assim como o artigo *A emancipação da mulher*, que faz uma ferrenha crítica à ***"tirania execrável das leis e das religiões, dos preconceitos rotineiros e da moral hipócrita"***, no qual a autora, **Alice Bastos**, justifica as razões que levaram as mulheres ao *"grito de protesto"*. Termina conclamando as alagoanas a ***"defender a bandeira da soberania que possa fazer da mulher um ser igual ao homem, com os mesmos direitos e deveres, mesma soma de responsabilidades e prerrogativas, com o mesmo vigor de Marie Annette"***.

Três almanaques em três tempos

Não conhecemos precisamente os motivos que levaram à criação de três publicações do tipo almanaque em épocas distintas e com diferentes editorias: em 1888, surge o **Almanack Literário Alagoano das Senhoras**; depois, em 1899, é lançado o **Almanack Litterário Alagoano** e, por último, no começo do século XX, o **Almanack Alagoano das Senhoras**.

Esses almanaques, especialmente o primeiro e o terceiro, tinham como objetivo fornecer à mulher moderna informações de cunho literário, sobre a condição feminina e dados estatísticos. Trata-se de importante documento histórico para se compreender os mecanismos que forjavam a mentalidade da época, mais especificamente sobre o segmento feminino, uma vez que constituía um dos poucos instrumentos de informação acessível às mulheres nos respectivos períodos, fora dos circuitos de relações sociais representados pela família, vizinhança e igreja.

Vale notar que, embora os autores desses "livrinhos" desfrutassem de boa aceitação por parte da comunidade, alguns dos textos dos almanaques eram considerados "avançados demais", suscitando certo receio. Pois as famílias, não viam sem preocupação o manuseio dessas publicações pelas jovens, preferindo que dedicassem seu precioso tempo a "afazeres" mais saudáveis e menos modernos.

O pioneiro

O ineditismo dessa façanha coube a uma mulher: **Maria Lúcia (Romariz) Duarte**.

No calor dos acontecimentos que envolveram a luta abolicionista, Maria Lúcia torna-se proprietária e editora do ***Almanack Literário Alagoano das Senhoras***, publicado pela primeira vez em 1888 e considerado uma obra inédita desse gênero no país. O exemplar do Almanaque do ano II (1889), que integra a coleção de publicações raras do Instituto Histórico e Geográfico de Alagoas (IHGAL), traz uma apresentação de Maria Lúcia Duarte em que ela dedica aquela edição ao glorioso acontecimento da Abolição da Escravatura e homenageia a princesa Isabel, publicando inclusive o texto da Lei de 13 de Maio.

Voltado especialmente para o sexo feminino e pregando sua emancipação, o exemplar, vendido a 1$000 réis, era recheado de artigos, textos literários, variedades culturais, informações de utilidade pública, curiosidades, sendo patrocinado financeiramente pelo comércio local que ali fazia sua publicidade.

Verifica-se que o Almanaque possuía um número considerável de colaboradoras, como as alagoanas: **Maria Carolina Guerra Jucá**, **Anna Autram**, **Francisca Izidora Gonçalves da Rocha**, **Alcina Leite Pindayba** e a própria editora ora aparecendo como Maria Lúcia Romariz ora como Maria Lúcia Duarte (nome que predomina e assina a edição); e colaboradores: Eusébio de Andrade, João Duarte de Barros, Nolasco Maciel. O que chama a atenção é o intercâmbio com escritoras e escritores de outros estados e até de Portugal, como Alice Moderno (São Miguel, Açores); Joaquim Pestana (Ilha da Madeira, Portugal) e, no Brasil, Senhorinha Chaves (Porto Alegre); Ignez Sabino Pinho Maia (Rio de Janeiro); Fileno (Sergipe), Silio Boccanera Junior (Bahia) e Hygino Cunha (Teresina).

Além da arte de escrever, Maria Lúcia – que nasceu em 1863, na cidade de Palmeira dos Índios (AL) e estudou no Liceu Alagoano, em Maceió – fundou e dirigiu o Colégio Ateneu, voltado para a educação de meninas, tornando-se também uma distinta educadora.

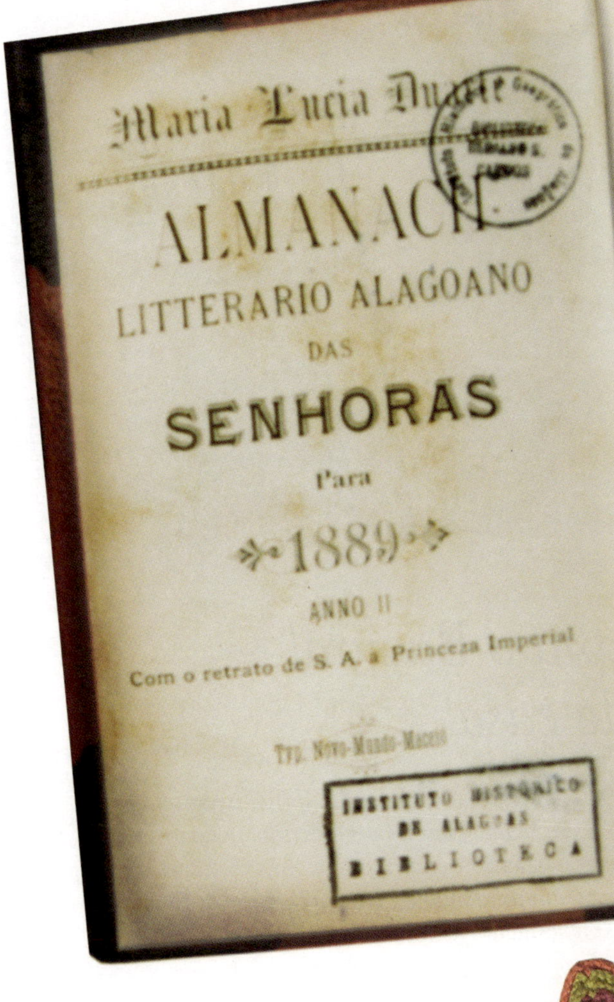

Um instrumento literário onde as mulheres tiveram voz

O segundo almanaque, o ***Almanach Litterário Alagoano***, tinha como núcleo uma seleção de textos literários escolhidos, entre poesias, contos, e crônicas escritas por autores alagoanos e de outras localidades, além de trazer informações de utilidade pública. Seu primeiro número, organizado sob a batuta de Torquato Cabral, foi apresentado ao público em 1899, tendo ainda sido publicado pela segunda e derradeira vez, no ano seguinte, sem que haja uma explicação para os motivos dessa interrupção.

Como em outras publicações dessa natureza, os assuntos giravam em torno de temas da história, homenagens a literatos de grande projeção local – ou no país, desde que de procedência alagoana –, notas e recados, calendários, principais datas cívicas e religiosas e estatísticas do estado.

Interessante notar que no item "Notas e Recados" eram comentados os resultados dos trabalhos enviados pelos colaboradores, selecionados para constarem na publicação daquele ano. Sob esse aspecto, a participação das mulheres, contrariando as expectativas, é reconhecida e notória. Os trabalhos selecionados e redigidos por mulheres, que nesse primeiro número participaram efetivamente como colaboradoras, perfazem um total de 13 autoras.

Em alguns desses casos, não foi possível identificar o gênero da pessoa referida, podendo tratar-se de um homem sob pseudônimo feminino ou vice-versa, ou assinando apenas as iniciais do nome.

A edição seguinte do Almanach não mostra alterações drásticas em relação à anterior. Se por um lado a quantidade de colaboradoras diminui, temos mais trabalhos publicados do que da vez passada. Nesse segundo número, são 11 as mulheres que contribuem, algumas na elaboração de charadas, tipo de adivinhação comum nesse estilo de publicação.

Observa-se que grande parte da produção literária das mulheres manteve o estilo anterior. Contudo, dois desses trabalhos chamaram particularmente nossa atenção: uma crônica, intitulada *Íntimas*, escrita por uma mulher que assinou com o pseudônimo de **Magnólia**, numa tentativa sutil de não ser identificada num texto marcadamente homossexual; e uma das tantas poesias enviadas naquele ano por **Rosália Sandoval**, que reproduzimos a seguir e que, apesar de bem curta, guarda também alguns traços do amor entre mulheres.

Conceito

Perdoa a rude franqueza
De um coração já sem vida
Mas que morreu palpitando
Só por ti, mulher querida.

Charge de Maria Aline Sarmento

"Quem não compra o Bacural não é filho de casal"

Com esses e outros cômicos slogans, circulou, na década de 1920 em Maceió, O Bacural, jornal irreverente, considerado o "pasquim" alagoano da época. Usando de muita criatividade, humor e subversão, noticiava os acontecimentos da província, provocando a ira de seus opositores e defensores da "moral e bons costumes". Surprendentemente, considerando-se os rígidos padrões da época, era uma mulher, **Maria Aline Moraes Sarmento**, *a encarregada pelas charges do jornal, assinadas simplesmente Maria.*

Academia Alagoana de Letras

A parte mais consistente do material reunido reside nas poesias. Nelas pode-se notar com clareza que, se em geral o poeta estabelece em seus versos os critérios da mulher ideal, a poesia feminina retrata sua existência condicionada à do homem, como se na sua ausência estivesse condenada a vegetar.

Mas nem sempre o papel assumido pela mulher como poetisa passa por essa subserviência ou por qualquer tipo de lamentação por sua condição feminina. Em alguns casos, observamos um sutil arremedo de indignação, como cabia à época e ao ambiente reinante.

E por fim...

Mais de uma década depois da circulação do Almanack Literário Alagoano das Senhoras, surge uma publicação similar, desta feita organizada por um importante jornalista local, Luiz Lavenère: o ***Almanack Alagoano das Senhoras***. A edição de número 3, publicada em 1903, é a única disponível para consulta, já que as anteriores não foram encontradas em nenhum dos institutos de pesquisa de Maceió – o que leva a crer que teve edição muito limitada ou que o desgaste do tempo e a má conservação impediram sua preservação.

O exemplar em questão foi impresso nas oficinas da livraria Fonseca e seu formato reduzido lembrava os antigos missais, até então um dos raros materiais impressos "autorizados" à consulta feminina. Isso porque, embora alguns dos principais jornais já circulassem pela cidade com a publicação de romances, contos e crônicas de consagrados autores, "essas leituras" eram, entretanto, consideradas "pouco apropriadas" para donzelas e senhoras de família.

Talvez tenha sido essa a razão pela qual o almanaque tenha sido criado em formato de missal, o que, além de facilitar seu manuseio e torná-lo "mais simpático", poderia "enganar" quem o visse na mão de uma dama nas missas, velórios, nos lares ou, ainda, durante as arrastadas e tediosas cerimônias eclesiásticas.

Um almanaque da "pá" gina virada !

Na edição pesquisada, de 1903, estampa-se, logo nas primeiras páginas, homenagem a duas senhoras ilustres da sociedade alagoana local: **Maria Jucá Moreira Lima**, de cuja família nasceria um importante político – no caso, Moreira Lima, que exerceu o mandato de prefeito por volta de 1927 – e a senhora **Rita Coutinho de Morais**.

Maria Jucá Moreira Lima

A primeira é apontada como uma brilhante poetisa, com versos publicados em vários jornais do estado e do país. Vale ressaltar, entretanto, que o elogio ao trabalho de Maria Juca era póstumo, pois ela falecera em 1895, o que confirma a idéia de que a morte era uma justificativa para homenagear a mulher. Já dona Rita Coutinho de Moraes, embora viva na ocasião, é enaltecida por seus dotes enquanto esposa e mãe exemplar, provavelmente conformada ao papel que lhe havia sido imposto pela sociedade e que ela certamente desempenhou com virtude.

O almanaque também se dedica à crônica dos principais acontecimentos políticos e sociais ocorridos nos seis meses anteriores, com a análise dos que deixaram maior impressão no "espírito público", no campo da política, economia, imprensa, cultura, religião, educação. Aborda também as principais obras públicas, as repartições do governo, associações e estatísticas do ano anterior.

Apesar da abrangência dos temas contemplados, a participação da mulher é inexpressiva, cabendo "aos homens" o destaque de força propulsora. Exceção apenas quando o tema é educação. A participação feminina em associações corporativas, ainda que várias delas tivessem sede na capital alagoana (literárias, científicas, recreativas, agrícolas ou comercial), de acordo com o almanaque era praticamente nula. A exceção eram as de caráter religioso, mais especificamente o Apostolado do Coração de Jesus e Nossa Senhora das Vitórias.

Ilza, a voz da solidariedade

***Maria Ilza do Espírito Santo Porto**, mulher de rara beleza, é uma das mais expressivas escritoras alagoanas. Por meio do jornalismo, porta de entrada para o universo literário, Mara – pseudônimo utilizado na ocasião pela escritora – posicionava-se em defesa da mulher moderna, enfrentando com dignidade os preconceitos da sociedade da época.*

Presidenta e fundadora, em 1983, do Grupo Literário Alagoano – espaço predominantemente feminino para a leitura de crônicas, poesias e outras produções literárias –, essa jornalista, memorialista e romancista tornou-se membro da Academia Alagoana de Letras, onde ocupou a cadeira de número 21.

Ilza, que estreou em 1979 com Poemas da vida, é autora de Mandacarus *e* O momento, *tendo representado as alagoanas numa CPI do Senado, defendendo os direitos da mulher nordestina. Morreu em 3 de março de 2004.*

Moderno e cosmopolita?

A parte destinada à crônica no Almanaque merece uma análise especial. Através de suas páginas, graças à reprodução de textos publicados nas principais revistas internacionais. a mulher alagoana tinha a oportunidade – provavelmente única – de entrar em contato com a situação do feminismo mundo afora. Alguns até mesmo no idioma original, marcando assim o seleto público-alvo ao qual se destinava a publicação alagoana. O artigo "A mulher na Inglaterra", de Madame Lera, por exemplo, havia sido publicado originalmente na revista francesa Réforme Sociale. O texto de Madame Gabriella Rangertz fora publicado na Austrália e o de Mrs.Hirst Alexandre, na Argentina.

Ora, se as mulheres nesse período já tinham acesso às transformações pelas quais o mundo feminino vinha passando lá fora, compreende-se que, pelo menos em alguns dos espíritos mais arrojados da época, essas idéias repercutissem com mais ênfase, como foi o caso de algumas alagoanas.

Com a agulha e a caneta na mão

A literatura feminina em Alagoas no século XIX e XX

No século XIX, três mulheres destacam-se na vida intelectual da sociedade alagoana pela coragem de romper barreiras e tornar públicos suas inquietações e sentimentos através da escrita. Pioneiríssima, Alcina Leite Pindahyba, *nascida em 1864 na cidade de Atalaia (AL), deixou poemas e sonetos espalhados pela imprensa de todo o estado. De 1888, ano em que publicou Campesinas, livro de poesias, até falecer, aos 70 anos, produziu seis volumes literários, a maioria, infelizmente, inédita até hoje.*

Alice Afra de Carvalho, natural de Maceió (AL), nascida em 1898, foi poetisa e estudiosa de filosofia. Seu pensamento religioso está registrado na obra *Deus e as religiões*. Em 1947, através do polêmico O divórcio, trouxe à discussão pública um dos principais tabus da sociedade alagoana e brasileira da época e, no ano seguinte, lançou *Bordejos*; livro bem recebido, com o qual esgotou mais de uma edição.

A elas junta-se **Maria Jucá Moreira Lima**, que teve o privilégio de ainda criança aprender a ler e escrever corretamente com a mãe, a também poeta **Anna Maria Guerra Jucá**. Desde muito cedo, Maria Jucá publicava seus trabalhos em verso e prosa nos principais jornais locais, entre eles o Gutemberg, voltado para a causa abolicionista, Diário da Manhã, Lampadorama e Echo Maceioense. Além disso, colaborava para os periódicos Estação e A Semana, do Rio de Janeiro. Falecida em 1895, ainda jovem, teve seu talento confirmado nacionalmente pelo Jornal das Senhoras, do Rio de Janeiro e A Mensageira, de São Paulo. A importância dessa mulher alagoana mereceu destaque de Sacramento Blake, em 1993, por ocasião do lançamento do *Dicionário Bibliográfico Brasileiro*, e da escritora **Prisciliana Duarte de Almeida**.

Na virada do século, florescem as associações culturais, grêmios e jornais literários. Em 1919 é fundada a Academia Alagoana de Letras e em 1923 a Academia dos Dez Unidos, que não chegou a registrar presença de mulheres. Em junho de 1926, é criado o Cenáculo Alagoano de Letras, com a imprensa maceioense, em 1º de agosto, destacando que o "elemento feminino" fora chamado a participar. A candidata **Yolanda Mendonça**, ainda estudante da Escola Normal de Maceió, foi eleita na sessão de três de agosto, tomando posse em 24 de outubro do mesmo ano. Apesar de muito jovem, já era autora de *Horas amarguradas* e a *Arte dos surdos e mudos*. No ano seguinte surge o Grêmio Literário, que em 1º

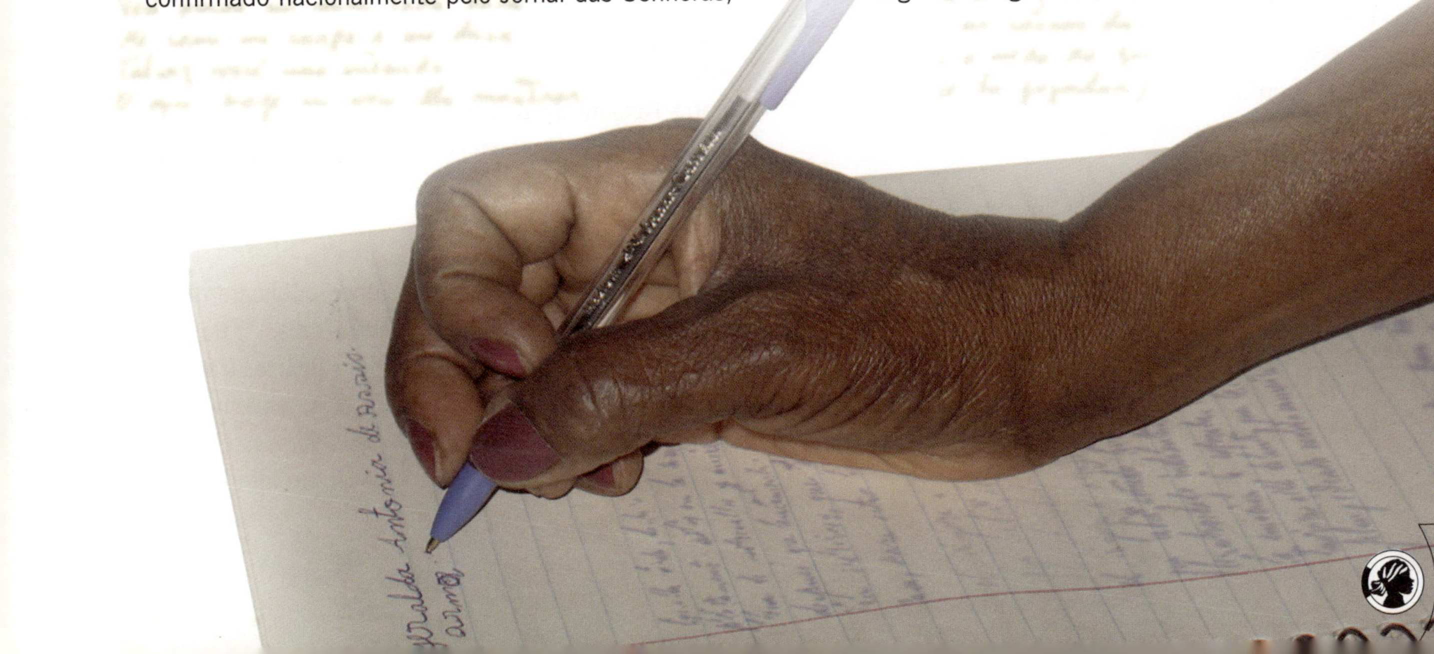

As mulheres na vida de Graciliano Ramos

Heloisa Marinho de Gusmão Medeiros, *mestra em literatura francesa, vinculada à Universidade Federal de Alagoas, deixou o livro* A mulher na obra de Graciliano Ramos: *Madalena, em* São Bernardo; *Marina, em* Angústia; *e Sinhá Vitória, em* Vidas secas. *Com sua morte, em 1994, a filha* **Carmen Gusmão** *lançou a obra póstuma em maio de 2003.*

Graciliano nasceu em 27 de outubro de 1892, na cidade de Quebrangulo, e morreu em 24 de março de 1953. É considerado um dos maiores escritores do Brasil. Escreveu muitos livros e teve dois casamentos: o primeiro com **Maria Augusta Amorim de Barros** *(1896-1920), costureira, de família muito pobre, que morreu de parto aos 24 anos de idade; o segundo com* **Heloísa Medeiros Ramos,** *com quem se casou oito anos depois, em 16 de fevereiro de 1928, no município de Palmeira dos Índios. Comemoraram bodas de prata juntos e tiveram quatro filhos: três homens e* **Clara Ramos** *– biógrafa do pai.*

de maio de 1930 passou a se denominar Academia Guimarães Passos, recebendo pela primeira vez, em 28 de setembro de 1931, uma mulher como sócia efetiva, a médica **Lily Lages**.

Valendo-se da arte de escrever, encontramos nesse time de pioneiras **Rita de Abreu**, que usou o pseudônimo de **Rosália Sandoval**. Maceioense, nascida em 1876, foi vítima dos preconceitos de classe e étnico/racial por sua origem humilde e por ser afrodescendente. De 1900 a 1901, publicou textos em poesia e prosa no Almanach Literário Alagoano, organizado por Torquato Cabral. Colaborava também para vários periódicos de Pernambuco, Ceará, Goiás e Rio de Janeiro, onde passou a residir na década de 20.

Entre 1904 e 1954, lançou, em Maceió, Alvorada e Através da infância, além de um livro didático intitulado Curso elementar de português. No Rio de Janeiro, publicou *Versos alheios, Quando as roseiras floriram, Queda e ascensão, Cingo e Preces à humanidade*. Essa trajetória educacional e vasta produção literária fazem de "Rita/Rosália" uma das figuras femininas mais importantes da época, embora tenha morrido, aos 80 anos de idade, em 1956, sem o merecido reconhecimento.

Na primeira década do século XX, a manifestação literária ecoa também no interior do estado. Na cidade de Pilar, a poeta **Luzia de Oliveira Costa** ganha visibilidade ao publicar 30 poemas no livro *Mágoas secretas* (1913). Já a professora **Maria Judith Malta de Sá**, natural de Mata Grande, causou espanto na sociedade alagoana pela ousadia de expressar em diversos ensaios, em 1920, suas reflexões a respeito da educação e condição da mulher.

Uma Eva em ação por 93 anos

O espírito rebelde de **Rosinha Coelho Pereira do Carmo**, nascida em 1911, em Maceió, manifesta-se desde os 15 anos de idade, sob o pseudômino de **Lúcia Edelwis**, através de vários artigos publicados na seção *Carta de Mulher,* do Jornal de Alagoas, do qual se torna colaboradora regular no final da década de 1920.

A "rebelde" foi incansável lutadora pelos direitos femininos, tendo integrado, a partir da Federação Alagoana pelo Progresso Feminino (FAPF), várias instâncias voltadas para a defesa das mulheres. Excelente oradora, discursava nas solenidades organizadas pela Federação e durante muitos anos produziu e apresentou um programa semanal de rádio, intitulado Eva em Ação. Em seus 93 anos de vida, acumulou vários prêmios literários.

Na década de 40, encontramos *Páginas icásticas*, poemas escritos por **Maria Esther Buarque da Costa Barros** e publicados em 1949, quando a autora já estava com 61 anos de idade. Nessa mesma década, **Maria Noemia da Costa Barros**, que assinava sob o pseudônimo Gyrasol uma coluna no jornal O Semeado, publica em 1942 a coletânea de contos *Pétalas ao vento.*

Muitas foram as alagoanas que publicaram na imprensa matogrossense, dentre elas, **Rosália Sandoval**, **Creusa Chaves**, **Antonieta Duarte**, **Iracema Feijó da Silveira** e **Eunice Lavenère Reis**, que em 1947 chegou a ter uma antologia de seus versos, *Poemas e sonetos*, publicada pela Associação de Intercâmbio Cultural-MT.

O que é que a baiana tem?

Eunice Lavenère

Eunice Lavenère Reis, baiana de nascimento, veio ainda criança para Maceió. Fazia versos desde os 7 anos de idade e aos 28 tornou-se a primeira mulher a ocupar uma cadeira na Academia Alagoana de Letras, até então um "clube do bolinha". O fato ocorreu em novembro de 1945, quebrando um tabu de 26 anos, vigente desde a fundação da Academia. Eunice pertenceu ainda a outras entidades culturais e literárias. Foi *miembro de Honor* do Instituto de Cultura Americana, da Argentina, além de destaque na *Sociedade dos Homens de Letras do Brasil – RJ*, na *Associação Alagoana de Imprensa* e no *Centro Cultural Emilio de Maya em Maceió*. Deixou, ao falecer em 1970, aos 63 anos de idade, as obras *Flor do mato* (1941) e *Orvalho* (1957), publicadas de forma alternativa. Sua biografia foi publicada em 1980, pela escritora e cronista **Georgette Mendonça**.

Guiomar Alcides de Castro

Apenas mais tarde, em 1953 e 1964, **Cléa Marsiglia** e **Guiomar Alcides de Castro** repetiram a façanha da baiana de coração alagoano. A primeira, poeta, nascida em 1929 em Maceió, estreou em 1951 com uma coletânea de poemas, e tem mais de dez livros publicados. Guiomar, ocupante da cadeira de número sete, é natural de São Miguel dos Campos (AL). Entre seus vários ensaios e livros, sobressai a obra em que retrata sua terra natal. **Anilda Leão**, atriz, jornalista, poeta e escritora, em 1973 ocupou a vaga deixada por de Eunice Lavenère Reis.

Mulheres emitindo e captando imagens

A história da comunicação visual em Alagoas também contou com o pioneirismo da mulher. Em 1977, a jornalista carioca **Ivone dos Santos** *foi a responsável pela implantação do jornalismo na TV Gazeta de Alagoas, principal emissora do estado. Ivone liderou uma equipe em que predominavam jornalistas e técnicos e conseguiu implementar, apesar da precariedade tecnológica da época, um telejornal semanal de cinco minutos de duração, além de outros dois programas:* Painel e Encontro nº 7.

Ao todo, foram três anos na emissora exercendo as mais diversas funções do telejornalismo: chefia de reportagem, edição, apresentação e reportagem. Anos mais tarde, em 1984, Ivone voltou ao cenário da comunicação, tornando-se a primeira diretora e também primeira locutora do complexo de Rádio e TV Educativa de Alagoas, empresa estatal ligada à Secretaria Estadual de Educação e ao Ministério da Educação (MEC). Organizou toda programação da Rádio Educativa, que na época precisava ser avaliada e aprovada pelo MEC.

Ivone dos Santos nasceu no Rio de Janeiro em 14 de dezembro de 1945. Vive em Maceió há 27 anos, cidade que adotou para viver, e é casada com o historiador Douglas Apratto.

Fotojornalismo

No jornalismo impresso, a primeira repórter fotográfica de Alagoas foi a pernambucana **Cleide Oliveira**. *Em 1986, quando iniciou a carreira no antigo jornal Tribuna de Alagoas, apenas os homens exerciam a função. Cleide conta que enfrentou preconceito e resistência dos companheiros de profissão, mas com garra e determinação conseguiu ocupar o seu espaço. Trabalhou em todos os jornais do estado e também foi free-lance de periódicos de circulação nacional como* O Globo e Folha de S. Paulo, *além das revistas* Isto É e Veja. *Uma de suas fotos de grande repercussão foi a de Paulo César Farias e a namorada Suzana Marcolino, publicada pela imprensa de todo o país, no local do assassinato.*

Cleide Oliveira nasceu em 4 de junho de 1962 e se considera uma alagoana de coração.

Helônia Ceres

Em 26 de julho de 1976, **Maria Ilza do Espírito Santo Porto**, juntamente com **Venúzia de Barros Mello**, **Margarida de Mesquita**, **Rosinha Pereira do Carmo**, **Cléa Marsiglia**, **Helena Costa**, **Linda Mascarenhas**, **Heliônia Ceres**, **Georgette Mendonça**, **Nadir Barbosa**, **Lysette Lyra**, **Heloisa Gusmão e Tereza Newman** entre outras, funda o Grupo Literário Alagoano, já com quase três décadas de atuação. Esse espaço congrega outras escritoras que, em reuniões mensais e num ritmo intenso de publicações, mantêm viva e pulsante a participação feminina na literatura deste novo milênio.

Em 1984, **Heloisa Marinho Gusmão de Medeiros**, contista, cronista, professora universitária, especializada em literatura francesa, tornou-se, aos 41 anos, integrante dos quadros da Academia. Por sua vez, reconhecida para além dos limites de sua terra natal, a maceioense **Heliônia Ceres**, nascida em 1927, revelou-se grande tradutora das amargas e doces surpresas do cotidiano através de seus contos. Escritora, contista, poetisa e professora catedrática de literatura italiana, em 1989 foi convidada a ingressar na Academia, onde permaneceu até 1999, quando veio a falecer. Registra-se também em sua trajetória a militância no movimento de mulheres, onde comungava do pensamento feminista na luta contra as desigualdades de gênero.

Atualmente a Academia Alagoana de Letras, a mais importante instituição literária do estado, possui nove sócias-efetivas. Além das citadas, apenas na última década do século XX, outras quatro mulheres passam a integrar o grupo. A jornalista, romancista e memorialista **Maria Ilza do Espírito Santo Porto**, em 1990; **Maria Teomirtes de Barros Malta**, contista e romancista, natural de São José do Lage (AL), em 1993; **Solange Lages Chalita**, poetisa, contista e grande incentivadora das políticas culturais; e **Margarida de Mesquita**, cronista e ficcionista. No século XXI, **Arriete Vilela**, cronista e poeta, **Enaura Quixabeira Rosa e Silva**, ensaísta e profunda estudiosa da obra de Lúcio Cardoso, e, recentemente, em 2004, **Vera Lucia Romariz Correia de Araújo**, poeta e ensaísta, foram eleitas, aumentando a representação feminina na instituição, ainda que quantitativamente desproporcional – nove mulheres para um total de 40 cadeiras.

É visível o espaço que as mulheres vêm ocupando, progressivamente, na literatura brasileira, e Alagoas tem se mostrado um terreno fértil para o surgimento de talentos. Podemos lembrar das poetas **Lúcia Guiomar Porciúncula Teixeira**; **Rosiane Rodrigues**, natural de Piranhas (AL), e de **Isvania Marques**, de Palmeira dos Índios (AL). No seleto grupo de trovadoras do país, sobressai **Maria Nascimento**, de Coruripe (AL), radicada no Rio de Janeiro, e, iluminando a literatura negra brasileira, a poeta alagoana **Auta Costa**, que lançou, em 1990, *Retalhos*, seu primeiro livro.

Também na vida acadêmica alagoana a participação feminina se destaca. Um crescente grupo de mulheres, com doutorado em literatura, tem levado prestígio ao campo da investigação e da crítica literária no âmbito universitário, dentre as quais: **Belmira Magalhães**, envolvida com pesquisas sobre a condição feminina, análise do discurso e comportamento sexual; **Izabel Brandão**, crítica literária, poetisa e escritora, trabalha basicamente com a voz autoral feminina; Vera Romariz, poeta e crítica literária, concentra seus estudos na área cultural; **Edilma Acioli**, crítica literária junguiana, trabalha com a teoria dos autores alagoanos; e Enaura Quixabeira Rosa e Silva, crítica literária, professora de literatura brasileira e teoria da literatura, autora de uma vasta produção científica.

Enaura Quixadeira

A mulher nos folguedos populares de Alagoas

Desde a sua origem a história do Nordeste está intimamente ligada à monocultura da cana-de-açúcar, à vida rural, ao monopólio dos senhores de engenho. É natural que Alagoas, estado tradicionalmente agrário e predominantemente monocultor, com cerca de 70% de sua renda provenientes do cultivo e da industrialização da cana, tenha as suas raízes culturais plantadas na sociedade agrária: na casa-grande, no engenho, na bagaceira, no eito, na senzala.

Dança do Pastoril

Oriundos desse cenário são os grupos folclóricos autênticos que, até hoje, preservam as mais ricas tradições dos povos formadores da etnia brasileira. No colorido vibrante da indumentária, na dança de molejo sensual e na poesia melódica das peças dos folguedos, a cultura alagoana traduz a força do saber espontâneo e autêntico.

Além do Guerreiro, da Baiana, do Reisado, do Fandango e do Pastoril, apenas para citar alguns, a Chegança – brincadeiras que têm como inspiração as lutas náuticas travadas, no passado, entre cristãos e mouros – também faz parte comemorações do ciclo natalino, tanto em Maceió como no interior do Estado, mantendo viva a chama de uma tradição secular.

Esses folguedos contam com a participação de figurantes de ambos os sexos, brincando em um só

Miss Paripueira

Ambrosina Maria da Conceição – *nascida na cidade de Porto Calvo (AL), em 1900 – aos 14 anos sofreu uma doença de origem nervosa, que dizem ser a causa de seus "devaneios". Teve uma única filha, Almira Maria da Conceição, 11 netos e 13 bisnetos.*

Alegre e debochada, vivia de doações de turistas e freqüentadores da praia de Paripueira, no litoral norte, onde residia. De estética extravagante, possuía uma criatividade única ao trajar vestidos de cetim de coloridos fortes, dezenas de colares, pulseiras, peruca, óculos enormes, corda e cajado que usava de apoio para suas longas caminhadas e para ameaçar àqueles que dela zombassem.

Tornou-se personagem tão conhecida que em 1978 o cineasta alagoano José Márcio Vieira Passos prestou-lhe uma merecida homenagem ao produzir o filme Meu nome é Miss Paripueira, exibido no IV Festival de Cinema de Penedo. Faleceu em maio de 1998.

grupo, como é o caso do Guerreiro, o mais alagoano de todos eles. Em outras brincadeiras o grupo é formado apenas por homens, como acontece, em geral, nos Fandangos e Cheganças, embora existam grupos com formação exclusivamente feminina, como a Chegança de Coqueiro Seco, que até hoje se apresenta, com muito garbo, comandada por **Luzia Simões**. A Baiana é formada por mulheres, enquanto o Pastoril, também brincadeira feminina, tem no Pastor, às vezes, um jovem ou uma menina disfarçada de pastor.

O curioso, nessa questão de gênero nos folguedos populares, é que existe um respeito entre os figurantes quanto à hierarquia de postos e uma aceitação natural dos disfarces para simular outro sexo. No Guerreiro e no Reisado a obediência ao Mestre, quase sempre do sexo masculino, é uma exigência. Há exemplos históricos de Mestras que, com muita firmeza e liderança, comandaram seus grupos.

Entre os Reisados e Guerreiros, os mais tradicionais de Alagoas, que obedeceram ao mando feminino, ambos atuando até meados de 80, destacam-se: o Reisado de **Zefa Bispo**, em Palmeira dos Índios, o Guerreiro, de **Celsa Maria**, de Vergel do Lago, em Maceió e o de **Joana Gajuru**, em Maribondo, registrando-se desta última a seguinte abertura:

Boa-noite meus senhores, / Boa-noite eu venho dá, / Que a Guajiru falada,/ Chegou hoje no lugá./ Pega a peça figurá, / Verde, encarnado e azul, / Guerreiro da Guajiru, / Tá em primeiro lugá.

Dessa mesma época foi a Baiana da **Mestra Terezinha Oliveira**, filha de Mestre Alfredo. Com cachaça alimentava a sua veia poética e, no meio do seu baianá, destacava-se pelo porte de rainha. Morreu

Carmem Dantas

A preservação como paixão de vida!!!

__Carmen Lúcia Dantas__ nasceu no dia 27 de setembro de 1945, na cidade de Penedo (AL). Sua paixão pela preservação da memória e patrimônio histórico se manifestou desde a adolescência.

Fez graduação em Museologia na Universidade Federal do Rio de Janeiro e acumula ao longo de sua carreira profissional várias especializações, tanto no Brasil como no exterior. Por concurso público foi professora primária, depois lecionou História da Arte na Universidade Federal de Alagoas e no Centro de Estudos Superiores de Maceió.

Em 1978 assumiu a direção do Museu Théo Brandão, e durante seus oito anos no cargo preocupou-se tanto em divulgar a cultura popular como em implantar em Alagoas uma consciência museológica moderna. Na presidência da Fundação Teotônio Vilela incentivou atividades sociais e culturais, além de criar o Arquivo da Memória Política de Alagoas e promover a obra literária e política do patrono da Casa.

Nome prestigiado, tem sido responsável por muitos projetos culturais e de preservação no estado, como o levantamento do Acervo Histórico e Artístico das cidades de Marechal Deodoro e Penedo (1980), a instalação do Museu de Arte Sacra de Marechal Deodoro (1984), a restauração do Museu Théo Brandão (a partir de 2001). Coordenou, nesse mesmo ano, o projeto de instalação do Museu Paço Imperial e, em 2003, desenhou a concepção bastante avançada para montagem do Instituto do Memorial Raimundo Marinho, ambos na cidade de Penedo, só para citar alguns.

De personalidade vigorosa e pronta para enfrentar qualquer desafio, agrega à sua profissão outras atividades paralelas. Foi assim que, em 1999, assumiu a presidência do Conselho Estadual de Cultura, publicou livros na área do folclore, além de fazer parte do Instituto Histórico e Geográfico de Alagoas, da Associação Brasileira de Críticos de Arte e da Associação Brasileira de Museologia. Considerada uma mulher protagonista do seu tempo, é uma das duas alagoanas incluídas no Dicionário de folcloristas brasileiros.

na década de 1980, mas seu nome permanece até hoje na memória popular. De tradicional família de cantadores de coco da região da mata, cidade de Cajueiro, **Maria do Carmo Barbosa de Melo**, também foi, até 2003, ano da sua morte, uma magnífica Mestra de Baiana.

Também há notícias de Mestras que atuaram nos idos de 40 e 50, como **Maria Odilon**, conforme depoimento do mestre Luis Góis, registrado pelo folclorista José Aloísio Vilela em *O folclore de Alagoas*.

Agora me lembro / Dos Mestre de Reisado, / Daquele tempo passado, / Que eram melhor do que eu: / Mestre João Félix morreu, / Mestre Libânio cegou, / Maria Odilon casou / Hoje o campeão sou eu.

Mestre Hilda

Enquanto Maria Odilon abandonou a brincadeira porque casou, **Mestra Hilda** (**Hilda Maria da Silva**) da Baiana, em recente depoimento, afirma que, ao casar, chamou as amigas para formarem o grupo de Baianas, pois o pai não permitia que ela dançasse. O marido, ao contrário, ajudava na organização do grupo e, como ela mesmo afirma, entre risos: "E ele era maluco de vim com "peitica" comigo?..." Hoje, do alto de seus 80 anos, com a beleza digna que o tempo concede, Mestra Hilda anda com dificuldade, mas, ao balançar o ganzá de braço bem estendido para o alto, dando ritmo aos seus "figurar", os olhos se enchem de graça, o corpo requebra e a Mestra recupera sua meninice, iluminada, renovada nas lembranças e contagiada pela alegria e louvação de suas comandadas.

A parteira e curandeira **Mestra Virgínia Moraes** (Rio Novo) é outro exemplo de Rainha do nosso Reisado. Sua majestosa presença enriqueceu o folclore alagoano até recentemente, quando morreu, em 2003, aos 97 anos. Sua história ficou registrada em filme de Celso Brandão e Cíntia Ribeiro.

A dança das Taieiras é uma antiga manifestação de origem africana, adaptada pelos escravos para homenagear os santos negros Nossa Senhora do Rosário e São Benedito. Atualmente esse tipo de dança-cortejo, de natureza religiosa, é muito pouco praticado. Uma das raras localidades no Brasil onde ainda acontece é São Miguel dos Campos. Desde os tempos da escravidão esse folguedo está associado aos nomes da preta **Madalena** e, mais tarde, **Nair Jacinto**.

Além das figuras femininas que dançaram ou dançam folguedos, não se pode esquecer das ensaiadoras, que comandam os grupos. O Pastoril, praticado por crianças e jovens, conta sempre com uma ensaiadora, que dita as normas e promove os ensaios e as apresentações.

Mestra Áurea Barros é apontada como a mais antiga Mestra do Pastoril, atuando em Maceió (Tabuleiro dos Martins). Outras mulheres também têm contribuído para a preservação desse folguedo: Na capital, **Eva Rocha** (Vergel do Lago); **Fátima Brasileiro** (Cruz das Almas); **Ione de Sá**, em Arapiraca; **Rita Tenório**, em Murici, segundo informações do professor Renilson França. Mas a mais conhecida delas é **Maria José Carrascosa**.

A professora **Carrascosa** tem uma história de vida associada à difusão das tradições culturais do Estado e à formação de grupos folclóricos, sobretudo o Pastoril, folguedo pelo qual sempre revelou uma especial preferência. Na década de 40 começou a organizar e orientar os primeiros Pastoris, tendo seu nome logo conhecido e respeitado pelo senso de responsabilidade e fidelidade aos folguedos autênticos.

Hoje, aos 86 anos, com o entusiasmo comum apenas aos que sabem viver com integridade o sortilégio do universo folk, Carrascosa, a doce Carrasca, como lhe chamam carinhosamente suas antigas Pastorinhas, pintou o mundo com o colorido do folclore tradicional e conseguiu transmiti-lo, com sabedoria, às gerações que se renovam na preservação das nossas mais genuínas representações populares.

Mestre Virgínia Moraes

Muitas outras mulheres integram os folguedos populares ainda hoje vivos no estado de Alagoas, quer como simples figurantes, quer como personagens do enredo ou mesmo Mestras, sempre participando do grupo em nível de igualdade com os colegas e mostrando talento melódico e rítmico.

Graças a essa saudável convivência entre os sexos, os grupos folclóricos continuam atuando em todo o estado, preservando esse traço marcante e autêntico da formação cultural do povo alagoano, onde a mulher exerce papel fundamental. A criação da Associação dos Folguedos Populares de Alagoas, em dezembro de 1985, com o objetivo de aglutinar os Mestres de folguedos e danças e lutar pela preservação dessas manifestações, contou desde o início com presença decisiva das mulheres.

Desafiando os costumes

Joana Maria da Conceição nasceu em Lagoa da Canoa, interior de Alagoas. Filha caçula da mãe solteira Rosa Maria da Conceição, desde nova recebeu o apelido de **Joana Gajuru**, *expressão habitual dos senhores de engenho para designar os negros e negras nascidos nos arredores da casa grande. Não se sabe ao certo a data de seu nascimento, mas os que a conheceram afirmam que viveu mais de 120 anos. Baseados nas histórias que ela contava, alguns familiares, mestres de Guerreiro e folcloristas apostam na data de 26 de agosto de 1866 como marco de seu aniversário.*

Ainda adolescente, apaixonou-se por um rapaz chamado João, com quem decidiu fugir. Mas essa união pouco durou, pois ele, de pele clara, evitava sair às ruas com Joana e se recusava a apresentá-la à sua família. Enfurecida, Joana expulsou-o de casa, jurando a si mesma nunca mais ter outro homem na vida. Decidiu, então, dedicar seu tempo ao corte da cana-de-açúcar, adotou crianças e assumiu o Guerreiro como seu maior desafio.

Mulher negra, magra, de traços fortes e olhar meigo, nunca se deixou abater pela opressão. Sua vida difícil, as humilhações por que passou e a pobreza forjaram paradoxalmente uma mulher de fibra e à frente de seu tempo, que buscou sempre lutar contra os preconceitos e romper os tabus vigentes, ensinando a receita de seu Guerreiro para todos que quisessem aprender. Foi literalmente uma guerreira.

Era um tipo que chamava atenção. Usava paletó, saias longas, botinas, cabelo muito curto e chapéu de palha, além do revólver e de um punhal que sempre a acompanhavam. Fumava cigarro de corda e bebia aguardente, bebida que mais apreciava. Em 1970, deixou a cidade do Pilar (AL) e foi com a família para o município de Maribondo (AL), a 94 quilômetros da capital. A filha **Salete Satírio** *conta que durante 70 anos sua mãe esteve na liderança do Guerreiro, folguedo surgido em Alagoas em fins da década de 1920.*

Antes dela, só os homens comandavam o Guerreiro, mas Joana Gajuru torna-se um expoente da cultura popular alagoana por romper esse tabu, numa corajosa subversão dos costumes da época. Apresentava-se não somente em usinas e fazendas, mas nos povoados e vilas, indo a todos os lugares onde estava o povo.

Uma das últimas apresentações de Joana ocorreu em Maceió, no Museu Théo Brandão, em 1982. Essa esplendorosa mestra de Guerreiro manteve-se ativa até seus últimos dias, tendo falecido em 3 de dezembro de 1988. Recebeu várias homenagens após sua morte, sendo, inclusive, tema de um curso na Universidade Federal de Alagoas e tendo seu nome utilizado para batizar grupos de teatro, associações, etc.

Mãos que produzem arte

O artesanato em Alagoas, como em todo Nordeste, é uma característica da cultura regional, encontrando-se espalhado por toda parte em pequenas e médias comunidades, urbanas e rurais que tiram da atividade artesanal uma renda para subsistência.

A modalidade de artesanato, em geral, é definida de acordo com a realidade local. No campo, por exemplo, onde as dificuldades são maiores, as pessoas são levadas a criar e produzir utilizando o material mais acessível; já na zona litorânea é comum o trabalho em palha, vegetação própria da região; no sertão alagoano, onde predomina a pecuária, o artesanato em couro é o mais característico; na ribeira do São Francisco existem importantes centros cerâmicos, alguns de nítida influência portuguesa, outros herdados dos povos indígenas Kariri, exímios ceramistas.

O artesanato de renda encontra-se espalhado de norte a sul do país em pequenas comunidades de áreas costeiras, onde a atividade produtiva dominante é a pesca. Essa incidência é refletida por um dito popular muito comum no Nordeste: ***"onde há rede, há renda"***. Enquanto o homem pesca, a mulher renda. E é só a mulher que tece em Alagoas, ajudando na renda familiar e "minimizando o ócio de uma vida à espera do marido pescador, que sai de casa com os primeiros raios do sol e só volta ao entardecer, quando não continua nas águas por alguns dias".

Pela abundância e pela qualidade, os tipos de renda mais característicos de Alagoas, são ***o labirinto, o filé, o redendê e a renda de bilros***. Em Maceió, a renda é um produto muito procurado, o que faz com que também os homens participem de sua comercialização, quer vendendo o produto confeccionado por sua mulher e filhas, quer como atravessador, montando pequenas lojas para o consumo dos turistas. Marechal Deodoro, primeira capital do estado, também é conhecida como centro de rendeiras não só de filé, mas também de labirinto, e, em cada casa, em cada esquina, vemos mulheres das mais diferentes idades tecendo verdadeiras obras-primas. A técnica do filé tem origem portuguesa e os pontos de bordado são passados de mãe para filha, que vão adaptando e aperfeiçoando-os.

A renda de bilros ou renda de almofada é uma atividade praticada em vários pontos do estado, sendo que a maior concentração dessas rendeiras verifica-se na cidade de São Sebastião, curiosamente uma área não costeira, situada no agreste alagoano, zona agrária, onde predomina a cultura de subsistência: feijão, mandioca, milho, etc.

Troca de saberes

A rendeira **Laura Araújo Lessa**, natural de São Sebastião (AL), nascida em 30 de maio de 1946, começou a fazer renda de bilro aos sete anos de idade, e é um exemplo vivo da troca de saberes que durante décadas tem acompanhado sua família. *"Mamãe, nos criou na almofada"*, diz ela, que aprendeu o fazer renda com a irmã mais velha, que por sua vez teve a mãe como professora, que antes havia sido aluna de sua avó. *"Na família todas as mulheres faziam renda de bilro: é uma herança das bisavós"*, comenta ela.

Outra referência no mundo das rendas, na cidade de São Sebastião, é **Maria Eunice dos Santos**. Nascida em 1938, Nicinha, como é conhecida, tinha apenas um ano de idade quando perdeu a mãe, **Regina Maria dos Santos**, também rendeira, que morreu em conseqüência de complicações pós-parto.

Quem lhe ensinou a arte de rendar, ainda aos seis anos de idade, foi a tia que a criou. No passado, a linha, de coloração bege, era feita da palha da bananeira, e, em lugar dos alfinetes, utilizavam-se espinhos de mandacaru, de macaíba ou de quixabeira.

A região de maior incidência do filé é no Pontal da Barra, em Maceió e Marechal Deodoro, no interior. A criatividade das filezeiras alagoanas permite uma variedade muito grande de peças, que vai desde o paninho de bandeja até a toalha para um banquete e, atendendo à vaidade feminina, elas também confeccionam saídas de praia, chapéus, xales, blusas, vestidos, etc. Os artigo são expostos em varais à porta das casas das rendeiras, dando à paisagem lacustre do Pontal da Barra um colorido ainda mais especial. O labirinto pode ser visto em abundância no município de Marechal Deodoro. O nome desse bordado deve-se justamente à sua dificuldade de execução. O labirinto de Alagoas, também conhecido como crivo, prima pela perfeição.

Dentre as rendeiras do filé, destaca-se dona **Lucinete dos Santos**, nascida em 1934, filha de **Maria José da Silva**, também artesã, e Manuel José dos Santos. Considerada pelas companheiras uma das pioneiras na arte do filé, que aprendeu com sua mãe, sobreviveu e criou seus filhos com a venda dos produtos, apesar das dificuldades de comercialização. Segundo dona Lucinete, antigamente, e ainda hoje, não há um investimento sistemático no trabalho artesanal das mulheres e são poucas as pessoas que o valorizam.

redendê

labirinto

boa noite

Felizmente, os intermediários do passado não existem mais e, hoje as costuras são vendidas diretamente pelas mulheres que as produzem. Aposentou-se como associada da Cooperativa Artesanal de Marechal Deodoro.

Dona Magnólia Ramos da Silva, nascida em 1928, é outra figura de destaque na "terra das rendas". Teve contato com o labirinto quando ainda nem dominava completamente manuseio da agulha, pois era muito pequenina. Aprendeu com sua mãe e, como possuía muita habilidade, foi convidada a fazer parte da primeira Cooperativa Artesanal de Marechal Deodoro, na condição de coordenadora. Essa cooperativa chegou a possuir mais de 500 integrantes que trabalhavam com labirinto, "pois o filé nem sonhava em existir nesse município".

No trabalho artístico destacou-se em Maragogi a senhora **Quiquina Cacunda**, cujo verdadeiro nome é **Joaquina Leitão**. Suas rendas são hoje famosas e ainda podem ser vistas, ciosamente guardadas, entre os pertences das famílias mais antigas da região. Foi a rendeira mais conhecida que Alagoas já teve.

O redendê é caracterizado por seu traço geométrico e é encontrado principalmente em Porto Real do Colégio. São muito comuns os panos de prato e os caminhos de mesa enfeitados com essa técnica.

No rio São Francisco, a 18km do município de Pão de Açúcar, está localizada a Ilha do Ferro. O artesanato é sua principal atividade econômica, especialmente o bordado "Boa Noite", trabalho exercido principalmente pelas mulheres e único em todo Brasil. É de lá também a tradicional artesã, especializada em renda de almofada (bilro) e grande contadora de histórias, dona **Deolinda Dias**, que na virada do milênio acumulava mais de nove décadas de vida.

Além das rendas, artesanato mais representativo de Alagoas, uma variedade imensa de objetos é produzida em todo o estado, tendo como matéria-prima barro, fibra vegetal, carapaça de tartaruga, chifre de boi, pedra, madeira, couro, tecido, sementes e outros. O artesanato mais sofisticado são os objetos de conchas marinhas da Ilha da Croa e Barra de Camaragibe, ou as toras trabalhadas de jaqueira.

O forte do artesanato em Alagoas está na capacidade produtiva das mulheres. São elas que dominam a produção artesanal, embora os homens também se dediquem a algumas dessas atividades, quando os padrões locais não as consideram exclusivamente femininas, como a madeira e cerâmica, trabalho executado por ambos os sexos.

Mas são sem dúvida as mãos femininas que produzem o artesanato mais fino e representativo. Sendo a atividade artesanal perfeitamente compatível com os afazeres domésticos destinados culturalmente às mulheres, elas encontraram nessa arte a sua primeira fonte de renda, o seu primeiro libelo emancipatório.

Versão adaptada do texto "Artesanato", de Carmen Lúcia Dantas, publicado no livro Arte popular de Alagoas, organizado por Tânia de Maya Pedrosa.

filé

Escola. Palavra no feminino para um público no masculino...

Ilha de Vera Cruz, Terra de Santa Cruz e finalmente Brasil. O nome "do lugar descoberto" – segundo a ótica do colonizador – ainda não havia sido definido, mas o analfabetismo já estava confortavelmente instalado entre nós; fazendo estragos, causando culpas e estabelecendo distinções entre "a gente" da terra.

Não por acaso a educação constituiu-se ao longo da história do país como instrumento de privilégios: étnicos – o branco e o não-branco – e de gênero – educação masculina para a rua e feminina para o lar.

A análise da história do Brasil e da educação aqui implantada desde o século XVI não pode ser desvinculada dos acontecimentos ocorridos na Europa. Afinal, em um processo colonizatório resultante da necessidade de expansão comercial, a educação nas colônias não era meta prioritária. Na verdade, a prática educativa desenvolvida pelos missionários nas Américas, visava, sobretudo, a conversão "do gentio" e a manutenção do colono na fé católica.

Já no século XVII, o interesse pela educação elementar permanecia praticamente nulo. Mulheres e negros continuavam excluídos e os "mestiços" apenas mais adiante conquistam o direito, embora muito restrito, de freqüentar aulas. Cabe inclusive lembrar o episódio conhecido como "questão dos moços pardos", ocasião em que os colégios jesuíticos tentaram, sem sucesso, proibir a matrícula de mestiços, por "serem muitos e arruaceiros".

No século XIX, a maioria da população feminina – em situação de dominação por pais, maridos ou irmãos – tem poucas possibilidades de se instruir. As moças "de famílias de muitos recursos" recebem noções de leitura, mas é no aprendizado das prendas domésticas e "das boas maneiras" que reside o objetivo principal de sua educação. Em 1870, por influência do positivismo, as salas de aula dos cursos normais passaram a receber moças – espaço deixado pelos homens, que se deslocam para outras áreas de atuação mais rentáveis, abertas pelo desenvolvimento do capitalismo.

Era uma vez uma província chamada Alagoas...

A mulher alagoana nascida "em berço esplêndido", branca e livre, segundo Rocha Pombo, como as demais brasileiras em diferentes localidades da colônia, além de analfabeta, era extremamente "mimada". Afinal, desde o berço cercada de mucamas e escravos, criava-se atendida e obedecida ao mais ligeiro gesto ou olhar, quase nunca experimentando o sentimento de contrariedade.

Dessa forma, sem receber praticamente nenhuma educação e, por força dos preconceitos e tradições, "não contando com a vantagem de poder instruir-se comunicando com pessoas estranhas à sua maneira de viver e nem adquirir novas idéias de conversação geral" eram presas, inicialmente ao lar paterno e, posteriormente, apenas trocando de cárcere, aos maridos, com o casamento.

A vida social feminina restringia-se ao interior das casas, ao contato com parentes e às missas rezadas aos domingos e dias santos, ocasião em que o discurso religioso não era apenas dirigido às mulheres brancas, mas também às escravas e forras.

A pedagogia utilizada pelos padres em seus sermões visava "educar" a mulher para obediência ao marido, os deveres do lar e, principalmente, reforçar as idéias cristãs, com a afirmação dos preceitos da Santa Madre Igreja, imprescindíveis para o povoamento da colônia "vazia" de brancos e católicos e "impregnada dos valores da carne".

A "educação" religiosa da mulher incluía, inclusive, orientações quanto ao "bem vestir-se", como ilustra a carta pastoral de dom Antonio de Toledo, datada de 1773...

Que nenhuma mulher vá às igrejas de saia tão alta que lhe apareçam os artelhos dos pés e com saias à maneira de degraus de sepultura, aparecendo a mais inferior, nova moda que com escândalo de toda a modéstia e honestidade tem introduzido o demônio.

Até o banimento dos jesuítas, decretado pelo marquês de Pombal em 1759, as duas instituições de ensino em Alagoas limitavam-se aos dois conventos franciscanos existentes. Vale ressaltar que nessa época os frades detinham a exclusividade do exercício do magistério. Dessa forma, como destaca Craveiro Costa, a situação intelectual em Alagoas era reflexo do que acontecia na capitania e na própria Colônia.

Assim era o universo feminino, distinto daquele vivenciado pelos nascidos homens, brancos e livres, aos quais era possível apurar a educação tanto através de relações sociais exteriores como da instrução em Recife, Salvador ou Lisboa.

Era esse o quadro quando, em janeiro de 1829, a professora **Rosa Senhorinha de Souza Leitão** fundou, em Maceió, a primeira escola primária para meninas, voltada, como se dizia na época, para "filhas de boas famílias".

Embora desde 1827 o Brasil contasse com legislação que estendia admissão da mulher a níveis mais avançados, a história de participação feminina na formação da sociedade brasileira, e por conseguinte da alagoana, evidencia não apenas a pouca valorização dispensada ao universo feminino, bem como uma série de contradições no que se refere ao convívio entre os sexos...

Na chegada de dom João VI ao Brasil existiam no território alagoano, pertencente então à capitania de Pernambuco, uma cadeira de língua latina e uma escola de primeiras letras na comarca. Também subvencionada pelo governo, encontramos outra classe elementar na Vila de Santa Luzia do Norte (AL).

Provavelmente, segundo Craveiro Costa, existiriam em outras localidades algumas escolas particulares. A criação de cursos jurídicos, pelo Seminário de Olinda em 1800, foi importante fator para o desenvolvimento intelectual da região.

Lugar do saber !!!

O **Instituto Histórico e Geográfico de Alagoas**, *fundado em 2 de dezembro de 1869, destina-se aos estudos e pesquisas nos campos da História, Geografia e Ciências Sociais, especificamente em relação ao estado de Alagoas, e nasce com 29 sócios efetivos. Chama atenção o reduzido número de mulheres que integram o quadro da instituição, ao longo dos seus 135 anos de existência.*

Sua primeira integrante feminina **Lily Lages**, *sócia honorária, foi empossada em 1933. Entretanto, a presença da mulher, na condição de sócia efetiva, só viria a ocorrer cerca de 100 anos após sua fundação, com a entrada de* **Guiomar Alcides de Castro**, *que se tornou em 1968 pioneira ao ocupar a cadeira de número 14. À* **Venúzia de Barros Melo**, *em 1971, coube a primazia feminina na condição de sócia benemérita.*

No biênio 2004-05, duas mulheres fazem parte da diretoria da instituição. Venúzia, como tesoureira, e **Carmen Dantas**, *responsável pelo Museu. A presidência nesse mandato é exercida professor Jayme Lustosa de Altavila.*

No prédio atual, adquirido em 1909, o acervo encontra-se organizado em Biblioteca, Homeroteca (jornais antigos), Mapoteca, Museu (histórico-arqueológico e etnográfico), Pinacoteca e Seção de Documentos. Assim, desde sua fundação, além das mulheres já citadas, passaram pela instituição, como sócias efetivas, honorárias ou beneméritas:

Ângela Maria Moreira Canuto, Anilda Leão Moliterno, Carmen Lúcia Tavares Almeida Dantas, Delza de Góes Gitaí, Elisabeth de Oliveira Mendonça, Heliônia Ceres de Melo Motta, Ilza Espírito Santo Porto, Isabel Loureiro de Albuquerque, Laura de Souza Campos, Maria Helena de Amorim Wesley, Maria Isaura Pereira de Queiroz, Maria Tereza Wucherer Braga, Marlene Fernandes Lanverly de Melo, Nádia Fernanda Maia de Amorim, Rosa Coelho Pereira do Carmo, Selma Teixeira Britto e Solange Lages Chalita.

***Celina** e **Leonor Gonçalves** foram as primeiras alunas do tradicional colégio Imaculada Conceição, fundado em abril de 1913, em Penedo.*

*Fundado pelas franciscanas **Maria da Circuncisão, Maria Luiza da Cruz** e **Maria do Espírito Santo**, o colégio contou inicialmente com 36 alunas.*

A cidade registra ainda a fundação do conceituado Lyceu de Penedo, em 1893, que abrigou em suas dependências, até ser extinto em 1909, um curso normal.

Onde há lagoas, há escolas...

A primeira atuação do governo de Alagoas no ensino público, após a instalação da Assembléia Legislativa da província, em 1835, foi a criação de aulas de filosofia e francês na vila de Penedo.

Visando enfrentar a questão da escassez de salas de aula, em janeiro de 1879 o presidente Cincinato nomeia duas comissões, uma em Maceió e outra em Penedo, com objetivo de angariar recursos para a aquisição de prédios escolares.

A comissão de Maceió lança ainda no mesmo ano a pedra fundamental do que viria a ser seria o primeiro prédio escolar construído na capital, inaugurado em 1881.

Uma placa para Penedo

A comissão de Penedo busca auxílio dos comerciantes. Dentre as doações recebidas, destaca-se o valioso relógio de parede para a sala de aula das meninas, doado pela **baronesa de São Miguel**. A inauguração, ocorrida em 7 de setembro de 1879, mereceu destaque no Jornal de Penedo.

Baronesa de São Miguel

Entretanto, somente em 1836, regularizou-se, em Alagoas o funcionamento das escolas de primeiras letras, o que não foi suficiente para moralizar o preenchimento dos cargos de professores. Craveiro assinala que o "apadrinhamento político" acabou minando a instrução primária em 1838, ao exigir dos candidatos ao magistério apenas que soubessem ler e escrever, demonstrassem conhecimentos da doutrina cristã e realizassem "minimamente" operações fundamentais de aritmética.

O Liceu passa a ensinar no feminino...

O ensino secundário em Alagoas surge em 1849 através do famoso Liceu Alagoano (inicialmente Liceu Provincial, e hoje Colégio Estadual de Alagoas).

Ao descrever esse tradicional centro de educação de Maceió, o jornal Gazeta de Alagoas, em março de 1982, destaca que, no sobrado comprado ao professor Domingos Moeda e sua mulher **Ana Cândida**, em 1898, sua segunda sede, *"(...) o primeiro portão, à esquerda, era do galpão das moças e o outro abria para o galpão dos rapazes; os sexos só se misturavam nas salas de aula"*.

Liceu

Apesar de sua importância, em 1861, doze anos após sua criação, o colégio foi extinto; segundo Duarte, isso representou um golpe mortal em todo o ensino secundário existente. Porém, três anos depois, com a chegada de João Gonzaga à presidência da província, o Liceu é recriado.

LICEU ALAGOANO		
Ano	Clientela	
	Rapazes	Moças
1925	49	16
1930	126	18

Fonte: Craveiro Costa (1931)

A presença de mulheres esteve assegurada desde 1910, através de **Dília Gomes Ribeiro de Oliveira**, única representante do sexo feminino, dentre os 12 alunos, da primeira turma de bacharéis em Ciências e Letras.

Entretanto, o corpo docente permanecia reduto exclusivo do universo masculino. Quebrar essa condição foi tarefa pioneira de **Laurinda Vieira Mascarenhas**, nomeada em junho de 1932 para a cadeira de francês.

Caminho seguido então por **Edelvira Barroso de Melo**, contratada em 1941 para a cadeira de música, e, em 1942, por **Creuza Fontes Braga**, que, deslocada para o Instituto de Educação, ficou responsável pela cadeira de português.

A nobre visita de um imperador nada construtivista

Em 1859, Alagoas recebeu "com júbilo e festividades" a ilustre visita do casal imperial, dom Pedro II e sua esposa **Tereza Cristina**. Nos mais tradicionais palacetes, damas da sociedade, trajando a última moda de Paris, freqüentavam o luxo das festas que se espalharam pela província.

Segundo Abelardo Duarte, no dia 17 de outubro o imperador e sua comitiva chegaram a Traipu (AL), no "escaldante" sertão do São Francisco, ocasião em que Pedro II, homem de letras e preocupado com as questões científicas e educacionais, teve a oportunidade de realizar uma visita à escola de meninas.

Após ser saudado pela classe, o imperador manifestou aos presentes seu interesse pelas "letras". Ao final do discurso, dirigiu-se então à professora e, mostrando-se curioso, indagou que livros estavam sendo utilizados no trabalho pedagógico com a classe. A "progressista e pioneira" professora respondeu que ensinava através da leitura de jornais, ao que o imperador então, sem pestanejar, retrucou: ***"Aprenderão a política, inútil para elas!!!"***

O século XIX e a educação feminina nas Alagoas... Uma questão de números?

Segundo os registros de freqüência em escolas primárias, no período 1850 a 1856 as meninas não ocupavam sequer a metade das vagas preenchidas pelos garotos.

Muitas vezes pioneira

***Maria Tereza Pacheco**, alagoana de nascimento, mudou-se, na juventude, para a Bahia, onde por concurso tornou-se a primeira professora catedrática da Faculdade de Medicina da Universidade Federal da Bahia, depois de 190 anos de existência da instituição.*

Seu pioneirismo revelou-se ainda em vários outros campos: conquistou o cargo de primeira mulher professora catedrática de Medicina Legal e, ao assumir a direção do Instituto Médico Legal, espaço até então eminentemente masculino, tornou-se a primeira representante do sexo feminino a exercer a profissão de médica-legista.

Em janeiro de 2001, Maria Tereza passou a integrar a galeria de sócios honorários da Academia Alagoana de Medicina, em reconhecimento pelo seu saber médico e talento.

Nise, a rebelde

Nise da Silveira *nasceu em Maceió, em 15 de fevereiro de 1905. Filha única, da mãe pianista herda a sensibilidade, o gosto pela arte, o profundo respeito pelos animais; do pai, professor e jornalista, o interesse pelos estudos, a inquietação pela política e o desejo de mudanças sociais.*

Aos 16 anos, frustrando o desejo dos pais que a queriam pianista, vai para a cidade de Salvador (BA) cursar a faculdade de medicina. É a única mulher numa turma de 157 homens.

Uma vez terminado o curso e devido à morte de seu pai, decide viver na capital da República. É assim que, em 1927, sozinha, aporta na cidade do Rio de Janeiro, naquela ocasião sede do governo brasileiro, onde dará início a uma verdadeira revolução na pesquisa e na terapia dos doentes mentais. Cedo participa de rodas literárias, engaja-se timidamente em eventos políticos, enfim, convive com artistas e intelectuais de grande projeção no cenário cultural, entre eles Manuel Bandeira, Carlos Drummond de Andrade, Di Cavalcanti, Otávio e Laura Brandão, Castro Rebelo.

Foi estagiária do Serviço de Neurologia do prof. Antônio de Austregésilo e, em 1933, incentivada e inscrita pelo mestre, faz concurso para psiquiatra do que viria a ser o Instituto de Psiquiatria do Rio de Janeiro. Passa então a trabalhar e residir no antigo Hospício da Praia Vermelha.

Experiências da prisão

Sua carreira, no entanto, é interrompida abruptamente no governo ditatorial de Getúlio Vargas: permanece presa, sem processo, após denúncia, durante 15 meses, acusada de comunista. Esses meses de cadeia, durante os quais conviveu com presos comuns – ladrões e homicidas – e com opositores à ditadura – torturados, deportados, exilados –, marcaram de forma indelével a sua personalidade. É nessa época que trava amizade com o grande escritor Graciliano Ramos, também alagoano e preso político.

A dura experiência na prisão fez com que mais tarde conseguisse criar um clima de empatia com seus pacientes psiquiátricos, muitos deles confinados anos a fio, sem processo, como ela própria, apenas por apresentar visão de mundo destoante da socialmente aceita.

Ao sair da prisão, vaga como uma condenada pelo Brasil, sem endereço fixo, ameaçada de ser novamente presa. Aproveita esse tempo de semi-clandestinidade para leituras que terão primordial importância em sua formação humanística. Data desta época seu aprofundamento na filosofia de Spinoza.

Sua readmissão no serviço público, em 1944, agora no Centro Psiquiátrico Pedro II, na cidade do Rio de Janeiro, dá-se em plena vigência das novas técnicas de tratamento em psiquiatria - choques elétricos, cardiazólico e insulínico - que recusa de forma radical, em função dos sofrimentos que impõem aos doentes.

Da Terapia Ocupacional ao Museu de Imagens do Inconsciente

Sentindo-se inapta na estrutura hospitalar restou-lhe, todavia, um espaço desprestigiado, considerado secundário no hospital: a seção de terapêutica ocupacional, onde os doentes eram incumbidos de tarefas braçais, mas onde vislumbrou intuitivamente a possibilidade de criar um novo modelo de tratamento.

Dedicou-se com afinco ao estudo teórico da Terapêutica Ocupacional (TO) ao mesmo tempo em que ia descobrindo seus alcances na prática. Estudando os métodos de TO sob diferentes pontos de vista, optou pelo método inspirado na psicologia analítica, que passou a desenvolver ao longo de seus 52 anos de experiência profissional.

O motivo para essa opção estava na produção dos esquizofrênicos que freqüentavam os ateliês de pintura, desenho e modelagem recém-criados em 1946. Espantada com a capacidade criativa de doentes, que na acepção literal da palavra esquizofrenia estariam cindidos, condenados a uma existência semi-vegetativa, a dra. Nise buscava uma explicação para aquela efusão artística.

Encontrando certas limitações na psicanálise de Freud, quanto à dinâmica psíquica, a resposta de Carl Gustav

Jung a uma carta sua de 12.11.54 iniciou uma longa e fértil colaboração com o sábio de Zurique. O que a deixava ainda mais fascinada era o fato de aquelas pinturas não refletirem meros sintomas, mas mostrarem também, como apontou Jung, "forte tendência do inconsciente para formar uma compensação à situação do caos do consciente". Ou seja, possuíam, elas próprias, valor terapêutico.

Entretanto, todo esse conhecimento seria inócuo, ineficaz, se não houvesse uma abordagem que se desviasse dos cânones da psiquiatria. Era imperativo acercar-se do doente, respeitando-o como pessoa, como cidadão, e não vê-lo apenas como um amontoado de sintomas; era preciso deixar de lado os exames pretensamente objetivos de suas faculdades mentais e, sobretudo, era necessário propiciar um ambiente em que o cliente encontrasse um suporte afetivo nas suas tentativas de volta ao mundo externo. A este apoio afetivo, denominou "afeto catalisador".

Era um novo enfoque clínico que surgia. Não era algo para distrair os internados em suas longas temporadas no asilo, tampouco para torná-los produtivos em relação à economia do hospital. A TO sairia de sua posição secundária, deixaria de ser um simples método coadjuvante para assumir um papel de relevo.

É importante apontar que esse projeto começara em 1946, num subúrbio do Rio de Janeiro, praticamente desprovido de recursos, onde se desenvolveu, sem alarde, uma revolução na terapêutica psiquiátrica: recusa de tratamentos violentos – choques, camisas-de-força, psicocirurgias, neurodislepsias –, relevância das relações sociais e familiares dos doentes e, sobretudo, um forte relacionamento afetivo com eles. A técnica a ser aplicada necessitava desse conjunto de fatores.

A produção plástica dos pacientes cresceu de tal forma que exigiu a organização de todo o material destinado às pesquisas, motivo, dentre outros, pelo qual a doutora sempre se opôs à venda de quaisquer dessas obras. Daí para a criação do Museu de Imagens do Inconsciente, em 1952, foi um pulo. Hoje o Museu conta com mais de 350.000 obras.

Espírito de aventura, tenacidade e paixão

A implantação desse método não se deu sem conflitos. A dra. Nise foi ridicularizada, sabotada em seu trabalho, teve seus animais – cães e gatos –, co-terapeutas, como ela os chamava, envenenados. Porém, jamais se deixou intimidar e dizia: "Para lutar contra a corrente são necessárias três coisas: espírito de aventura, tenacidade e paixão." E foi com altivez que a tudo enfrentou!

Algo, no entanto, faltava-lhe: vivenciar ela própria o processo analítico. Com essa finalidade, vai para Zurique fazer análise com a dra. Marie- Louise von Franz, discípula de Jung.

Essa vivência analítica foi de fundamental importância para que seguisse inquebrantável em defesa dos loucos e dos animais. Estes têm um lugar destacado na afeição da dra. Nise e tiveram grande importância em seu modelo terapêutico. Tudo começara casualmente, com o aparecimento de uma cadelinha no hospital. Percebeu que os cães poderiam suprir em grande parte a necessidade de afeto dos internados. Muitos foram os pacientes que se beneficiaram desse convívio.

A Casa das Palmeiras e o Grupo de Estudos C.G. Jung

Além de seu trabalho no Museu de Imagens do Inconsciente, a dra. Nise desenvolvia duas outras atividades. Uma dizia respeito às reinternações freqüentes dos esquizofrênicos. Urgia uma alternativa ao hospital psiquiátrico. Surgiu então a idéia da criação de um espaço, nos mesmos moldes do Museu, que atendesse uma clientela externa, que fosse "uma ponte entre o hospital e a vida na sociedade". Esse espaço foi criado em 1956 e recebeu o nome de Casa das Palmeiras; sete anos depois passou a ser considerado de utilidade pública pelo município do Rio de Janeiro, encontrando-se em plena atividade, cumprindo com seus objetivos, ou seja, evitando reinternações.

A segunda preocupação referia-se ao fundamento das fontes teóricas, necessárias para alavancar as demais atividades. Se o estudo da Psicanálise, mais aceita entre nós, era ainda incipiente, o da Psicologia Analítica praticamente inexistia. Para suprir essa lacuna, a dra. Nise e mais outros cinco estudiosos criaram, de maneira informal, o Grupo de Estudos C.G. Jung, no ano de 1955. Este grupo, também em pleno funcionamento, adquiriu status oficial em 1968, sendo presidido por ela até a sua morte em 1999.

Uma honra para a intelectualidade alagoana

A história de vida da dra. Nise é riquíssima. Não é o caso aqui de nos aprofundarmos em seu método de trabalho e sua técnica, tampouco de abordar o ambiente cultural em que viveu e suas preferências literárias – que não foram poucas e que muito influenciaram no seu trabalho. Sobre isto basta dizer que a doutora sempre afirmou ter aprendido mais psicologia com o grande romancista Machado de Assis *(1839-1908), profundo conhecedor da alma humana, do que com muitos textos técnicos.*

No entanto, aqueles e aquelas desejosos de mergulhar mais em seu trabalho podem buscar isso em seus livros, nos quais sobressai um estilo ao mesmo tempo leve, agradável e denso. Jung – vida e obra, *já na 16ª edição,* Imagens do inconsciente, *seu grande trabalho sobre o mundo psíquico dos esquizofrênicos,* O mundo das imagens, Cartas a Spinoza, Terapêutica Ocupacional – teoria e técnica, *entre outros, o último dos quais sobre o gato,* A Emoção de lidar, *publicado em 1998.*

É importante ressaltar que sua influência sobre a psiquiatria, embora tardia, já se faz notar: os novos modelos propostos para substituir o modelo manicomial-asilar, como os hospitais-dia, centros de convivência, lares abrigados, têm raízes em muitas de suas idéias.

Aos 70 anos, com a aposentadoria compulsória, Nise foi obrigada a se afastar do Museu, que na ocasião corria sério risco de desativação. Como mulher aguerrida e profissional zelosa, temendo um fim desastroso para aquele espaço, no dia seguinte à compulsória apresentou-se no hospital, no Museu, e, ao ser indagada sobre o motivo de sua presença, respondeu resolutamente: "Sou a mais nova estagiária."

A dra. Nise deixou seguidores que mantêm viva a chama dos ensinamentos e das realizações de uma mulher que pode ser considerada uma das maiores cientistas do século XX.

Em relação aos gastos, documentos da época indicam que Alagoas destinava mais recursos que São Paulo e Rio de Janeiro ao ensino secundário e primário, sendo que este último só viria a se tornar obrigatório na província em 1876.

Embora limitada, a oferta de instrução não se encontrava restrita à ação pública. Na edição de 28 de abril de 1877, no Jornal do Penedo, **Adelaide Vieira de Araújo** publica anúncio sobre *"abertura de ensino particular do curso primário, arithmética, geographia, história, gramática nacional e análise dos clássicos".*

Mudando a página...

Ao final da monarquia, Alagoas contava, segundo Craveiro Costa, com um *"núcleo notável de educadores, que agiam por si mesmos, sem ajuda do poder público".*

Por ocasião da proclamação da República, o ensino público em Alagoas era ministrado no Liceu Alagoano, no Liceu de Penedo e em mais 184 escolas primárias. Em 1896, encontramos matriculadas no ensino primário cerca de 4.784 meninas.

O ensino privado laico ou de orientação religiosa, presente desde os primórdios, continuava ampliando sua influência e oferta aos filhos e filhas das tradicionais famílias alagoanas.

Alguns exemplos de expansão do ensino particular em Alagoas podem ser encontrados na notícia publicada em 1883, pelo jornal O Guttemberg, sobre a casa de educação para meninas, em Jaraguá, dirigida pela senhora **Hermilla de Messias**, ou ainda na fundação de colégios religiosos, como o Santíssimo Sacramento em 1904 e do Colégio Batista Alagoano, em 1919.

Para moças de fino trato

Aula de educação física no Sacramento: no começo "as meninas eram criadas para o lar"

Em 1904, dirigindo-se às irmãs sacramentinas, o governador do estado de Alagoas, Joaquim Malta expôs "a necessidade de um colégio, com internato, que se destinasse à educação das moças pertencentes às classes mais abastadas da sociedade maceioense, que muito apreciava a educação francesa, evitando-se também a separação das jovens filhas que se dirigiam a Pernambuco ou Bahia para completar os estudos".

As primeiras aulas foram ministradas em salas do Asilo de Bebedouro, até que o novo colégio se instalasse na Praça da Catedral. Na ocasião, cerca de vinte internas e trinta externas, incluindo as quatro filhas do presidente da província constituíam o corpo de alunas.

Apesar do falecimento de algumas das irmãs em conseqüência da febre amarela, e contando com a ajuda de dona **Maria Prado** e do cônsul honorário da França em Alagoas, foi adquirido o prédio, no bairro do Farol, onde o colégio permanece até hoje.

Em 1955, participaram da cerimônia de sagração do altar-mor da capela do Colégio Santíssimo Sacramento três alunas remanescentes de sua fundação: **Marieta Brandão Vilela**, **Eponina Gatto Falcão** e **Ana Porciúncula Nobre.**

E o Bom Conselho deu frutos

Bom Conselho: de asilo de orfãs a colégio, uma das grandes obras das irmãs Sacramentistas de Maceió

A falta de espaço físico, que impossibilitava atender à crescente demanda por vagas, levou as sacramentinas, solicitadas pelo comendador Firmino, a instalar, em um antigo convento cedido pela diocese, o Orfanato São José, filial do Bom Conselho. Corria o ano de 1915 e as responsáveis pelo novo estabelecimento, que contava com curso primário e de prendas domésticas, eram as irmãs **Cláudia Monchal**, **Hildebert Rue**, **Donate Roux** e **Clément Chastel**. A professora **Antonieta Leite** sucedeu as irmãs no comando da instituição e, após sua aposentadoria, as irmãs claretianas passaram a responder pelo São José.

Em 1949, foi a vez do Santíssimo Sacramento dar frutos, através da Escola São José, mantida por campanhas beneficentes, destinada, segundo palavras da irmã **Maria Celina de Jesus Lima**, madre superiora na ocasião, às "crianças, filhos de nossos operários e das favelas mais próximas", que recebiam material escolar e uniforme gratuito.

As aulas, sob a supervisão da irmã **Maria Rosalina**, tiveram início com cerca de 40 alunas e eram ministradas pela professora **Matilde Coelho**, ex-aluna do Santíssimo Sacramento. Dentre as professoras que se destacaram à frente da escola, podemos citar **Elza Pinheiro de Almeida** e **Tânia Lamenha**, filha do governador. Em 1967 foi assinado o primeiro convênio com o estado, para auxílios e subvenções. Com o encerramento das atividades em 1974, os recursos foram transferidos ao Centro Comunitário do Bairro do Pinheiro.

Revolucionando os costumes

Nascida nos arredores de União dos Palmares (AL), no dia 16 de junho de 1917, ***Maria Mariá de Castro Sarmento*** *era filha de Ernestina de Castro Sarmento e do tabelião Sílvio de Mendonça Sarmento. Nos anos de 1930 as chances de uma mulher estudar eram muito remotas, mais ainda assim deixou sua cidade para fazer o Curso Normal, em Maceió.*

Sua vida profissional tem início em 1943 como professora estagiária num povoado próximo a União dos Palmares. No ano seguinte é transferida para o Grupo Escolar Rocha Cavalcanti, a antiga escola onde fez seu aprendizado. Lá, aboliu o uso da palmatória, que considerava um "instrumento de tortura", e propôs que as regras da escola fossem menos intolerantes com os jovens. Torna-se uma referência como educadora e conhecedora da cultura local. Em 1955, é nomeada diretora titular do Grupo Escolar Jorge de Lima.

Além das atividades docentes, Maria Mariá é, em 1963, designada para ser inspetora regional de ensino. Embora desempenhasse um cargo de confiança com gratificação salarial, não se acovardou e tornou pública sua indignação frente à política educacional do estado, cuja estrutura apresentava problemas como prédios sucateados e grande carência de professores. Descobre os jornais como um instrumento fantástico para se fazer ouvir e lutar pelos direitos dos moradores de sua terra. Por conta de sua assiduidade na escrita de artigos, cartas e comentários sobre os mais diferenciados assuntos, recebe, em 17 de dezembro de 1956, o credenciamento como jornalista pela Associação Alagoana de Imprensa.

Maria Mariá foi também a primeira mulher em União dos Palmares a usar calça comprida e jogar sinuca, dominó e baralho com os homens da cidade, hábitos considerados pela comunidade como exclusivamente masculinos. Não se deixava abater pelos comentários maldosos. Fumava em público, tocava violão, bebia nos bares da cidade, incentivava a criação de blocos carnavalescos. Apesar dos preconceito, era uma figura muito respeitada.

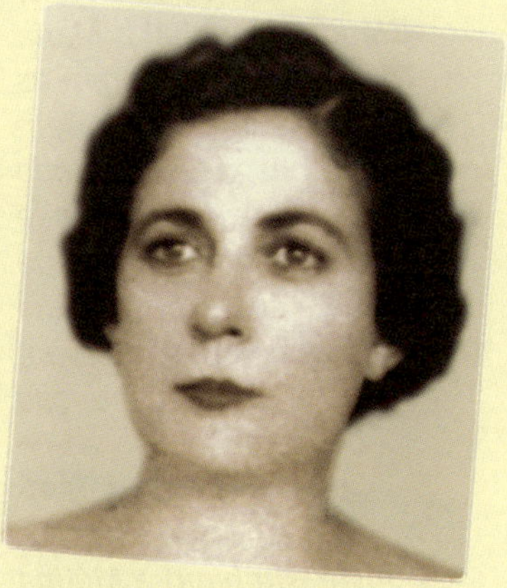

Nos idos de 1956, deixou-se fotografar de maiô às margens do rio Mundaú. Numa cidade conservadora e de fortes raízes patriarcais e oligárquicas, o episódio por si só já seria um escândalo, mas Maria ainda levou suas fotos para mostrar às suas alunas, que ficaram deslumbradas com a iniciativa da professora. Foi, porém, duramente punida, sendo transferida para uma escola na cidade de Murici. Houve reação por parte das alunas, que se mobilizaram e montaram acampamento na porta do palácio do governo, em Maceió, reivindicando ao governador Muniz Falcão a volta da professora para União dos Palmares. Os jornais deram grande cobertura ao acontecimento e, diante das pressões das jovens estudantes, o governador voltou atrás na punição. Em seu retorno, Maria é recebida com carinho e honrarias, para desgosto dos setores mais conservadores.

Foi organizadora de muitos eventos culturais na cidade, como a fundação de uma biblioteca pública e do Grupo Dramático de Atores Amadores, além de grande incentivadora das manifestações folclóricas regionais. Incansável, volta a se engajar contra a demolição da igreja matriz local. Maria não acreditava em dogmas e se dizia atéia, mas considerava a matriz um patrimônio histórico e cultural da região. Organiza passeatas e escreve para os jornais, fazendo um discurso inflamado, ironizando e denunciando a arbitrariedade das autoridades, que se recusavam a realizar um plebiscito sobre a questão.

Maria Mariá morreu no dia 28 de fevereiro de 1993. Sua ousadia deixou marcas na história alagoana e figura na Coleção "Mulheres Alagoanas", publicada pela Gazeta de Alagoas no ano de 2001, onde é magnificamente descrita pela professora e doutora em Letras ***Edilma Acioli****.*

Sacramentinas no Brasil

Fundada em 1715, a Congregação espalhou-se por diferentes países, após o processo de laicização do Estado iniciado pela Revolução Francesa.

Além da Bahia, as Sacramentinas assumem, em 1904, o Asilo das Órfãs de Nossa Senhora do Bom Conselho, no bairro de Bebedouro, em Maceió.

***Marie Rosa Roche, Claudia Monchal** e **Maria Théresia Boitard** foram as primeiras irmãs da ordem a chegar ao território alagoano, ocasião em que o comendador Firmo da Cunha e sua esposa, **Júlia Serpa Lopes**, estavam à frente da instituição educacional. Ao grupo de pioneiras, juntam-se mais tarde as irmãs **Juste Rimbaud** e **Mélina Grimaud**.*

O Asilo, fundado em 1877 com subvenções de Pedro II e do governador da província, era destinado às órfãs dos militares da Guerra do Paraguai e menores desvalidas, vítimas da seca nordestina de 1876.

O início do funcionamento do Curso Normal Rural ocorreu em 1938, sendo transformado em Colégio Normal no ano de 1964.

*Por ocasião do centenário, 1977, passa a denominar-se Colégio Nossa Senhora Bom Conselho, tendo como diretora pedagógica, a irmã **Maria Antonina Santos**.*

Mulheres que "se perderam", encontram-se no Bom Pastor

O Asilo do Bom Pastor, situado no bairro do Poço, antiga residência de Azarias e **Ana Gama**, inaugurado em 1929, destinava-se a receber "mulheres desencaminhadas por aventureiros", acusadas de ações libidinosas, aquelas com noivados desfeitos, senhoras acusadas de adultério pelos maridos, além de outras que, por seus comportamentos, viam-se impedidas de permanecer no "sacrossanto lar".

Pode-se imaginar não apenas o sofrimento imposto, pela sociedade, a essas mulheres e jovens, mas ainda assinalar que muitas das "apontadas" o eram pelos próprios "senhores de "conduta ilibada", que as "as haviam desvirtuado", seja pela força, seja pela promessa de vida menos miserável...

A madre provincial sóror **Maria do Divino Coração d'Utra Vaz** esteve em Maceió pela primeira vez em 1928, buscando o consentimento do arcebispo para abertura da casa, o que só se concretizou um ano depois, após a interferência da Associação Protetora das Obras do Bom Pastor, formada por senhoras da sociedade como **Astrogilda Ether Nunes Leite** – a **Sinhá Leite** –, **Norma Palhares Duarte**, **Helena Cörner**, **Amália Leite**, **Stella Passos de Miranda**, dentre outras, que arrecadaram cerca de 55 mil contos de réis para compra e instalação da casa.

No Asilo, marcado pelo isolamento social, a vida das mulheres viúvas e sem filhos centrava-se na reza constante, única forma de expurgar os supostos "pecados", muitos sequer cometidos de fato. Apenas duas irmãs tinham permissão para sair do Asilo, as denominadas irmãs rodeiras, cuja função era angariar donativos para o asilo.

No período entre 1933 e 1934, as mulheres puderam contar com o atendimento médico voluntário da dra. Lily Lages e, entre 1945-70, da dra. **Maria das Vitórias Pontes de Miranda**, que, além das consultas, providenciava a compra de medicamentos.

Na década de 50, **Leda Collor de Mello**, primeira-dama do estado, consegue recursos para a construção do Instituto Nossa Senhora de Fátima – fechado em 1995, anexo ao Bom Pastor, para oferta de instrução pública em regime de internato a meninas e adolescentes.

Sob mão feminina...

A importância da presença feminina na direção de escolas primárias alagoanas reside na ampliação de espaços para atuação da mulher e encontra-se intimamente relacionada à questão de gênero, refletindo a expectativa da sociedade local e brasileira em relação "sexo frágil".

Lavenére destaca que, em 1902, das 253 escolas fundamentais em Alagoas apenas 30 eram dirigidas por homens. Euclides Malta, então governador do estado, fez constar em seu relatório que "a tendência entre nós é entregar o

Um exemplo de vida

Maria das Vitórias Pontes de Miranda *nasceu em 1912, em Maceió, e cursou a Faculdade de Medicina do Recife, diplomando-se em 1940. Foi uma das primeiras médicas alagoanas e sua atuação profissional envolveu atividades de grande repercussão social, como o atendimento médico prestado às prostitutas, nas dependências da igreja São José, no bairro de Canaã, e o trabalho desenvolvido na chefia do Serviço de Prevenção ao Câncer e na Rede Alagoana de Combate ao Câncer, da qual foi vice-Presidenta.*

Foi professora de várias escolas na capital alagoana e, também, da Universidade Federal de Alagoas, onde ministrou em 1951 a aula inaugural da cadeira de Clínica Ginecológica. Durante meio século, exerceu o cargo de adjunta da Clínica Cirúrgica e Ginecológica da Santa Casa de Misericórdia de Maceió; sócia fundadora do Departamento de Ginecologia e Obstetrícia, alternou ali durante muitos anos os cargos de secretária e diretora. Faleceu em 2001.

ensino primário à mulher não só por suas aptidões para educadora de infância, como também porque se tem considerado, e fundadamente, que a escola primária é e deve ser a continuação do lar, onde a mulher executa prodígios para educar física, moral e intelectualmente os filhos seus e mesmo os de outrem, que lhe são entregues".

As anotações de Malta, embora retratem uma realidade local, traduzem situação encontrada país afora, onde as mulheres acabaram por se tornar maioria nessa função desprezada pelos homens, que se deslocavam para níveis de ensino ou outras áreas de atuação mais rentáveis e socialmente mais valorizados.

Os povos indígenas como cobaia

A presença da religião protestante no Nordeste brasileiro, embora pouco conhecida, desempenhou papel importante num período da história do país, que se iniciou com a segunda ocupação holandesa em 1630 e se estendeu até 1654, quando os chamados pelos portugueses de "invasores", foram derrotados e expulsos. A primeira tentativa de ocupação, ocorrida na Bahia em 1624, fracassou um ano depois, ocasião em que a frota holandesa se deslocou para a baía da Traição, norte da Paraíba.

Recebidos pela tribo Potiguar como "libertadores" do domínio imposto pelos portugueses, os holandeses escolheram seis deles para acompanhá-los em seu regresso à Europa, dentre os muitos candidatos. Alguns destes últimos – alfabetizados durante os cinco anos em que permaneceram nos Países Baixos e "convertidos" aos preceitos da Igreja Cristã Reformada, nome da Igreja Protestante na Holanda – retornaram como "tradutores" durante a invasão holandesa. Em 1640, segundo Schalkwijk, dois índios "aculturados" e razoavelmente experimentados nos princípios da religião e do ler e escrever, foram nomeados pelo governo de Nassau como os primeiros professores indígenas na América do Sul, recebendo 12 florins mensais, soldo equivalente ao de cabo do exército.

Quebrando tabus!!!

***Antonia Nina dos Santos**, penedense, nasceu em 9 de junho de 1926, filha de Arthur Emigdio dos Santos e Isbela Rosário dos Santos. Desde criança manifestava o desejo de ser médica, e, assim, convenceu a família a ir para Salvador (BA), onde fez o 2º grau e vestibular para medicina, tendo sido aprovada em primeiro lugar. Formou-se ginecologista e obstetra.*

Voltou depois para a terra natal, onde exerceu a profissão durante 14 anos. Trabalhou na Santa Casa, foi médica credenciada do INSS e teve consultório particular.

Precisou de muita ousadia e coragem para vencer os preconceitos da época, pois, além de ter sido a primeira médica de Penedo, foi uma das primeiras mulheres a dirigir um automóvel na cidade. Inquieta, irreverente e considerada uma mulher à frente de seu tempo, contribuiu muito para romper com alguns dos muitos tabus existentes na sociedade local. Em fevereiro de 1965 fixou residência no Rio de Janeiro, onde continuou exercendo a profissão. Faleceu em outubro de 1993.

Embora tenham sido parcos os resultados da empreitada holandesa no Nordeste, vale registrar a diferença de tratamento e visão dispensada aos negros e aos indígenas durante o período dessa ocupação.

O governo holandês combateu duramente a semi-escravidão indígena, como destaca Schalkwijk, seja "lembrando aos proprietários rurais de Alagoas que os índios somente poderiam trabalhar nas lavouras por livre vontade e recebendo a devida remuneração", seja através da Lei do Ventre Livre, de 1645, que tratava da situação conjugal de brasilianos casados com escravas ou escravos africanos, considerando que "(...) a parte escrava do casal não se libertava pelo matrimônio, mas podia ser alforriada (...) e que os filhos resultantes (...) seriam considerados livres(...)".

Essa preocupação, entretanto, não se manifestou em relação à escravidão africana. Daí Nassau ter respondido ao pastor Dapper, por ele questionado sobre ser ou não lícito ao cristão negociar ou possuir escravos, "tratar-se de escrúpulos desnecessários".

O ensino normal...

Anexo ao Liceu Alagoano, o curso normal, com dois anos de duração, passou a funcionar em 1869, ano de sua regulamentação.

Vale lembrar, que embora as primeiras escolas normais mistas tenham surgido no país em 1877 e Alagoas contasse desde 1876 com a resolução 743, que sugeria o ensino misto, na prática essa realidade só viria a ser regulamentada anos depois.

A primeira turma, diplomada em 1871, era composta exclusivamente por rapazes. Em 1931, encontramos 169 mulheres matriculadas, para um total de apenas 11 rapazes e, em 1936, já eram três as escolas normais alagoanas: em Maceió, Penedo e Viçosa, época em que existiam 292 escolas primárias mantidas pelo poder público, em torno de 39 subvencionadas, além de diversas outras particulares.

Passando uma lição no feminino...

A presença docente feminina nas salas de aula do curso normal teve início em 1942, na pessoa de **Creuza Fontes Braga**, uma dentre outras educadoras alagoanas que foram "rompendo" progressivamente com a exclusividade masculina.

A respeito disso, Falcão lembra que "o magistério criou novo status (...) porta para as mais animosas e voltadas para as letras (...)" destacando ainda "a sabedoria de **Felisdona Francisca da Silva**, preceptora da escola normal".

Independentemente do segmento de atuação, a inserção da figura feminina no quadro educacional de Alagoas foi se expandindo paulatinamente. Em 1931, no ensino primário, havia 678 docentes no estado. Desse total, 583 eram representantes do sexo feminino, ao passo que do sexo masculino eram 95.

As educadoras fazendo história...

O reconhecimento da sociedade alagoana ao pioneirismo e à luta de muitas de suas educadoras está marcado na história do estado e também no "batismo" de várias escolas públicas com os nomes de algumas dessas mulheres.

Referências do sexo nada frágil, que em nome de um ideal de educação enfrentaram e superaram situações adversas, algumas inclusive, em situação de pobreza extrema, destacam-se: **Ana Coelho Palmeira, Ana Prado, Aquilina Bulhões Barros, Aurelina Consuelo Fraga, Cantidiana Bulhões, Eleonora Ribeiro Pereira Braga, Fernandina Malta, Irene Garrido, Júlia Wanderley, Julieta Ramos Pereira, Laura Wanderley, Laurinda Mascarenhas, Maria José Loureiro, Maria Obdulia Feitosa, Maria Rosália Ambrósio, Miriam Marroquim de Quintella Cavalcanti, Noêmia Gama Ramalho, Onélia Campello da Paz, Rita Lyra de Almeida, Wandete Gomes de Castro e Laura Dantas**, que junto a outras, enfrentou também o preconceito racial, por ser além de mulher, negra.

Atropelando sim... mas só os preconceitos!

Educadora "da pá-gina virada", **Maria Judith Malta**, nascida em 1907, era ainda jovem e solteira quando passou a lecionar em Mata Grande – onde nasceu – e Água Branca, cidades do alto sertão alagoano.

Seu estado civil, de "mulher não-casada", e o fato de ter rompido com o estigma de apenas os homens dirigirem os poucos automóveis das ruas de Penedo causaram um certo reboliço na própria família e na sociedade local das cidades em que lecionou, que almejavam para suas filhas, apenas casamento e maternidade.

Escritora, teve como temas dominantes em seus ensaios a educação e a condição feminina. Em *Antologia de escritoras alagoanas*, **Rita Murici** destaca que a educadora, falecida em 1986, "alinhada com a perspectiva defendida por Júlia Lopes de Almeida em seus vários ensaios sobre educação publicados no Brasil e em Alagoas, escreve sobre a necessidade de mães cultas para ensinar as primeiras lições (...) aos filhos, justificando a educação das mulheres", revelando-se uma transgressora ao afirmar que o caráter do homem depende do caráter da mulher.

As reitoras da UFAL

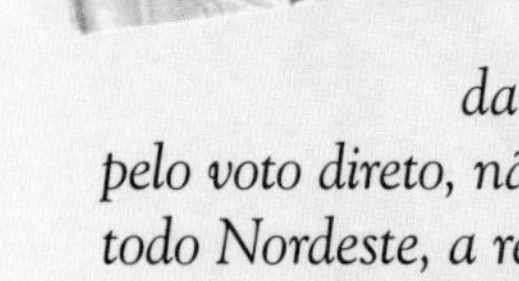

Com larga margem de vantagem, após 25 anos de existência da instituição, **Delza Gitai** *foi eleita, em novembro de 1986, reitora da Universidade Federal de Alagoas. A vitória expressiva ganhou as páginas dos jornais, pois se tratava da primeira mulher a conquistar, pelo voto direto, não só em Alagoas como em todo Nordeste, a responsabilidade de dirigir uma universidade federal. Professora do Centro de Ciências Biológicas da UFAL, teve como grande preocupação a democratização do ensino, beneficiando, especialmente, os setores com maiores dificuldades de acesso. Seu feito serviu de exemplo para que outras mulheres trilhassem este caminho.*

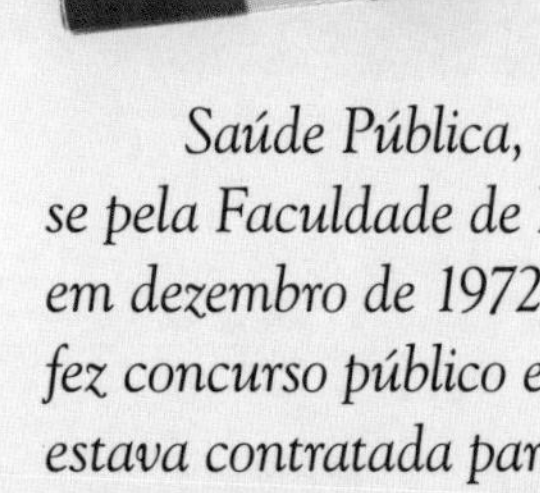

Foi o que aconteceu 17 anos depois, em 2003, quando a professora **Ana Dayse Resende Dórea** *tornou-se a segunda reitora da UFAL. Médica, com especialidade em Saúde Pública, Ana Dayse formou-se pela Faculdade de Medicina de Alagoas em dezembro de 1972. Nesse mesmo mês, fez concurso público e, no ano seguinte, já estava contratada para integrar os quadros da universidade. Antes da eleição ocupou o cargo de secretária municipal de Educação de Maceió.*

Escola das letras e do trabalho... O ensino profissionalizante

Criado em 1854 e extinto em 1861, o internato Colégio de Educandos Artífices – com o ensino das primeiras letras, artes de alfaiate e sapateiro, além de música para órfãos desvalidos, mais tarde transformado em escola agrícola – foi a primeira tentativa de ensino profissionalizante em Alagoas.

Por ocasião da proclamação da República e até 1915, funcionou em Maceió o Liceu de Artes e Ofícios, mantido por associação particular e subvencionado pelo estado; além das letras, buscava ensinar aos meninos e rapazes tipografia, encadernação, marcenaria e alfaiataria. O pioneirismo do magistério feminino, nessa escola, coube, em 1909, a **Alice Calheiros de Melo**, contratada para o ensino primário.

Em 1931, passa a funcionar em Alagoas a Escola de Aprendizes Artífices, de âmbito federal, e o Aprendizado Agrícola de Satuba, de responsabilidade estadual. Dentre os estabelecimentos particulares que contavam com largo subsídio estadual, encontramos o Orfanato Santo Domingos, para meninos.

Várias outras escolas profissionalizantes destinadas ao sexo feminino, embora em menor número do que as destinadas a meninos e rapazes, marcaram presença na história das Alagoas.

Ensinando com arte a "arte de ser mulher"

"(...) de fato uma boa dona de casa, uma mãe de família administra toda a economia do lar, ao mesmo tempo em que estabelece um ambiente de calma e de ordem ao funcionamento de um lar, de modo que haja felicidade da vida e harmonia de todos (...) A educação profissional reintegra a mulher no seu verdadeiro papel de dona de casa, dando-lhe recursos de ajudar, desenvolver os meios de tornar o lar sorridente e feliz."
Jornal de Alagoas, 1932

Já no início do século, a Escola Coração de Jesus, instalada então na rua Apolo, recebia exclusivamente moças. Como de costume na época, além das "noções de letras", proporcionava o ensino das prendas femininas: costura, culinária e artes, entre outras "aptidões femininas".

Coerente com a visão do que significava "ser uma mulher" na sociedade da época, essas instituições, "profissionalizantes" e voltadas ao público feminino, buscavam articular o "ensino das prendas femininas" ao "das letras", estruturando desse modo seus currículos.

Esta é a razão pela qual o conteúdo a ser ensinado à menina/moça, traduzido nos objetivos dos cursos, visava a *"construção da mulher/mãe/dona de casa ideal"*, ligeiramente educada, sem, entretanto,

grandes excessos que ameaçassem o poder exercido pelos homens. É preciso considerar ainda a diversidade da clientela atendida pelas diferentes instituições – de "donzelas da sociedade", moças populares e meninas órfãs a *"raparigas perdidas"*. Dessa forma, heterogêneos eram os resultados alcançados, e distintas, as expectativas da sociedade para cada *"tipo de moça"*.

O regulamento da Escola Profissional Feminina de Maceió ilustra o senso comum dominante ao assinalar: "*(...) A escola tem por fim a preparação da mulher para as atividades femininas no lar, bem como seu adestramento, especialização, aperfeiçoamento e prática profissionais. Visa também o desenvolvimento da cultura geral.*" Na prática, buscava associar ao ensino de especialização em arte culinária, flores e chapéus, enxovais para crianças, corte e confecções, datilografia, bordados, arte decorativa, rendas, tricô, crochê, roupas de cama e mesa, dentre outras "aptidões" do sexo frágil, o ensino da cultura geral, do português, da matemática, do desenho, da educação física e do francês.

O Asilo Bom Pastor, de 1929, é um dos exemplos, das iniciativas destinadas ao ensino profissional feminino nas diferentes localidades, que contavam com ajuda financeira do governo estadual.

Historicamente – como resultado da visão masculina – e por muito tempo limitada e associada aos trabalhos domésticos e "práticas maternas", a luta feminina, para a conquista do direito ao livre acesso a diferentes áreas de formação profissional, foi difícil, árdua e longa. **Irene Bonan** lembra que apenas em 1962 a Escola Técnica Federal de Alagoas passou a receber mulheres em seu curso de edificações.

A educação de nível superior e feminino...

Não se pode falar da evolução intelectual em Alagoas sem assinalar o papel desempenhado pelo Seminário de Olinda, que, segundo o Diário de Alagoas, em sua edição de março de 2002, desde o período colonial até o Império, no século XIX, foi o centro de formação não apenas eclesiástica, mas também de literatos e políticos – eram invariavelmente homens – de sólida cultura geral,

A greve das graciosas...

Além de marcar presença na sala de aula, as normalistas alagoanas freqüentaram também as páginas dos jornais locais. O fato ocorreu em 14 de março de 1934. Segundo o Jornal de Alagoas "foi sacudida ontem esta capital com os rumores de uma greve pacífica das graciosas alunas de nossa Escola Normal (...) um numeroso grupo de futuras professoras percorreu as ruas principais da cidade e utilizou as redações dos jornais, declarando os motivos (...) uma comissão de grevistas entrou nessa redação e nos expôs as razões (...) e pediu solidariedade àquele movimento".

As normalistas tinham, na verdade, duas intenções com a greve. A readmissão do diretor da escola, que havia apresentado um pedido de demissão, prontamente aceito pelo governador, a solicitação de oficialização do fardamento "ultimamente proposto para as alunas", segundo o jornal.

A ciência do ser mulher

Lúcia Mendonça Previato*, natural de Maceió, nasceu em 1949 e aos seis anos mudou-se com a família para o Rio de Janeiro. Doutora em Ciência é membro titular da Academia Brasileira de Ciências, professora do Instituto de Biofísica da UFRJ e coordenadora da área de Ciências Biológicas e Biomédicas da Fundação Carlos Chagas Filho de Amparo à Pesquisa do Estado do Rio de Janeiro (Faperj).*

Após 20 anos dedicados à pesquisa conseguiu decifrar como o protozoário causador da Doença de Chagas interage com as células de seu hospedeiro, o que permitirá o desenvolvimento de remédios mais específicos e menos tóxicos.

Pela importância de seu trabalho, foi uma das cinco cientistas de todo o mundo homenageadas com o L'Oréal-Unesco para Mulheres na Ciência. A solenidade de entrega ocorreu em 8 de março de 2004, Dia Internacional da Mulher.

Educar sem discriminar

***Arísia Barros** nasceu em Maceió (AL), em 1959. Militante do movimento negro, educadora, trabalha na Secretaria Estadual de Educação, onde fez parte do Projeto Educação sem Discriminação, que teve como objetivo trabalhar a questão da diversidade na escola: identidade negra, orientação sexual, portadores de deficiências, questão etária, etnias, etc. Atualmente está envolvida com o Núcleo Temático Identidade Negra na Escola, criado em 2004, que busca valorizar e difundir a consciência crítica da comunidade escolar na construção de práticas pedagógicas para a superação das discriminações e o fortalecimento de uma educação pluriétnica e de gênero, com ênfase nos valores, identidade e cultura da população negra. Participa atualmente da primeira organização formal de mulheres negras do estado de Alagoas, a NEGRANATIVA.*

que, mesmo com a criação da Faculdade de Direito do Recife e a de Medicina, na Bahia, continuou como foco irradiador da intelectualidade da região.

As aulas de Humanidades e o Curso Jurídico do Seminário de Olinda atraíam a atenção dos filhos do patriarcado rural alagoano, parte do seleto grupo que, pela situação privilegiada de suas famílias, detinha uma formação intelectual acima da média, no grande universo de analfabetos da comarca.

Élcio Verçosa aponta que a primeira instituição com características pós-secundárias em Alagoas foi, na verdade, o Seminário Diocesano, fundado em 1902, preparatório para a vida religiosa, "sob o patrocínio intelectual da escolástica de São Tomás de Aquino".

Entretanto, só 32 anos mais tarde, em 1934, **Maria Aida Pinheiro**, então com 28 anos de idade, e **Antonieta Vieira Duarte**, com 30, concretizam a presença da mulher alagoana na educação superior, ao se tornarem as pioneiras representantes do sexo feminino formadas na primeira turma de bacharéis em Ciências Jurídicas e Sociais, diplomadas pela Faculdade de Direito de Alagoas. Tão marcante foi o fato que o Jornal de Alagoas dedicou ao acontecimento dois terços de sua primeira página, que – tomada por fotos e textos - – exibia a manchete **"Emancipação Cultural"**.

Pioneiras na conclusão do curso, Maria Aída e Antonieta, não eram as únicas. Pois, nesse mesmo ano, outras mulheres também freqüentavam as salas de aula da faculdade: **Hilda Carmelita de Pereira**, com 19 anos, e **Luci Augusto de Castro e Silva**, com 27, integravam a turma, com mais 23 alunos, do primeiro ano. No segundo ano, em turmas de 8 a 17 alunos, encontramos **Carmem Novaes**, 30 anos, e **Dulce Wanderley do Rego**, 19. Inscrita no terceiro ano, em que a média era de 40 alunos por turma, localizamos **Maria da Glória Prieto Calmom**, 31 anos.

No início da década de 40, ainda de acordo com Verçosa, passada a febre de fundação de escolas, o ciclo de experiências fracassadas se encerraria com a dissolução da Escola de Farmácia e Odontologia, fechada em 1941. Assim, a Faculdade de Direito e o Seminário Diocesano foram os únicos a atravessar a década na condição de estabelecimentos de ensino superior.

Ao longo da década de 60, sete escolas de ensino superior, criadas sucessivamente, ao formarem novos profissionais, "abriam espaço na hermética sociedade alagoana para indivíduos que não pertenciam às famílias tradicionais". Em 1961, com a sanção do presidente da República, foi finalmente criada a **Universidade Federal de Alagoas**.

Dentre as mulheres que, não obstante preconceitos e dificuldades, se tornaram referência acadêmica, pelo alcance e relevância de seu trabalho para o povo de Alagoas, destacam-se **Ângela Maia**, **Enaura Quixabeira Rosa e Silva, Iracilda de Moura Lima, Izabel Brandão, Izabel Loureiro de Albuquerque**, **Leda Maria de Almeida, Lenilda Austrilino, Maria das Graças Tavares**, **Maria das Vitórias Pontes de Miranda, Maria Denilda de Moura, Nadia Fernanda Maria de Amorim, Renira Lisboa de Moura Lima**, **Solange Lages Chalita**, **Tânia Moura**, **Valéria Hora e Vera Romariz.** Mulheres de diferentes localidades do estado, que em diferentes períodos da história, nas mais diversas áreas – educação, filosofia, medicina, psicologia, história, letras, artes e direito – vêm representando, como enfatiza o Diário de Alagoas em sua edição de março de 2000, "(...) uma possibilidade de transformar Alagoas (...) numa sociedade que busca produzir conhecimento para enfrentar seus próprios problemas".

Cangaço: as mulheres romperam com a estrutura, exclusivamente masculina

"Reinou quase vinte anos neste sertão esquecido. O rei do Cangaço foi por coronéis protegido... Hoje o povo ainda pergunta: São heróis ou são bandidos?" Paulo Moura

Até as primeiras décadas do século XX, o latifúndio continuava dominando os campos e o sertão nordestinos, mantendo vivo o poder coronelista. Os senhores de terras, em troca de apoio ao governo central, ganhavam mais terras e também o título de coronéis da Guarda Nacional. Por mais de meio século, entre 1870 a 1940, existiram no sertão nordestino grupos rebeldes chamados "bandidos" ou "fora da lei" que compactuavam com a injustiça e impunidade da época, a mando dos coronéis, cometendo os piores absurdos contra a população. Foi nesse contexto que surgiram os bandos autônomos de cangaceiros, independentes dos proprietários rurais, e que respondiam à sua maneira a esses desmandos, fazendo "justiça com as próprias mãos". No período da seca de 1877-79, quando mais se radicalizou a ação do cangaço, reapareceram as várias facções, que, assumindo os nomes dos seus líderes, geralmente roubavam alimentos para distribuir aos pobres. Enquanto a burguesia, aliada dos coronéis, escandalizava-se, o povo do sertão, muitas vezes, preferia ver seus filhos no cangaço a passar fome, vivendo de peão ou meeiro nas terras de outros, devendo favores.

Este é um tema bastante controverso, pois, se por um lado alguns estudiosos entendem que os cangaceiros de certa forma ajudavam a população pobre – ainda que cometendo terríveis violências em nome deste objetivo –, por outro lado, outros, mais reticentes afirmam que os cangaceiros se aproveitavam da "proteção" de alguns coronéis para enriquecerem pessoalmente.

Até o início de 1931, não se tem registro da existência de nenhuma mulher no cangaço. Os diferentes bandos eram compostos exclusivamente por homens, às sertanejas estando reservado o casamento, o lar, os filhos, enfim o mundo privado. O bando de Lampião, grupo de maior duração e organização na história do cangaço, foi o primeiro a permitir a presença feminina. A entrada das mulheres nesse estranho "clube do bolinha" foi resultado da explosiva paixão do "chefe" por **Maria Gomes de Oliveira**, que corajosamente abandona a vida pacata ao lado do marido para seguir o grupo de Lampião, seu eleito. **Maria Bonita**, como ficou conhecida, era baiana e é considerada a primeira cangaceira do Brasil.

Muitas mulheres foram escolhidas para acompanhar os cangaceiros, sem possibilidade de recusa. Outras viam a entrada no bando como forma de escapar da opressão da vida familiar, de trocar um mundo limitado por uma vida livre e cheia de aventuras. Geralmente as mulheres não participavam dos combates, ficando protegidas em lugares seguros. As armas pequenas que levavam serviam apenas para lhes dar aparência de guerreiras.

O cangaço teve forte presença em Alagoas. No entanto, são poucos os nomes de alagoanas encontrados nos relatos, teses e livros sobre o assunto. **Enedina** é a mais conhecida das alagoanas do bando de Lampião, tendo sido ama-seca do filho de Maria Bonita. Morreu assassinada na madrugada de 28 de julho de 1938, juntamente com Lampião, Maria Bonita e mais nove companheiros, na grota do Angico (SE). Suas cabeças foram cortadas e expostas ao público na cidade de Piranhas (AL), uma das mais antigas do Vale do São Francisco e lugar símbolo da derrota do cangaço.

Já duas outras mulheres enfrentaram o grupo quando este investiu contras suas cidades. Uma delas foi a **baronesa de Água Branca**, que em 1922 teve sua propriedade invadida por Lampião e todas as jóias roubadas. Esse episódio acabou por projetar nacionalmente o rei do cangaço e a pequenina cidade de Água Branca, uma vez que tudo foi noticiado por jornais do Brasil inteiro. A outra foi **Cira de Brito**, esposa do tenente João Bezerra – responsável pelo cerco e execução de Lampião e parte do seu bando. Exemplo da valentia das mulheres, na ausência do marido coordenou uma resistência ao ataque na cidade de Piranhas (AL), empreendido por Corisco e seus cangaceiros.

O Jornal de Alagoas, de 6 de agosto de 1932, noticiava que a "cabocla" **Maria Sabina**, amante de Volta Seca, e **Maria da Conceição**, com 18 anos de idade e amásia de Ferrugem, encontravam-se presas na Casa de Detenção de Maceió há dois meses, questionando a legalidade das detenções.

Ainda nos dias de hoje correm as mais variadas lendas, contos e opiniões sobre o assunto, refletindo o peso histórico dessa crise social que agitou o sertão nordestino. Se por um lado ajudou alguns, por outro aterrorizou e destroçou vidas de sertanejos e sertanejas, já vilipendiados pelo poder econômico da região.

Parte III

Na virada do século

A história alagoana na virada dos séculos XIX e XX foi contagiada por conflitos e contradições relacionados aos grandes fatos políticos do século XIX.

A monocultura canavieira, instalada há quase quatro séculos, oscilava entre momentos de apogeu e de profunda crise, sendo dominada por famílias patriarcais que, através de arranjos matrimoniais, conseguiram constituir uma poderosa elite rural escravocrata, que impunha sua dominação pelo autoritarismo e pela violência. A tradição dessas famílias ditava que as mulheres não saíssem dos limites dos lares, impossibilitadas de freqüentar escolas ou escolher seu destino.

Embora geograficamente distante do poder central, Alagoas encontrava-se a meio caminho dos principais centros de poder do Nordeste – Recife e Salvador.

As novas correntes do pensamento europeu que animavam essas transformações reverberaram em Alagoas, entre elas o positivismo, que defendia o papel afirmativo das mulheres na sociedade, embora reservando-lhes tarefas consideradas compatíveis com a "natureza feminina". Sem falar nos ideais de liberdade e igualdade, que pouco a pouco chegaram ao novo continente como reflexo da Revolução Francesa de 1789.

Início da República: oito governos em dez anos

A proclamação da República teve, para o estado de Alagoas, um significado especial. Era alagoano o destemido marechal Deodoro da Fonseca, que, num ato de patriotismo, apoiou a causa republicana entrando a cavalo no quartel-general do Campo de Santana para proclamar a mudança de regime, assumindo o governo provisório. Eleito em seguida pelo Congresso, sua gestão foi tumultuada e autoritária, com crises políticas que redundaram na renúncia forçada, em favor do vice, o também alagoano marechal Floriano Peixoto, ambos heróis da Guerra do Paraguai. Os governos de Deodoro e Floriano emolduraram a ascensão da classe média. Mas o cenário político alagoano mostrou que ainda eram frágeis os ideais republicanos no estado.

Entre novembro de 1889 – data da proclamação da República – e junho de 1900 – data em que Euclides Malta assume o governo –, o comando administrativo de Alagoas mudou oito vezes, com vários episódios de invasão do Palácio do Governo, tiroteios e mortes. Nesse período a tônica foi a alternância entre governantes militares e civis, mais ou menos hábeis para apaziguar as forças hegemônicas da economia agrária.

Maltas no poder

O governador eleito em 1900 adotou a "política dos governadores" engendrada pelo sucessor de Prudente de Moraes, Campos Sales (1898-1902). Idealizada sob a égide do Partido Republicano, essa política visava manter uma ordem que garantisse a permanência das grandes oligarquias no poder. Seu grande trunfo foi dar autonomia a essas forças nos estados, desde que não entrassem em choque com o governo central. E a estratégia, nomear aliados para os postos de comando desde o nível municipal ao federal.

As elites agrárias assumiram o controle governamental nos estados ocupando os cargos-chave, mantendo a marginalização das camadas populares e neutralizando os monarquistas e os republicanos militaristas. Em Alagoas o líder Euclides Vieira Malta foi um exemplo dessa política. Genro do barão de Traipu, foi o astuto sertanejo que sucedeu o médico Manoel José Duarte no governo alagoano, representando os interesses das classes agrárias açucareiras. A "dinastia" Malta, por ele liderada, venceu sucessivas eleições, permanecendo 12 anos no poder e conseguindo neutralizar a oposição através do controle ferrenho dos pleitos eleitorais.

Por um lado, demonstrando competência administrativa, os Malta também souberam lançar mão de métodos mais modernos e diplomáticos em sua administração. Adquiriram um parque gráfico para criar uma imprensa situacionista e investiram em projetos culturais, na modernização urbana e no apoio a instituições de beneficência.

Por outro, não foram objeto das políticas desse período questões como a seca, as condições desumanas do trabalho na lavoura, a miséria crônica, a falta de escolas e as altas taxas de mortalidade, com epidemias que seguiam grassando, sobretudo no interior. Uma distância cada vez maior separava os bairros pobres dos salões do poder.

Mulheres apoiam movimentação social pelo fim da era maltina

Mesmo neutralizados, os setores médios oposicionistas foram desenvolvendo seu poder de ação. No final de 1911, jornais publicavam cotidianamente artigos demolidores contra o governo Malta. Foi uma movimentação sintonizada com os acontecimentos no nível federal, pois o então presidente, marechal Hermes da Fonseca (1910-14), desenvolvia a "política das salvações", visando acabar com a política dos governadores e com o predomínio das oligarquias.

A campanha oposicionista alagoana chegou a insuflar a população a não pagar impostos. A radicalização culminou na ação da Liga dos Republicanos Combatentes, grupo de caráter para-militar chefiado por um ex-combatente da Guerra de Canudos.

O coronel Clodoaldo da Fonseca, neto de Rosa da Fonseca e filho de Pedro Paulino, aceitou compor a chapa do Partido Democrata para as eleições de 1912, tendo Fernandes Lima como vice. Ao criarem o Centro Cívico Alagoano Pró-Clodoaldo da Fonseca e Fernandes Lima, 42 mulheres, "desejosas de verem extinta a oligarquia que há 16 anos oprime a Pátria Alagoana", aderem a esse movimento. E embora as eleições só fossem acontecer em março do ano seguinte, já em novembro de 1911 mulheres da sociedade local manifestam apoio e felicitações aos candidatos e autoridades políticas locais em cartas publicadas no Correio de Maceió. Uma dessas cartas continha 177 assinaturas.

As Cornélias Alagoanas

Numa estratégia para fragilizar o governo Malta, foram se multiplicando as iniciativas de vários segmentos da população no sentido de fortalecer os candidatos Clodoaldo e Fernandes. No calor da campanha, um grupo de "senhoras e senhoritas do independente bairro do Jaraguá" saiu às ruas em passeata noturna, declarando apoio a essas candidaturas. Arrastando atrás de si grande contingente popular, o grupo visitou as redações do Jornal de Alagoas e do Correio de Maceió, manifestando incondicional solidariedade ao Partido Democrata.

A corajosa e irreverente atitude dessas mulheres foi enaltecida em artigos publicados no Correio de Maceió, em 15 e 17 de novembro de 1911, quando foram comparadas à heróica Rosa da Fonseca e inseridas no "panteão da história".

As eleições aconteceram quando Malta já havia sido deposto, e sem que seu Partido Republicano Conservador apresentasse candidatura.

"Não somos eleitoras, mas podemos fazer eleitores"

As mulheres voltam à cena nas eleições de 1918, desta feita para apoiar a candidatura de Fernandes Lima ao governo do estado. Um ano antes, em 24 de outubro de 1917, o Movimento Cívico da Mulher Alagoana promove um grande evento, no Teatro Deodoro, para empossar a diretoria do Bloco Feminino pró-Fernandes Lima. Os cargos foram assim distribuídos: presidenta: **Elza Prado;** vice-presidenta: **Marietta Lages;** primeira-secretária: **Marina Costa;** segunda-secretária: **Aracy Lima;** tesoureira: **Olívia Marroquim.**

É importante ressaltar que constava da publicação lançada durante o evento, ao lado do nome de cada uma das integrantes da diretoria, a referência ao consorte ou pai: fulana de tal, consorte do engenheiro tal, fulana de tal, filha do empresário tal; maneira usual na época para identificar a importância daquela senhora, demonstrar que foi autorizada pelo marido ou pai e dar legitimidade e força política à iniciativa.

A oradora do evento, senhorita **Francisquinha Maia,** arrancou muitos aplausos entre os presentes ao afirmar enfaticamente: **"... Nós aqui estamos para defender um direito que nos pertence. Aqui estamos para cumprir um dever que nos é sagrado, uma grandiosa missão que é inteiramente de nossa alma e do nosso coração. (...) Dizem por aí que o Bloco Feminino nada pode porque não vota. Nós não somos eleitoras, mas podemos fazer eleitores". "... desde os tempos primitivos da história da humanidade, quando a civilização não iluminava ainda a consciência dos homens, as leis bárbaras já exaltavam a supremacia da mulher, considerando-a como creadora dos guerreiros."**

O candidato apoiado pelas mulheres foi eleito e reeleito, permanecendo no poder até junho de 1924.

Um panorama sobre as mulheres

As filhas das famílias ricas do meio rural permaneciam submetidas à regra dos casamentos arranjados. Fugir a essa regra era considerado uma rebeldia imperdoável. Porém, roteiro de socialização para se chegar ao casamento começou a envolver cada vez mais a participação em festas e reuniões sociais. E o estudo em boas escolas – muitas vezes em outros estados como Pernambuco ou Bahia – foi se tornando uma questão de status e estratégia para obter um bom casamento. Estas foram brechas que possibilitaram às mulheres da elite maiores chances de escolha sobre o próprio destino.

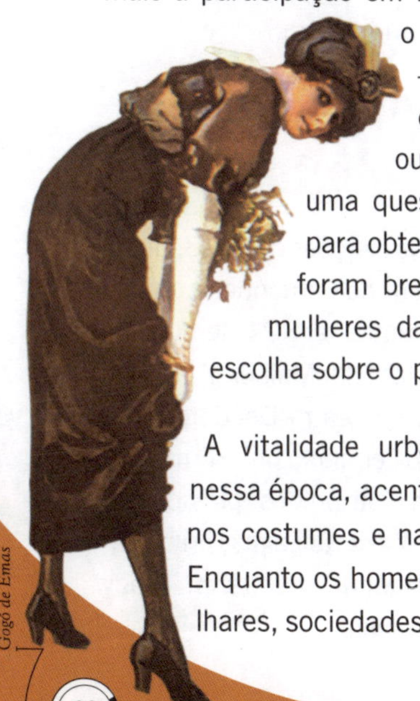

A vitalidade urbana adquiriu grande força nessa época, acentuando a influência européia nos costumes e na dinâmica da vida cultural. Enquanto os homens andavam pelos cafés, bilhares, sociedades recreativas e dominavam os cenários da administração e do poder público, já se viam mulheres a passeio pelas confeitarias, presentes nas cenas culturais do Teatro Deodoro e atuando em serviços e técnicas modernas como a fotografia e o cinema, que chegaram a Maceió na primeira década do século XX.

Nessa "belle époque" nordestina, mulheres das elites urbanas acompanharam a moda na maneira de se vestir e em certas ousadias no corte de cabelo ou no tom da meia de seda, o que escandalizava os homens e era motivo de conflito nos lares.

Mas a ampliação dos espaços urbanos de convivência, para as mulheres, não se resumiu à futilidade. O ambiente urbano foi sendo povoado pelo gênero feminino na luta pela sobrevivência: professoras, costureiras, lavadeiras, parteiras, quitandeiras, quituteiras africanas que enchiam as ruas com o colorido de seus trajes exuberantes.

Às vésperas da Revolução de 30 despontaram no mundo público as primeiras feministas alagoanas, heroínas da luta contra o preconceito e defensoras da cidadania das mulheres.

Alagoas estava preparada para aceitar mulheres na política?

A Constituição Republicana de 1891, à semelhança da Constituição do Império, não reconhecia, como tampouco negava às mulheres o direito de ser votada e de votar, símbolo máximo da cidadania.

O que a lei dizia era que não podiam votar as pessoas analfabetas, os mendigos, os soldados e religiosos. O voto era facultado aos maiores de 21 anos e com curso superior. Como era negado às mulheres o acesso ao ensino superior, acabavam se juntando ao grupo de excluídos.

Para as mulheres o voto foi uma conquista lenta, fruto de árdua luta empreendida por representantes da elite e classes médias instruídas, às quais vieram se somar as líderes alagoanas quando o estado acertou seu passo com os avanços culturais e sociais do início do século XX.

Gogó de Emas

As mulheres nos xangôs de Alagoas

Já era noite naquele 1º de fevereiro de 1912, quando as ruas de Maceió presenciaram um dos mais violentos episódios de que foram vítimas os chamados cultos afro-brasileiros de Alagoas.

O acontecimento, que ficaria conhecido como "quebra-quebra", culminou com a invasão e destruição dos principais terreiros de Xangô – expressão pela qual os cultos afro-brasileiros são conhecidos nos estados de Pernambuco e Alagoas –, resultando na debandada dos pais e mães-de-santo de Maceió para outras localidades próximas e até para estados mais distantes.

O episódio teve início nas primeiras horas daquela noite, quando um grupo de rapazes, na sua grande maioria empregados do comércio, concentrou-se em frente ao número 311 da rua Pernambuco Novo, no bairro da Levada, sede da Liga dos Republicanos Combatentes e residência de Manoel Luiz da Paz, seu presidente. Era essa associação, misto de guarda civil e milícia particular, que dava suporte físico à campanha de estilo persecutório contra o governador Euclides Malta.

A trupe que integrava a Liga há dias vinha alarmando os moradores da capital, principalmente os correligionários do Partido Republicano, chefiado por Euclides Malta, distribuindo boletins insultantes pela cidade, fechando repartições públicas, perseguindo e vaiando cidadãos respeitáveis nas principais ruas do centro e invadindo residências, forçando assim, seus proprietários e familiares, a fugas constrangedoras pelos fundos das casas. Situação ocorrida inclusive, no próprio Palácio dos Martírios, sede oficial do governo.

Naquele final de semana em especial, o bairro da Levada estava mais movimentado do que em outros dias, não só pela aproximação do carnaval mas também porque era a época de uma das mais tradicionais festas promovidas pelos terreiros de Maceió, a festa de Oxum, cuja data coincidia com o dia da Imaculada Conceição, celebrada nos principais templos católicos da capital.

Enquanto os diversos clubes carnavalescos acertavam os últimos acordes, outros sons se faziam ouvir pelo bairro naquele fim de semana. Eram os ritmos africanos tirados dos atabaques e confundindo-se com o som dos maracatus, que todo ano marcavam presença no carnaval de rua de Maceió, apesar da antipatia que inspiravam na elite.

Um dos lugares de onde partia aquela "zoeira", era a casa de **Tia Marcelina**, o mais antigo terreiro de Maceió, segundo Duarte (1974), localizado na rua Aroeira, imediações da atual praça Sinimbu e, segundo se dizia, freqüentado por Euclides Malta no auge da campanha polêmica da qual era às vezes vítima, às vezes algoz. Nesse terreiro trabalhava, noite e dia, o seu Xangô-bomim, para livrá-lo dos inimigos que queriam destituí-lo do poder.

Onde se "deitava o santo" e também se deitava quem não tinha nada de santo

Tia Marcelina

Segundo o Jornal de Alagoas, nas edições publicadas entre 4 e 8 de fevereiro daquele ano, era comentário corriqueiro na ocasião que Euclides Malta quando ia lá não aparecia na sala, onde as outras pessoas, à espera da audiência, permaneciam, pois dispunha de um quarto exclusivo onde, além dos serviços religiosos, outros favores menos espirituais e mais mundanos lhe eram prestados. Euclides Malta, segundo as más línguas, teria à sua disposição uma jovem filha de santo, "que era sacrificada" a Ali-babá, o ídolo da animação e do prazer em forma de menino.

Diz um jornalista da época que as cerimônias religiosas tiveram início ainda pela tarde daquele 1º de fevereiro. Marcelina – que, de acordo com Duarte (1974), gozava de enorme respeito e estima, representando uma espécie de Menininha do Gantois – negra robusta, trajava vestes vermelhas e brancas, cores de Xangô, seu orixá, além de vários rosários de contas no pescoço, contrastando com as demais filhas de santo que, em homenagem à entidade festejada naqueles dias, vestiam-se de amarelo e traziam nos braços e pescoços muitos adornos dourados. A obrigação teve inicio com uma espécie de oração que precedia todas as sessões realizadas em casas desse tipo, acompanhadas do toque do adjá, pequena campa trabalhada em zinco e cobre, que era agitado por Tia Marcelina sobre a cabeça dos devotos. À medida que a reza se desenvolvia, os filhos de santo se organizaram em círculo e, no momento seguinte, já obedeciam ao toque dos ilus, ingomes, ganzás e agogôs que marcavam o ritmo das danças e cantorias.

Aproximadamente às 11 horas da noite, cerca de 500 pessoas invadiram o recinto. Móveis e utensílios foram destruídos, enquanto outros tantos paramentos e insígnias usados nos cultos foram arrastados para fora do terreiro e arderam na grande fogueira ali armada.

Na confusão, alguns dos filhos de santo fugiram, mas os que permaneceram sofreram toda sorte de violência física, sendo a mais prejudicada a própria mãe-de-santo, que veio a falecer dias depois em função de um golpe recebido na cabeça. Relatos da época informavam que a cada chute que levava, Tia Marcelina gemia para Xangô ("eiô cabecinha") a sua vingança e que, no outro dia, a perna do agressor foi secando, até que "ele mesmo secou todo", conforme informação recolhida pelo professor Luiz Sávio de Almeida junto a um antigo pai de santo.

Outras casas foram invadidas na mesma noite, como o terreiro do famoso Manoel Coutinho, pai-de-santo dos mais afamados de Maceió, um dos poucos, juntamente com Manuel Guleiju, a receber a Coroa de Dada, irmão mais moço de Xangô, importante distinção do rito nagô transmitida por Tia Marcelina, que a adquirira originalmente na África, onde nascera. Entre os mais de "30 focos de bruxaria destruídos pela Liga", apenas os terreiros de Tia Marcelina e o de **Maria da Cruz**, mãe de santo da nação Ijexá, situado numa afastada área do centro da cidade, o Frechal de Cima, eram dirigidos por mulheres.

Uma inquisição nas Alagoas

Até o episódio de destruição, acredita-se que essas casas de xangô se beneficiassem do apoio do governador do estado, razão pela qual eram raras as notícias na imprensa a registrar a prisão de pais e filhos-de-santo. Um dos poucos registros refere-se a **Maria Tereza de Jesus**, a Bico Doce, cuja detenção no distrito do Alto do Jacutinga ocorreu no dia 24 de abril de 1904, três dias depois que o governador Euclides Malta, alegando problemas de saúde na família, transferiu temporariamente sua residência para aquela localidade. Na nota do jornal, intitulada "Feiticeiros e feiticeiras no Alto do Jacutinga", Maria Teresa é apresentada como "vidente e curandeira, ledora dos destinos humanos, que desmancha e faz casamento, n'um esfregar de olhos (...) mestra de Maracatu, solenidade que se efetua quando há necessidade de falar com o pai, que é o nome da divindade aceita pela gíria boçal dela e de seus freqüentadores. A Casa estava cheia de crentes e é ornada de búzios, de latas, de cabeças (osso) e quanta coisa sugestiva pode obter aquela gente ignara e parva."

Na ocasião, o capitão Braz Caroatá "pôs termo àquela joça", mandando para a cadeia 13 devotos, sendo sete homens e seis mulheres, entre as quais a célebre Maria Bico Doce.

Festa para todos os santos e santas

Um exemplo da diversidade de cultos e eventos religiosos que aconteciam na cidade pode ser encontrado no jornal A Tribuna, que, até 1909, anunciava a comemoração de Nossa Senhora dos Prazeres, padroeira da diocese, entre os dias 16 e 24 de abril, embora hoje seja festejada entre os dias 18 e 26 de agosto. Segundo Gonçalves Fernandes em Sincretismo religioso no Brasil, em Maceió, no terreiro do babalorixá "Padre Nosso", que visitou em junho de 1939, essa santa guerreira corresponderia, no panteão africano a Oba, coincidentemente ou não, uma das esposas de Xangô.

Também nesse dia se celebrava, no bairro da Levada, a festa de Nossa Senhora das Graças, enquanto na igreja matriz Mãe do Povo, no bairro do Jaraguá, da qual também era padroeira, ocorria entre os dias 24 de janeiro e 2 de fevereiro. Interessante constatar que, além de todas essas comemorações, a festa de São Gonçalo, que tinha no subcomissário do alto do Jacutinga, o mesmo capitão Brás Caroatá, seu principal organizador, naquele ano de 1904 coincidiu com a data das detenções.

No caso de Bico Doce – provavelmente uma casa de Xangô tradicional, haja vista a referência ao ritual da camarinha, em que "rapariguinhas" passavam dias recolhidas completando o ritual de iniciação –, o funcionamento do terreiro provavelmente contava com a aquiescência dessas autoridades, tendo sofrido "a reprimenda" porque talvez seus tambores estivessem incomodando o sossego que a família de Euclides Malta buscou no bairro.

Memórias do cárcere

Se o registro da participação das mulheres na história das Alagoas é, na maioria das vezes, escasso, o mesmo não se pode dizer das alagoanas negras em outro âmbito: o policial.

Apesar do quebra-quebra nos terreiros ter ocorrido em 1912, há muito as mulheres negras e pardas envolvidas com os Xangôs, ao lado daqueles considerados "elementos das classes perigosas" – vagabundos, gatunos, prostitutas e jogadores –, eram alvos de "detenções para averiguação policial", como indicam as relações nominais apresentadas pela coluna "Notas Policiais" e publicadas pelo jornal A Tribuna a partir de 1903.

Uma idéia do motivo "indefinido" dessas detenções femininas pode ser verificada na edição de 11 de março de 1902, onde se lê: "O zeloso subcommissário de polícia do Alto da Jacutinga fez antehontem uma limpa em seu distrito policial, prendendo os seguintes indivíduos que viviam (...) em uma jogatina desbragada, alguns dos quais são conhecidos e desordeiros: Ricardo Mathias dos Santos, (...) Pedro Manoel Meneguba, (...) José Gomes Barbosa por desconhecidos), Francisco Lourenço dos Santos,Manoel Agostinho do Nascimento (por desobediência) e **Guilhermina Maria da Conceição**, que foi presa para averiguações policiais."

Muitas das acusadas, além da pecha de vagabundas, eram também rotuladas dentre outras coisas de "messalina, horizontal, vadia, meretriz, mulherzinha da pá virada e mulher de vida livre", como forma de diferenciar a detenção da praticada contra o sexo masculino.

Quando, entretanto, esses "adjetivos" não justificavam as detenções, recorria-se a outras motivações, como embriaguez, ofensas à moral pública e distúrbios, fato ilustrado pelas edições de 8 e 18 de julho de 1903 de A Tribuna: "Foram recolhidas a este estabelecimento pelo sub-commissário do Alto do Jacutinga, **Belarmina Maria da Silva**, **Clemência Maria da Conceição**, **Maria da Costa** e sua irmã **Joaquina da Costa** (gongá), sendo a primeira para averiguações policiais e as três últimas por vagabundas, turbulentas e offensas a uma senhora viúva (...) **Benedicta Maria da Conceição** por vagabundagem e embriaguez, **Cyriaca Maria dos Prazeres**, por offensas ao inspector do quarteirão e **Maria Luiza da Conceição** por turbulenta."

Enquadradas nessa categoria de ilícito, e por isso também sujeitas à "averiguação policial", estavam ainda as acusadas de feitiçaria, como encontramos em maio de 1901 e abril de 1904 também na Tribuna. A primeira nota refere-se a "**Santina de tal**, detida em flagrante exercício da feitiçaria que residente na Estrada Nova, foi denunciada ao sub-commissário do 2° distrito de Jaraguá, nosso amigo Pedro Coruripe, de que por meio de feitiço vive constantemente explorando aos incautos, a ponto de comprar objetos por menos do seu valor, dizendo estarem emprestados de feitiçaria. Assim o fez trás-antehontem comprando por 10$000 uma cama de 50$000, pertencente a uma pobre mulher vizinha. Aquela autoridade mandou detel-a na casa de Detenção".

O curioso da situação é que quanto maior o interesse popular pelas prisões, maior era o detalhamento dos fatos nas páginas dos jornais. Pode-se perceber também, através da coluna "Casa de Detenção", de abril de 1904, o aumento gradual e sistemático das representantes do sexo feminino "chamadas à presença" dos subcomissários "para averiguações policiais". As referências à participação das mulheres nessa modalidade religiosa, como nos demais campos da vida social, são escassas, só podendo ser resgatadas através de pequenas notas nos jornais e na crônica local, o que permite supor que grande parte das mulheres – identificadas pela cor ou pelo tipo de atividade econômica exercida, em que a associação com a África é patente – pertencesse às casas de culto e fosse de ascendência escrava, portanto sem ocupação definida ou trabalho formalizado.

Negras do tabuleiro

Felix Lima Júnior (1976), dentre os cronistas alagoanos que se voltaram para a vida social em Maceió nos primeiros anos do século XX, é o mais enfático com relação à participação feminina negra. Em alguns trechos de sua obra, essas mulheres aparecem com o monopólio do comércio ambulante, mais especificamente a venda de quitutes. Segundo Lima Júnior, "À sombra das gameleiras do aterro do Jaraguá (...) as baianas, as velhas negras da Costa, com suas saias rendadas, cabeções brancos, bem engomados, vendiam vatapá e caruru(...) Em Jaraguá (...) a preta **Balbina**, sentada na calçada do primeiro prédio do beco da Estrela – início da atual rua Comendador Leão – fazia concorrência a **Maria Rosa**, vendendo seu apreciado 'Ribacão' ou 'arribação'. Caixeiros, estivadores, trapicheiros, empregados dos armazéns de açúcar e de estivas fartavam-se da comida modesta e apetitosa (...) Explorando o mesmo ramo, a **Babaré**, negra velha, africana legítima, quase centenária, vendia, de 1 às 4 da tarde (...), na Estação Central, arroz de coco, vatapá, caruru, além de siris, camarões, sururus ensopados em leite de coco. Quantas vezes, antes de partir o trem de Quebrangulo, já estavam vazias as grandes panelas dos comestíveis apreciados, vendidos por preços módicos, e duas ou três quartinhas com água fresca, trazidas especialmente para agradar a freguesia. (...) **Sinhá Rufina**, no beco das pedras, vendia cuscuz, tapioca e angu. **Tia Joana** e **Tia Balbina**, também vendiam ribacão na rua do Amorim, perto da Igreja de Nossa Senhora Mãe do Povo, em Jaraguá. (...) Em algumas casa – assinaladas por uma lanterna de papel de seda, vermelho, presa à porta ou à janela, nas ruas do Sopapo, do Verde, do Asilo do Quartel, da Santa Cruz, no Reginaldo, no Beco da Baiana, na Ladeira do Brito – vendiam, geralmente nas noites de sábado, saboroso mungunzá. Uma preta velha, com um pano branco à cabeça, pés descalços (...) servia os fregueses sentados juntos às mesas de madeira forradas com pano branco ou toalha bordada. (...) À tardinha, a preta **Florinda,** de boca funda pela falta de todos os dentes, sempre muito esmerada, com sua saia de roda e seu orgulhoso xale de quadradinho atravessado ao ombro, como as baiana, vendendo queimadinha, conduzida num tabuleiro muito asseado, coberto com alvíssima toalha bordada. Um filho de Florinda ocupava posição destacada e era figura de prestígio e projeção intelectual na Província. Solicitava à velhinha que não saísse à rua vendendo seus doces: ele tinha recursos para sustentá-la. Nunca foi atendido, pois sua mãe dizia que sempre trabalhara para viver. "(...) À tardinha e à noite, nas esquinas, negras vendiam em tabuleiros de madeira, cobertos com toalhas alvíssimas, iluminados por um 'mexeriqueiro' de folha de Flandres, cuscuz, tapioca, beijus, roletes, farinha de milho, siris cozidos, batatas, doces, pipocas, milho verde assado ou cozido, cocada de coco verde, goiabas, (...)."

"Negras velhas da costa", "africanas legítimas" que, com suas "roupas alvíssimas", "saias rendadas e bem engomadas" e "xales da Costa", remetem-nos à tradição africana, que se preserva alheia ao progresso e ao crescimento da cidade. O enaltecimento dessa africanidade, tal como aparece na obra de Lima Júnior, foi fruto de um esforço iniciado em fins da década de 50.

Quanto às notícias na imprensa e ao tratamento dado ao tema das religiões afro-brasileiras, em pouquíssimas situações faz-se referência à atuação feminina. Um dos casos exemplares é o que foi narrado pelo jornal A Tribuna, em 1905, no caso "um despacho de um galináceo, de cor branca, aberto pelo meio e com as vísceras extraídas, realizado numa das ruas mais movimentadas da cidade, localizada nas proximidades do Palácio do Governo". Apesar de não se referir à cor da responsável pela situação, uma "mulher vendeira, de nome Praxedes, a qual, armada de uma pequena taboa, começou a estrangular aquela traquitanda", duas das pessoas, entre outras tantas que se aglomeraram para assistir o ritual, foram identificadas como "as pretas de cesta que transitavam para o mercado", e que esclareceram ao jornalista tratar-se "aquilo de muzunga".

Toque de recolher

Após aquele 1° de fevereiro, os atabaques na cidade emudeceram, ausentes, inclusive, da exposição dos despojos recolhidos durante a devassa aos terreiros, realizada na sede da Liga dos Republicanos Combatentes, rua Pernambuco Novo.

A partir de então deixou-se de ter notícia da presença de maracatus nos carnavais de Maceió, pois seus mestres, confundidos com os babalorixás dos terreiros perseguidos, saíram da cidade. As manifestações populares, integradas por negros, passaram a ser vistas com certa desconfiança, principalmente os Xangôs, e, embora tenham continuado a se realizar, eram praticados de uma maneira mais discreta, reservada e sem a exuberância de outrora, que se convencionou chamar de "Xangô rezado baixo", por dispensar o uso de tambores e zabumbas. Esse modelo de culto predominou durante anos na capital de Alagoas.

Fora-se assim o tempo das festas ostensivas e ruidosas, realizadas em latadas armadas na frente dos terreiros e enfeitadas de folhas de taioba, que faziam a alegria das velhas africanas que vendiam feijão com arroz e azeite de dendê no mercado municipal. Ninguém podia suspeitar do que se passava no interior daquelas casas simples, de arquitetura tosca e fachadas humildes, mas que conservavam em suas salas apertadas um rico oratório trabalhado em madeira, guardando "imagens inofensivas de santos católicos" aos quais os fiéis consagravam orações em língua africana. Cultos que se realizavam, sem música, danças ou toadas, como uma novena comedida, numa sala de visitas acima de qualquer suspeita, sem a presença dos objetos litúrgicos que sempre foram a marca desse tipo de cerimônia.

Mãe Netinha:

"Se você está bem pense em mim e se não está você me procura".

Laura Maria da Silva – mais conhecida como **Mãe Netinha** –, filha do sapateiro João Mota da Silva e da costureira Amália Maria Ferreira, nasceu em Maceió, sendo registrada apenas aos 11 anos de idade, em 6 de novembro de 1921.

Aos 93 anos, recorda que por volta de 1860 chegaram ao Nordeste três escravas que mais tarde teriam grande importância na história do candomblé no Brasil. Uma delas, **Tia Escolástica**, indo para a Bahia, tornou-se mãe de "Mãe Menininha". A segunda escrava, da qual não lembra o nome, foi para Sergipe, tornando-se mãe de "**Mãe Nanãn**". A terceira foi **Tia Marcelina Quirino da Costa**, que veio para Alagoas, e era tia do avô de Mãe Netinha. Tia Marcelina foi quem abriu a primeira Casa de Xangô, em Maceió – na praça Sete de Setembro.

Laura Maria ganhou o "apelido" de Netinha por ser a única mulher numa família de muitos netos homens. Apesar de conviver numa casa de fortes tradições religiosas, na adolescência recusava qualquer envolvimento com a religião. Em determinada ocasião, "apareceu com barriga d'água" e a mãe a curou jogando búzios. Assim mesmo Laura continuou negando-se a se envolver espiritualmente. Em outra ocasião, a doença manifestou-se novamente e mais uma vez a mãe a curou com rituais da religião africana.

Quando tinha cerca de 13 anos, precisou fazer uma oferenda a Oxum. Durante o ritual, em que precisou entrar em um rio com traje cerimonial, repetindo a oração que aprendera com a mãe, "apareceu" um arco-íris à sua volta, na água, e desde então "muita coisa mudou na sua vida". Com mais ou menos 18 anos "deu a cabeça" e passou a ajudar os pais no terreiro, até que estes viessem a falecer e as responsabilidades passassem para o irmão mais velho, Hildebrando, sendo depois transmitidas ao irmão Arsênio e a ela.

Quando Arsênio morreu, por volta de 1970, Mãe Netinha assumiu sozinha o Centro Africano Nossa Senhora do Carmo – Casa Nagô –, nome da nação que segue. A tata voducê ("mãe avó" em iorubá), chamada de ialorixá, tem três filhos, duas mulheres e um homem.

Em 1998, com apoio da Secretaria Estadual de Educação, fundou a Escola Nossa Senhora do Carmo, anexa ao Centro, no bairro Jacintinho, que atende durante o dia a cerca de 50 crianças carentes entre seis e oito anos, responsabilizando-se pelo salário da professora, merenda e material didático. À noite desenvolve o projeto Saber, de educação de jovens e adultos. Atualmente, Mãe Netinha é diretora de honra, sendo responsável pela escola, sua filha mais velha, **Luandê**.

Mãe Netinha, uma das mais famosas e respeitadas figuras do Xangô alagoano, participou e participa de vários encontros espíritas e do Congresso Internacional sobre Religiões Africanas. Em 16 de julho de 2003, comemorou 80 anos de seu Oxum.

Luandê

Os sacrifícios, embora mantidos como etapa fundamental na abertura, eram agora realizados como uma atividade doméstica, isso porque, no lugar da imagem de Exu – sobre a qual anteriormente era despejado o sangue do animal morto –, agora era um simples prato de sopa que aparava o liquido derramado.

Excluiu-se também a possessão. A mediunidade aparente foi suprimida em favor de um sentimento contido que dispensa manifestação. Restaram as orações sussurradas, acompanhadas de palmas discretas, como se tanto crentes como orixás tivessem vergonha de ainda precisarem se cruzar em situação tão vexatória.

Novos tempos

Essa transformação pela qual passou o cerimonial religioso pode ser observada nos depoimentos dos pais e mães-de-santo mais antigos de Maceió, nas informações apresentados por Fernandes (1939) e nas notas escritas pelo jornalista Oseas Rosas em matéria publicada no Jornal de Alagoas, em 1959, quando a questão da perseguição aos terreiros ressurge e se torna uma referência básica nos estudos sobre Xangô em Alagoas. Segundo esse jornalista, até aquela data funcionavam em Maceió 39 terreiros, em sua maioria comandados por mulheres como **Balbina Costa, Maria Angola, Lucrecia Lima, Josefa Vilela,** entre outras. Esses centros, por terem sofrido a interferência de outros troncos culturais, já não preservavam as "qualidades positivas" de outrora, razão pela qual, talvez, tenham desaparecido. A mesma impressão é compartilhada por outro jornalista alagoano, que em 1966 escreve um ensaio sobre a Umbanda em Maceió, intitulado "Tambores em Ponta Grossa", no qual chama a atenção para o sincretismo como forma de deturpação de manifestações mais tradicionais.

Depois disso, infelizmente, o cuidado de identificar terreiros e seus responsáveis parece estar ausente dos estudos desenvolvidos sobre o assunto em Alagoas. O relatório apresentado pelo Núcleo de Estudos Afro-Brasileiros da Universidade Federal de Alagoas em 1987, acerca do projeto "Mapeamento dos sítios e monumentos negros de Alagoas", apesar de apontar a quantidade de terreiros existentes no estado e na capital, não faz uma única referência aos seus líderes.

O envolvimento "de políticos e ilustres" da sociedade alagoana com os terreiros, traço marcante da cultura local, pode ser testemunhado por Laura Maria da Silva, uma das mais antigas mães-de-santo ainda em atividade em Maceió. Também conhecida como **Mãe Netinha**, controla desde 1976 as atividades do centro africano Nossa Senhora do Carmo, casa nagô existente desde os tempos de seus pais, **Amália Maria Ferreira** e João Mariz da Motta.

Outra significativa testemunha dessa estreita relação entre poder e terreiros é o relato de **Pastora Maria da Silva**, cuja casa era freqüentada, entre outros, por Silvestre Péricles, ex-governador de Alagoas "Ele ia na minha casa e muitas vezes mandava o empregado dele, S. Bernardo, me lembro como hoje. Ia me buscar na minha casa, com meu esposo, pra eu jantar lá no palácio com a **D. Constancia**, mãe dele. Eu era uma pessoa muito feliz, graças a Deus, e ainda hoje sou. O Silvestre Péricles perseguiu muita gente aqui. Perseguiu muito. A mim graças a Deus... Ele dizia mesmo, dizia em voz alta que ele era todo nervoso: 'a única pessoa que vai ficar trabalhando aqui dentro de Maceió e em todo o estado de Alagoas é a D. Maria Pastora'."

Texto extraído da tese de doutorado "Operação Xangô: Um estudo da perseguição às casas de culto de Alagoas", do antropólogo Ulisses Rafael, professor substituto do Departamento de Ciências Sociais da Universidade Federal de Sergipe.

Almerinda Farias Gama - primeira mulher delegada eleitoral

Direito ao voto: uma luta que durou 51 anos

O inconformismo das mulheres diante dessa situação já vinha sendo manifestado através da imprensa feminista nascida no Império, cuja Constituição não diferia muito da republicana sob esse aspecto. Em 1881 – portanto oito anos antes da proclamação da República – uma nova lei do Império trouxe novidades nesse âmbito. Foi a Lei Saraiva, que ampliou o direito ao voto para as pessoas com título científico, cujas profissões não dependiam do diploma universitário mas exigiam um certificado prático.

A Lei Saraiva foi imediatamente acionada por mulheres profissionais de áreas técnicas para tentar obter o certificado de alistamento eleitoral. Diante de tantas iniciativas, a Justiça começou a ter problemas para justificar uma recusa. Assim, já no momento da elaboração do Regulamento Eleitoral para a formação da Assembléia Constituinte (1891) o ministro do Interior fez constar a proibição do voto feminino, manifestando assim que o masculino genérico presente na Constituição do Império não incluía as mulheres, pelo menos no tocante ao voto. Esse ato arrefeceu a causa, mas não esmoreceu o espírito combativo das sufragistas.

Em 1910, a professora baiana **Leolinda Daltro** juntou-se a outras sufragistas para fundar o Partido Republicano Feminino, no Rio de Janeiro, numa verdadeira "afronta" que reacendeu o debate sobre o voto feminino no Congresso e na sociedade. As idéias sufragistas já encontravam receptividade nos meios urbanos, onde estavam presentes correntes de opinião mais abertas à inclusão não somente das mulheres, mas de outros setores, como os negros e negras, alijados da participação política.

As mulheres não estiveram, entretanto, sozinhas nessa briga, uma vez que homens "de visão", como políticos, artistas e intelectuais, uniram-se a elas na consumação dessa conquista. Um bom exemplo de envolvimento com essa causa, foi a atitude do constituinte baiano César Zama, que, na sessão de 30 de setembro de 1890, durante os trabalhos de elaboração da primeira Constituição republicana, defendeu o sufrágio universal.

Logo no ano seguinte, lembrava Almeida Nogueira, na sessão de 2 de janeiro de 1891, que não só não havia legislação que restringisse o direito ao voto feminino, como o próprio projeto da nova Constituição também não cerceava esse exercício cívico. Foi na ocasião, acompanhado por Lopes Trovão, que pronunciou-se em favor da causa sufragista, julgando a providência uma tardia reparação.

Óbvio, porém, que nem todos partilhavam dessa "visão progressista", caso de Lauro Sodré e Barbosa Lima. Um exemplo "da força dos contrários" ocorreu no primeiro dia do ano de 1891, quando 31 constituintes, entre os quais Nilo Peçanha, Érico Coelho, Índio do Brasil, César Zama, Lamounier Godofredo e Fonseca Hermes, assinaram emenda ao projeto de Constituição, de autoria de Saldanha Marinho, conferindo o voto à mulher brasileira. A pressão contrária revelou-se tão intensa que Epitácio Pessoa, dez dias depois, retirou seu apoio.

Na sessão de 27 de janeiro de 1891, ocasião em que Ruy Barbosa e o barão do Rio Branco manifestaram-se em defesa da igualdade política dos sexos, o deputado Pedro Américo, inconformado com o ocorrido, dirigiu-se ao plenário destacando a contradição parlamentar: "A maioria do Congresso Constituinte, apesar da brilhante e vigorosa dialética exibida em prol da mulher-votante, não quis a responsabilidade de arrastar para o turbilhão das paixões políticas a parte serena e angélica do gênero humano", ao que Coelho Campos retrucou: "É assunto de que não cogito; o que afirmo é que minha mulher não irá votar".

Somente em 1917, o deputado Maurício de Lacerda, apresentou emenda alterando a lei eleitoral de 1916, sugerindo a inclusão do alistamento das mulheres maiores de 21 anos. Rejeitada pela Comissão de Justiça, foi considerada inconstitucional pelo relator Afrânio de Mello Franco, que aproveitou a oportunidade para afirmar: "As próprias mulheres brasileiras, em sua grande maioria, recusariam o exercício do direito de voto político, se este lhes fosse concedido." Lacerda, entretanto, persiste em seu propósito, reapresentando a emenda em 1920, que, posta em votação pelo plenário da Câmara Federal, acaba sendo mais uma vez rejeitada.

No ano seguinte, projeto de lei de autoria dos deputados Octavio Rocha, Bethencourt da Silva Filho e Nogueira Penido receberia parecer favorável do relator deputado Juvenal Lamartine de Faria, sem entretanto, mais uma vez, produzir resultados concretos. O mesmo ocorreu com o projeto de lei n°247, apresentado pelo deputado Basílio de Magalhães em dezembro de 1924.

Entra em cena Bertha Lutz com a Federação Brasileira para o Progresso Feminino

Em 1918 a bióloga paulista Bertha Lutz retornava de seu período de estudos na Europa; tinha 24 anos e estava fascinada por ter testemunhado a luta das sufragistas inglesas. No Rio de Janeiro, pôs-se imediatamente a escrever artigos para os jornais buscando reunir mulheres em torno da criação de uma organização de sufragistas, dando origem assim à Federação Brasileira para o Progresso Feminino (FBPF), fundada 1922.

Influenciada também pela experiência das mulheres norte-americanas, a FBPF organizou, no mesmo ano de sua fundação, o I Congresso Internacional Feminista, para o qual foram convidadas lideranças nacionais e internacionais.

A Federação foi uma organização apartidária e com uma estrutura interna elitista e centralizadora. Suas principais líderes tinham origem em famílias com título de nobreza, ou eram filhas de empresários da indústria nascente, de bacharéis de direito, engenheiros, médicos, militares de alta patente, políticos e intelectuais. Com esse perfil, a organização manteve-se fiel à estratégia de emancipação das mulheres, estimulando a organização de associações profissionais e incentivando a criação de braços da própria federação em outros estados.

A FBPF tornou-se o núcleo mais importante de luta organizada pelo voto feminino, com uma estratégia voltada para a imprensa e para as casas legislativas e adotando um perfil legalista de ação, sem arvorar-se a questionar as estruturas de poder.

Nova proposta de lei reacende o debate

Em 1919, o parlamentar Justo Chermont apresentou um projeto favorável ao sufrágio feminino, que tramitou até 1927. Em sua defesa a FBPF tinha como aliado o parlamentar potiguar Juvenal Lamartine, relator do projeto na Comissão de Constituição e Justiça. As sufragistas passaram a freqüentar com assiduidade os ambientes da Câmara e do Senado para fazer seu lobby. Mas nenhum avanço foi registrado e as leis terminaram engavetadas, tudo sob uma conjuntura internacional e nacional conturbada, que desembocou no Golpe Militar de 1930.

Quando o caudilho Getúlio Vargas assumiu o poder, a cúpula da FBPF buscou espaço político junto ao novo governo. Em 1931, para discutir os rumos da Federação, foi organizado no Rio de Janeiro o Segundo Congresso Internacional Feminista. Uma representante oficial do governo federal participou do evento, cujas conclusões foram encaminhadas ao presidente da República, que se comprometeu com a concessão do voto feminino. Esse compromisso foi cumprido em 24 de fevereiro de 1932, com a publicação do novo Código Eleitoral (decreto 21.076), depois de 51 anos de luta.

Em maio de 1933, na eleição para a Assembléia Nacional Constituinte, a mulher brasileira, pela primeira vez em âmbito nacional, votaria e seria votada, cabendo a primazia de ser eleita à médica paulista **Carlota Pereira de Queiróz,** primeira deputada brasileira, única mulher entre os 214 representantes do sexo masculino.

Almerinda Gama: uma negra alagoana na Federação

As primeiras eleições após a conquista do voto feminino foram para a Assembléia Nacional Constituinte de 1933. Visando dar apoio específico às mulheres na nova condição de cidadania, a Federação Brasileira para o Progresso Feminino criou a Liga Eleitoral Independente do Distrito Federal, estimulando a formação de ligas também nos estados.

Intensificou também articulações políticas com outros setores, incentivando, por exemplo, a formação de associações profissionais de mulheres com o objetivo de conquistar um espaço político na Constituinte para o segmento feminino. Foi assim que Bertha Lutz entrou em contato com a datilógrafa alagoana **Almerinda Farias Gama**, profissional consciente da discriminação sofrida pelas mulheres no mundo do trabalho. Bertha orientou Almerinda na criação do Sindicato das Datilógrafas e Taquígrafas do Distrito Federal, categoria que, embora inexperiente no campo da política, era numerosa, a ponto de ter peso para intervir no processo constituinte.

Almerinda Farias Gama foi indicada, na qualidade de presidenta do Sindicato das Datilógrafas e Taquígrafas do Distrito Federal, para ser delegada eleitora, compondo o grupo de representação classista dos trabalhadores na Assembléia Nacional Constituinte. Esse fato teve grande repercussão na imprensa, ficando famosa a foto da única mulher a colocar seu voto na urna no dia dessa eleição, 20 de julho de 1933.

Embora Almerinda tenha tido uma atuação destacada nos preparativos das feministas para a Constituinte de 1934, logo após o processo eleitoral afastou-se. Como afirmou em uma entrevista: **"Na FBPF pesava mais a voz das mulheres da elite, de pensamento pouco sensível aos problemas das mulheres trabalhadoras."** Almerinda ainda se candidatou pelo Distrito Federal, no pleito de 14 de outubro de 1934 que definiu a representação regular para a Câmara Federal e o Senado. Sua plataforma, divulgada em panfletos impressos, identificava-a como jornalista feminista e combativa, defensora dos direitos das classes trabalhadoras e do ensino obrigatório e gratuito de todos os brasileiros em todos os graus. Mas não conseguiu se eleger.

Já formada em advocacia, Almerinda participou da vida sindical até 1943, exercendo sua nova profissão e engajando-se na Associação de Escreventes da Justiça do então Distrito Federal.

Muitos lugares, muitas histórias, muita garra !!!

***Almerinda Farias Gama** nasceu na cidade de Maceió (AL) no ano de 1899. Negra, aos oito anos ficou órfã, indo viver com uma tia em Belém do Pará. Recebendo boa formação escolar, a menina logo se mostou amante da arte e das letras, estudando piano e formando-se em datilografia. Ainda jovem e cheia de sonhos, tornou-se cronista do jornal A Província de Belém, oportunidade que a colocou frente a frente com um mundo machista e dominado pelo preconceito racial.*

Casou-se então com um poeta paraense, com quem teve um filho, perdendo-o e enviuvando logo depois. Necessitando trabalhar para se sustentar, buscou emprego como datilógrafa e indignou-se ao ver que o salário anunciado, de 300 réis, era rebaixado para 200 se a contratada fosse mulher. Este foi, para Almerinda, o primeiro enfrentamento com um mundo ainda extremamente fechado para as mulheres com sonhos de ganhar o espaço público.

Aos 30 anos, em 1929, Almerinda decidiu transferir-se para a então capital federal, no Rio de Janeiro, onde logo construiu uma vida de trabalho e engajamento político. Em 1935 casou-se com um engenheiro e teve mais um filho. Ambos morreram, porém, algum tempo depois. Uma das últimas imagens de Almerinda foi obtida em 1991, quando foi entrevistada para um documentário em vídeo, em que impressionou por sua energia, vivendo com sua família adotiva em uma florida casa no subúrbio carioca. Aos 92 anos, Almerinda guardava consigo fotos, documentos e recortes de jornal que documentavam uma vida pessoal intensa. Permanecia ali seu piano, no qual ainda tocava composições próprias, no estilo das singelas valsinhas do inicio do século XX.

JORNAL DE ALAGOAS

Federação Alagoana
PELO
Progresso Feminino

Federação Alagoana para o Progresso Feminino

– primeira organização de mulheres no estado –

A capital alagoana fervilhava nos anos 30, e as feministas se juntaram à modernidade desse cenário, onde novas idéias e costumes vinham sendo cultivados em contraposição ao renitente conservadorismo da oligarquia rural, que não perdia status ou poder.

Delicadas professoras, ousadas jornalistas, escritoras, artistas e pioneiras recém-saídas dos bancos universitários, eis o perfil das mulheres que acolheram o movimento de expansão da Federação Brasileira para o Progresso Feminino (FBPF). Essa expansão acelerou-se após a conquista do direito ao voto, em 1932, e através de viagens a diferentes estados empreendidas por Bertha Lutz.

Em Alagoas a grande articuladora deste processo foi **Lilly Lages**, uma jovem de 24 anos, que acabava de se formar em medicina pela Universidade da Bahia. Como Bertha Lutz, Lilly vinha de uma família abastada e culta, que pôde proporcionar à única filha mulher (de uma prole de cinco) as melhores oportunidades de estudo, inclusive fora de Maceió. Sua estadia em Salvador foi uma oportunidade única de convivência com as líderes locais. Nesse período, Lilly apurou sua percepção sobre a importância da atuação política como estratégia para conquistar espaços públicos e combater os tabus e preconceitos, que colocavam a maioria das mulheres em situação de ignorância e submissão.

A Federação Alagoana pelo Progresso Feminino (FAPF) foi fundada em cerimônia solene em 13 de maio de 1932, no Salão Nobre do Instituto Histórico. Nessa sessão Lilly Lages foi eleita presidenta da organização; **Noêmia Lício,** presidenta de honra, **Franscisquinha Acioly**, vice-presidenta, e **Linda Mascarenhas,** primeira-secretária. Outras integrantes da diretoria foram **Baby Paes, Georgina Ramos Casado, Maria Alice Braga Neto, Hilda Calheiros, Miriam Lima, Flora Ferraz, Tarcília Araújo, Noêmia de Gusmão, Laura Quintella, Gertrudes Leão e Maria Calmon.**

As fundadoras definiram a organização como um espaço de atividade política, privilegiando ações educativas e culturais e dando ênfase especial às práticas de assistência social e sanitária. Em seu discurso de posse, intitulado "A nova mulher e o problema da infância", a primeira presidenta revelou preocupações com a mortalidade infantil e defendeu a criação de cursos de puericultura e economia doméstica no ensino secundário; de um "certificado de confissão sanitária" ou exame pré-nupcial obrigatório e o incentivo à amamentação, com forte crítica à prática do "aleitamento mercenário". Referiu-se a Campanha Abolicionista, especialmente em Alagoas, fazendo uma homenagem aos homens e mulheres que lutaram pela libertação dos escravos.

A parte cultural do evento ficou por conta da talentosa pianista **Esther Costa Barros,** da soprano **Elza Cavalcante Barboza** e das declamadoras **Maria Alice Netto, Dinah de Carvalho, Oscarlita Fonteslima e Amélia Pádua.**

O lançamento da FAPF ganhou destaque na primeira página do Jornal de Alagoas, em 17 de maio de 1932, com uma enorme e elogiosa matéria, segundo a qual: "Foi preciso lutar contra a indiferença de uns, contra a descrença de outras e até contra obstáculos creados pela má interpretação do termo "feminismo" – que algumas pessoas querem que signifique masculinização da mulher. Vencendo todos esses tropeços conseguiu Lilly Lages reunir um grupo de

Federação Lagense pelo Progresso Feminino

Em julho de 1935, Laurinda Mascarenhas apoiou a criação de uma sucursal da Federação Alagoana no importante núcleo agrícola de São José da Lage (AL), inaugurando-se a Federação Lagense para o Progresso Feminino. As fundadoras foram: ***Douraliza Figueiredo, Ocridalina Guimarães, Marieta Cassela, Madalena Guimarães, Alira Figueiredo, Zilda Moraes, Arlinda Prazeres, Esmeralda Gadelha, Ivanize Bezerra, Djanira Albuquerque, Nenen Loureiro, Leurides Braga, Yayá Barbosa, Maria do Carmo Lyz e Laura Figueiredo****, eleita presidenta e em cuja casa aconteciam as reuniões.*

A Federação Lagense esteve na raiz da Escola Noturna Rosa da Fonseca, que oferecia ensino gratuito para domésticas e operárias, mantinha uma biblioteca à disposição de suas sócias e promovia atividades lítero-musicais, publicando o Anuário Ilustrado Lage-Mulher. Além disso, organizava anualmente distribuição de roupas e remédios, oferecendo também informações sobre assistência médica.

A Federação foi integrando novas sócias, que mostraram o mesmo vigor em defesa da cidadania feminina: ***Josefa Maia Gomes, Isolina Soares, Maria José Barbosa, Julieta Miranda, Marieta Campos, Berta Nutels, Lucinha Santos, Maria Tola, Lídia Lopes, Irene Ferreira, Hercília de Oliveira e Francisca Macedo****, segunda presidenta da organização.*

senhoras e senhoritas dotadas de boa vontade para lançar a primeira pedra do grande edifício social que tem o fim de elevar a mulher brasileira ao nível do cidadão perante as leis, libertando-a do julgo dos preconceitos oriundos da falsa doutrina de que a mulher nasceu unicamente para ser esposa, mãe e escrava."

Como presidenta da Federação Alagoana para o Progresso Feminino, Lilly Lages viajou ao Rio de Janeiro em outubro de 1933, participando da eleição para a diretoria central do órgão nacional. Nesta ocasião deu uma entrevista ao Jornal do Brasil ressaltando a importância da participação das mulheres na construção de novas leis para o país.

1934: Ano de intensa atividade

Federação acompanha processo Constituinte Nacional

Ao ser nomeada por Getúlio Vargas para compor a Comissão de Elaboração do Anteprojeto da Constituição de 1934, Bertha Luz tornou-se coordenadora da resistência nacional às ameaças de retrocesso que pairavam na Assembléia Constituinte, para a qual não conseguiu se eleger. A Federação Alagoana acompanhou de perto esse processo. Em abril de 1934 o jornal Gazeta de Alagoas noticiou o competente lobby que as alagoanas fizeram junto à sua bancada federal para derrubar uma proposta pela supressão do voto feminino. As mulheres conseguiram arrancar dos deputados conterrâneos: "o compromisso de votar contra qualquer emenda que venha suprimir os direitos políticos da mulher brasileira, que representa uma das mais belas conquistas da revolução de outubro".

Em junho, a FBPF promoveu em Salvador a II Convenção Feminista Nacional, com a presença de representantes das federações estaduais, em que se definiram formas de funcionamento e um estatuto a ser seguido por todas.

No mesmo mês, a Gazeta de Alagoas publicava carta da secretária nacional da FBPF, **Maria Sabina**, endereçada à dra. Lilly S. Lages, noticiando a vitória das mulheres na inclusão de várias emendas propostas à Assembléia Nacional Constituinte. Dessa forma, a Constituição de 1934 incorporou boa parte das reivindicações feministas, como a igualdade política; o direito de ocupar cargos públicos; a igualdade salarial; licença maternidade remunerada; medidas assistenciais às mães desvalidas e crianças; acesso das mulheres a cargos públicos; direção feminina de serviços assistenciais. A imprensa alagoana divulgou também carta de Bertha Lutz convocando todas as Federações Estaduais a promover "uma festa de exaltação às vitórias alcançadas pelas mulheres no presente momento político e a mesma denominar-se-á Festa da Vitória".

Ainda em 1934 a FAPF elegeu uma nova diretoria, permanecendo Lilly Lages na presidência, tendo

Alexina Soares** como presidenta de honra, Hilda Calheiros na vice-presidência e **Carmina Passos** como primeira-secretária, permanecendo Linda Mascarenhas na comissão fiscal. Outras mulheres engajadas nessa fase foram: **Maria Alice Netto, Ubaldina B. da Silva, Alice da Silva Rego, Maria Esther Sampaio, Maria Luiza Silveira, Celeste de Pereira, Adélia Cardoso, Arlinda Sá Guimarães, Inésia M. Mafra, Octavia Passos, Noêmia Mascarenhas, Esther da Costa Barros, Maristela Cavalcanti, Carmen Novaes, Dulce Wanderley e Antonietta Duarte.**

A FAPF engajou-se na Campanha contra o Analfabetismo lançada nacionalmente pela Embaixada Acadêmica Pró-Alfabetização do Rio de Janeiro. Foi promovido um evento marcante no Salão Nobre do Instituto Histórico de Alagoas, em 10 de março de 1934, que contou com a presença de lideranças de mulheres de outros estados. Em seu discurso Lilly Lages afirmou: **"... a verdadeira feminista, a mulher que luta e aspira, não pode e não deve mais ser encarada como o tipo tão decantado da sufragista de monóculo, bengalas e culotes. Aqui estão representantes da União Universitária Feminina do Rio de Janeiro, cheias de belezura e graciosidade. Núcleo onde se discute os mais relevantes assuntos, as mais sérias questões científicas por jovens médicas, advogadas, enfermeiras, engenheiras etc, cheias de feminilidade e graça ..."**

Alagoas elege a primeira mulher da sua história

Chegado o momento de elaborar a Constituinte Estadual, Lilly Lages candidatou-se à Assembléia, pelo Partido Social Democrático, abraçando a plataforma feminista. Em todo o Brasil, nove mulheres foram eleitas deputadas estaduais constituintes, sendo três delas nordestinas e ligadas à FBPF: **Maria Luísa Bittencourt** (Bahia); **Quintina Diniz de Oliveira Ribeiro** (Sergipe) e Lilly S. Lages (Alagoas), a última em 14 de outubro de 1934, com 13.891 votos.

Em Alagoas os conservadores foram os grandes vencedores nesse escrutínio, mas a vitória da jovem médica e feminista e também de Rodrigues Melo, intelectual negro, filho de ex-escravos, e de três deputados do Partido Comunista Brasileiro, foram indícios de que as forças democráticas vinham se fortalecendo.

Em seu mandato Lilly Lages elaborou várias emendas de caráter social à Constituinte do Estado, em particular na área da saúde pública e saúde do trabalhador. No campo da saúde reprodutiva, conquistou vencimentos integrais para gestantes durante os três meses de licença maternidade. No capítulo da Ordem Econômica e Social ficou vigilante com relação à proteção da mulher e da criança. E inovou ao garantir na lei que 7% das rendas do Estado fossem destinados ao Serviço de Saúde Pública, numa conjuntura em que a situação sanitária era tão crítica que até a oposição apoiou seu pleito.

Advogou também o amparo à maternidade e infância – propondo para estes serviços a aplicação de 3% das rendas tributárias do estado. Em seu mandato apoiou ainda a obrigatoriedade de concurso para pretendentes a cargos na Saúde Pública e políticas de defesa da criança abandonada e a defesa da construção do porto de Jaraguá.

Linda Mascarenhas assume o comando da Federação

Em 1935 a deputada Lilly Lages optou por se afastar da presidência e das atividades cotidianas da FAPF para se dedicar mais à sua carreira científica. Laurinda Vieira Mascarenhas – ou Linda como era chamada – então substituiu a líder, comandando o desenvolvimento das ações locais e buscando atrair mulheres de diferentes classes sociais e de outros municípios.

Lilly Lages - posse na Assembléia Legislativa

Ao longo dos três primeiros anos da FAPF, a diretoria e o conjunto de feministas engajadas na proposta iniciaram um trabalho de cunho educativo e assistencialista na capital, destinado especialmente às donas de casa. Essas atividades incluíam palestras de conscientização social e cursos noturnos gratuitos sobre temas diversos, como línguas (francês, inglês, alemão), atividades artísticas e puericultura, com a colaboração de profissionais especializados no assunto.

Nesse período a FAPF integrou também o grupo de apoio à fundação da Liga Alagoana de Assistência aos Lázaros e de Defesa contra a Lepra, inaugurando um dos ambulatórios em solenidade em que discursou **Maria Clementina de Carvalho.**

Estado Novo interrompe o ritmo das atividades

Com a radicalização política que caracterizou o Estado Novo, em 1937 a direção da Federação Brasileira manteve certa troca de correspondência com seus braços estaduais, embora a organização tivesse perdido sua vitalidade. Em um ambiente de polarização ideológica, as mulheres que ansiavam por participar no mundo público aderiram a organizações de direita ou de esquerda, conforme suas convicções políticas. A FBPF não teve fôlego para atualizar sua agenda ou mobilizar uma parcela importante da população feminina em torno dela.

Lilly Lages, também uma cientista

***Maria José Salgado Lages**, ou Lilly Lages como preferia ser chamada, nasceu em Maceió em 1907, sendo a única filha mulher de uma família rica e numerosa. Com seu temperamento ousado, rompeu as barreiras do conservadorismo e destacou-se entre as meninas de seu tempo como ótima aluna nas boas escolas que freqüentou. Cursou o secundário em regime de internato, na Academia Santa Gertrudes, em Olinda(PE) e mais tarde mudou-se para Salvador, onde foi cursar Medicina. De lá voltou portando o diploma e uma medalha de ouro por sua tese no campo da oftalmolaringologia, especialidade que escolheu.*

Lilly foi uma das primeiras mulheres a lecionar Medicina no Brasil. Logo após a formatura, já estava nomeada assistente honorária da cadeira de Clínica Otorrinolaringológica de sua Faculdade, cargo que ocupou até 1936, quando, por concurso, passou a ser livre-docente na mesma especialidade.

De volta à terra natal Lilly montou consultório particular, mas seu interesse pela Medicina Social a encaminhou para o Dispensário José Duarte, em Maceió, onde atendia gratuitamente, três vezes por semana. Em 1936 seus horizontes se expandiram ainda mais. Falando bem várias línguas, foi nomeada por Getúlio Vargas delegada brasileira no III Congresso Internacional de Otorrinolaringologia em Berlim, onde estiveram presentes representantes de 44 países. Com apenas 29 anos, a jovem fez sucesso ao saudar a plenária em alemão, em nome da América do Sul.

Em 1938, Lilly Lages transfere-se para a capital federal, montando com sucesso um consultório na avenida Rio Branco, principal rua do centro do Rio de Janeiro, onde clinicou até sua aposentadoria. Continuou investindo na carreira acadêmica. Entre 1942 e 1962 Lilly foi professora de Anatomia na Faculdade Nacional de Medicina; em 1949 cursou Antropologia Física no Museu Histórico Nacional e fez concurso público em Clínica Otorrinolaringológica, sendo aprovada, em primeiro lugar, e nomeada no ano seguinte médica do Instituto de Aposentadoria e Pensões dos Industriários (IAPI), cargo que ocupou até 1961.

Viajou aos Estados Unidos e vários países da Europa apresentando trabalhos em diferentes congressos ou atendendo a convites de universidades. Em 1971 foi nomeada professora-adjunta na Faculdade de Medicina da UFRJ e com 68 anos, em 1975, fez concurso e recebeu o título de livre-docente de Otorrinolaringologia e o diploma de doutor em Medicina com a defesa da tese "Ozena".

Paralelamente à sua militância feminista e pioneirismo na política, teve uma brilhante carreira profissional e publicou uma dezena de trabalhos, entre ensaios, teses e artigos. Faleceu, no Rio de Janeiro, em dezembro de 2003.

Poeta, escritora, atriz e feminista

Anilda Leão *nasceu no início da década de 1920, em Maceió. Vendo frustrado pelo pai seu sonho de se tornar médica, político conservador contrário a seu ingresso na universidade, formou-se em Contabilidade pela Escola Técnica de Comércio de Alagoas. A rigidez paterna não foi suficiente para evitar a rebeldia da filha.*

Buscando na escrita uma válvula de escape, aos 13 anos Anilda publicou pela primeira vez um poema, sobre o tema da criança abandonada. Muito jovem, foi colaboradora das Revistas Caetés e Mocidade e mais tarde do Jornal de Alagoas e Gazeta de Alagoas.

Em 1961, publicou o livro de poemas Chão de pedras e, em 1973, conquistou o Prêmio Graciliano Ramos da Academia Alagoana de Letras com a coletânea de contos Riacho seco, onde aborda questões sociais como a miséria, a marginalização da pobreza, a prostituição, o machismo, sexualidades, entre outros temas relevantes.

Sem ter feito qualquer curso de dramaturgia, candidatou-se aos testes promovidos pela Rede Globo para participação em novelas e seriados. Na década de 70, atuou no filme Lampião *e* Maria Bonita *e* Órfãos da terra. *Na década de 80, participou do filme* Bye, Bye, Brasil *e de* Memórias do cárcere *e mais recentemente, em 2002, de* Deus é brasileiro. *Integrou o elenco de duas peças teatrais:* Bossa Nordeste *e* Onde canta o sabiá.

Membro da Federação Alagoana pelo Progresso Feminino (FAPF) desde a década de 50, preside o órgão desde 1990. Nessa condição, esteve engajada, ao lado de outras lideranças feministas, na luta pela ampliação da cidadania feminina, como a criação do Conselho Estadual dos Direitos da Mulher. Foi a quarta mulher a ingressar na Academia Alagoana de Letras e, em 2003, lançou sua autobiografia, Eu em trânsito, *totalizando sete livros publicados.*

Assim aconteceu em Alagoas. Em 1938, Linda Mascarenhas foi eleita presidenta perpétua da Federação Alagoana para o Progresso Feminino, numa eleição da qual também participaram novas integrantes, entre elas as escritoras **Guiomar Alcides** e **Rosinha Coelho Pereira do Carmo.** Linda manteve acesa a chama da FAPF até 1990, um ano antes da sua morte, conferindo à organização um caráter cada vez mais literário e artístico e promovendo reuniões periódicas que, nos últimos tempos, aconteciam em sua própria casa.

Desde que se apresentou artisticamente, no final da década de 1950, num evento organizado pela FAPF, **Anilda Leão** se interessou pelo trabalho e propostas da entidade, nela logo ingressando. Em junho de 1963 é indicada para representar a Federação no Congresso Mundial de Mulheres, em Moscou. Ao retornar, suas declarações à imprensa sobre aspectos positivos e negativos da realidade soviética, foram alvo de protestos por todos os lados. A direita não gostou dos elogios ao socialismo, tachando-a de comunista, e a esquerda a qualificou como conservadora e fascista, por ter ousado levantar aspectos que considerou negativos no governo da União Soviética.

Em 1990, Anilda Leão tornou-se presidenta da FAPF, cargo que ocupa até os dias de hoje, e **Heliônia Ceres** vice-presidenta. Como pertenciam ao mundo da criação mantiveram o forte viés cultural que a entidade já vinha desenvolvendo. Com a morte de Heliônia, em 1999, a Federação sofreu um grande impacto e, desde então, permanece em recesso.

Nos seus 74 anos de existência a Federação Alagoana pelo Progresso Feminino passou por diferentes estágios, incorporou ao seu quadro valorosas militantes e desempenhou papel relevante na sociedade, contribuindo para as transformações e mudanças nas relações de gênero atualmente vivenciadas por muitas mulheres.

Durante o Congresso Mundial de mulheres em Moscou, 1963, quando Valentina Tereskoca, primeira mulher astronauta, voltara do espaço.

O pioneirismo das alagoanas na política

Quando voto de mulher era só o de castidade

A primeira vez que **Dona Joel Zoé de Santana** exerceu o direito de voto foi em 1944. Essa alagoana de Porto Real do Colégio lembra com emoção do momento: "Eu ia completar 21 anos e resolvi votar da minha cabeça mesmo. Naquela época era preciso fazer uma petição, por escrito, para votar, dizendo que a gente tinha mais de 18 anos e não era analfabeta. E eu não era não! Estava no Grupo Escolar de Carnaúbas."

Com a sabedoria de seus 81 anos, Zoé compareceu às urnas também em 2002 – "voto lá no Centro Educacional Ernani Magalhães!" – e confessa gostar de votar em mulheres, pois "quer ver a opinião delas", já que "elas têm mais entendimento das coisas do mundo". E declarando-se feminista, essa dona de casa, mãe de três moças e um rapaz, ex-plantadora de arroz em Belém (AL), acrescenta que **"os homens só querem poder, as mulheres têm mais entendimento das necessidades das mulheres e mais responsabilidade com o povo"**.

Dona Zoé representa um universo de 776.359 mulheres – de diferentes credos, raças, classes sociais e etnias – que, espalhadas por 54 zonas eleitorais, puderam exercer o direito de voto nas últimas eleições em Alagoas.

Mulheres que ao irem às urnas concretizam o sonho de outras que se rebelaram contra a proibição do voto feminino, e, sentindo-se cidadãs de segunda categoria, articularam uma luta lenta e difícil até conseguirem romper barreiras, fazendo-se ouvir nos diferentes espaços da sociedade.

Alagoas sai na frente !!!

Aos 28 anos a alagoana Lilly Lages passa a integrar o grupo pioneiro das nove deputadas estaduais eleitas em 1934, logo após a conquista do voto feminino. Tendo participado da elaboração da Carta estadual, não candidatou-se, contudo, às eleições complementares de 1936 para mandato regular de deputada estadual, optando por se dedicar à medicina.

Apenas 48 anos depois, em 1982, **Selma Bandeira Mendes,** outra representante do sexo feminino, viria a ocupar uma das cadeiras de deputada estadual.

Uma feminista na Prefeitura de Maceió

Kátia Born nasceu em Maceió, em 1953. Até os 11 anos viveu com os avós em Viçosa, no interior do estado. Com seu avô, o comunista João Guedes, teve o primeiro contato com a política, vivendo de perto a perseguição do regime militar.

Formou-se dentista pela Universidade Federal de Alagoas. Paralelamente a seu trabalho profissional junto às comunidades carentes e seu engajamento na reorganização do movimento autônomo de mulheres, iniciou uma importante carreira política, tendo atuado no Executivo, no Legislativo e na organização sindical.

Em 1982 elegeu-se para a Câmara de Vereadores de Maceió e foi escolhida presidenta da casa, sendo a primeira mulher a ocupar o posto. Em seu mandato priorizou a ação contra os privilégios, investigando as irregularidades praticadas por altos funcionários do serviço público e por vereadores.

Em 1986 foi candidata pelo PSB a uma vaga na Câmara, mas não se elegeu, o que a fez voltar-se para a política sindical, chegando a ocupar a presidência da CUT de Alagoas. Em 1992 Kátia participou da campanha vitoriosa de Ronaldo Lessa (PSB) para a prefeitura de Maceió, num contexto de falência absoluta do estado após anos sob o domínio das oligarquias. O governo Lessa, iniciado em 1993, assumiu o programa político de recuperação da capital, contando com a feminista no comando da Secretária Municipal de Saúde. Kátia Born promoveu mudanças importantes no perfil da saúde pública da capital, credenciando-se a ser nomeada coordenadora do Fórum Nacional de Secretários Municipais de Saúde, onde foi grande defensora da municipalização da saúde pública.

Nas eleições de novembro de 1996 conquistou o título de primeira mulher eleita para a prefeitura de Maceió e, dando continuidade ao trabalho iniciado por Ronaldo Lessa, em seu primeiro ano de mandato (1997-2000), desencadeou um conjunto de obras de suporte para o desenvolvimento turístico de Maceió, principal fonte de rendimentos do município. Sua primeira gestão na prefeitura teve como marca registrada a participação comunitária.

Entretanto sua gestão teve um início conturbado por uma grave crise política. O governador Divaldo Suruagy estava há 11 meses sem pagar o funcionalismo estadual; as greves deixavam grande parte da população sem aulas e sem serviços de saúde; metade do comércio estava com as portas fechadas; aconteceram casos de suicídio por parte de servidores públicos. A situação chegou a tal extremo que a Assembléia Legislativa, a partir de demanda da Ordem dos Advogados do Brasil/Sessão Alagoas, encaminhou projeto de impeachment do governador.

Mais uma vez a praça Pedro II, onde fica o Palácio do Governo, foi palco de movimentação do exército. Embora a prefeita tivesse solicitado intervenção no estado, o que veio em resposta foi a permanência da polícia nas ruas em defesa do governo estadual vigente. A prefeita, porém, não se intimidou, dirigindo-se para a praça com seu secretariado, onde se concentravam mais de 10 mil pessoas. Depois de solicitar uma entrevista com o comandante militar, e abertos os portões de grade para que a prefeita entrasse, a multidão tentou invadir e o exército reagiu com tiros. O clima de guerra levou a Assembléia Legislativa a acelerar a votação do impeachment, finalmente aprovado em 17 de julho de 1997. Era o fim do mandato de Divaldo Suruagy.

Kátia foi então reeleita para a Prefeitura (2001-04), numa campanha em que concorreu com cinco candidatos homens. Seu sucesso eleitoral teve como principal suporte o voto das comunidades de bairro, que apostaram na continuidade dos programas sociais iniciados em sua primeira gestão. Destaca-se entre essas políticas o "Orçamento Cidadão", que conta com a participação popular na definição sobre os gastos em obras públicas através de assembléias representativas. De acordo com determinações constitucionais, Kátia Born implantou em Maceió o repasse obrigatório de 25% do orçamento municipal para a Educação e 10% para a Saúde, respeitando a autoridade de gestão dos conselhos criados em seu governo e representativos de todos os segmentos da sociedade. Os resultados já são palpáveis em várias áreas, como o desenvolvimento dos setores básicos da sociedade, as melhorias no sistema educacional e a redução considerável dos índices de mortalidade infantil.

Reconhecimento nacional

Edneusa Pereira Ricardo *nasceu em Olho D'Água do Padre, zona rural de São José da Tapera (AL), em 1951. Cursou apenas o primeiro grau e enfrentou muitas dificuldades para sobreviver. Aos 16 anos saiu de casa, contra a vontade de sua família, para casar-se com Ênio Ricardo Gomes, um jovem de 17 anos dono de um "boteco". Passou os anos seguintes cuidando de seus seis filhos e trabalhando no balcão da mercearia de seu companheiro. Em 1995 Edneusa perde o marido num atentado, no qual o carro onde estavam foi metralhado. Na época, Ênio era prefeito de São José da Tapera.*

Apesar de nunca ter pisado num gabinete político, Edneusa não desistiu de enfrentar os desafios deixados por seu marido e mostrar a todos que era possível governar sem fazer uso da violência. No ano seguinte, candidatou-se à prefeitura pelo PSDB e foi expressivamente eleita. Aprendeu a administrar num cenário hostil e crivado de disputas políticas, que culminaram no assassinato de seu marido. Voltou seu governo para melhorias no atendimento à saúde da população, ao analfabetismo e às obras de saneamento básico, tendo grande êxito em todos esses setores. Em 2001, Edneusa ganhou o Prêmio Cláudia como reconhecimento a seu competente trabalho na gestão administrativa de sua cidade, traduzido na contundente redução da mortalidade infantil e materna, que antes alcançavam números inaceitáveis.

Ziane Costa

Maria José Viana

Deputada pioneira é também **Ziane Costa,** primeira presidenta da Assembléia Legislativa. Sua gestão, no período 2001/03, foi resultado de uma ampla composição partidária. Em 2004, outra deputada se destaca no "mundo da política", **Maria José Viana,** ao tornar-se a primeira mulher a liderar um partido na Assembléia Legislativa, o PSB.

Assim, desde 1934 – com Lilly Lages –, são 70 anos de muita luta para garantir a "ocupação feminina" no Legislativo alagoano. Não tem sido fácil quebrar esses tabus, pois em sete décadas somente 10 mulheres imprimiram, como deputadas estaduais, sua marca à política do estado.

Quase no final do século...

A cadeira de deputada federal, entretanto, precisou esperar por muito mais tempo. Foram longos 60 anos de espera até que pudesse ser ocupada, finalmente, por uma mulher. A eleita, também médica, foi **Ceci Cunha,** em 1994. De origem camponesa, carregava nas mãos cicratizes do tempo em que cortava palma, nos períodos de seca, para o gado se alimentar.

Em 1998, após desistir de candidatar-se como vice na chapa do então governador Manoel de Barros, Ceci reelegeu-se como deputada federal. Assassinada logo após a diplomação, não chegou sequer a tomar posse.

Sonia Nascimento e Ceci Cunha

Ação Afirmativa

Em 1995 as organizações de Movimento de Mulheres deram início a uma grande movimentação no cenário político, visando a aprovação de uma legislação que estimulasse e ampliasse a participação política feminina. Essa conquista, concretizada através da aprovação de uma ação afirmativa, garante a exigência de uma cota mínima de 30% e máxima de 70% para candidaturas de ambos os sexos, não atingida nas eleições ocorridas em 2000. As mulheres representaram apenas 19,14% das candidaturas.

Alagoas destaca-se, entretanto como um dos seis Estados que escolheram mulheres para administrar suas capitais. Kátia Born Ribeiro é a responsável pela prefeitura de Maceió.

Uma professora que "lia o futuro"

A mão feminina que pela primeira vez comandou uma prefeitura alagoana foi a da professora primária **América Fernandes Torres,** eleita em 1965 no município de Água Branca.

Além de prefeita, América era também conhecida por sua condição de vidente, sendo procurada por muitas pessoas, que buscavam "orientações" para questões conjugais e de herança.

Em 1969 os municípios de Olivença e Barra de São Miguel seriam os próximos a desfrutar da gestão feminina. **Maria de Lourdes Cavalcante** respondeu pelo primeiro e **Leonita Vieira Cavalcante Mello,** pelo segundo.

O município de Porto Real do Colégio, teve a primeira vice-prefeita, com a alagoana **Santa Rosa de Souza Trojai** em 1965 e, 11 anos depois, foi a vez do município de Paulo Jacinto, com **Maria José Ferreira Fontan.**

Atualmente, como resultado das últimas eleições ocorridas em 2000, um total de 15 mulheres responde pelas prefeituras de vários municípios do estado.

Poder local: nós também queremos

A pílula anticoncepcional, a inauguração de Brasília e a eleição de Jânio Quadros, com 48% de votos, foram alguns dos acontecimentos que acompanharam a chegada – múltipla – das alagoanas ao cargo de vereadoras.

Letícia Cavalcante Amorim e **Marinalva Menezes Damião** em Cacimbinhas, **Arlene Cavalcante Lins** em Flexeiras, **Rivadávia Farias** em Girau do Ponciano, **Juraci Alves Caldas** em Ibateguara, **Camila Felix Ferreira** em Jacuípe e **Maria do Carmo Santos** em São Miguel dos Campos garantiram de maneira simultânea e pioneira, em 1960, a participação feminina nas câmaras municipais.

Fátima Santiago

A capital, entretanto só viria a conhecer sua primeira vereadora do sexo feminino em 1958, na pessoa de **Luzinete Campos Teixeira.**

Hoje são 105 as vereadoras alagoanas que representam a "visão feminina" nas câmaras municipais; entre elas, **Maria de Fátima Galina Forte Ferreira Santiago,** médica como Lilly Lages, que em 2002 tornou-se a primeira vereadora negra de Maceió.

O Nordeste sai na frente

Na primeira vez que as mulheres brasileiras conseguiram o direito de votar, tiveram seus votos anulados. A Comissão de Poderes do Senado Federal, em 1928, ao analisar as eleições realizadas no Rio de Grande do Norte, requereu a anulação de todos os votos dados às mulheres, sob a alegação da necessidade de uma lei especial a respeito. O projeto que concedia esse direito à mulher norte-rio-grandense era de autoria do deputado Juvenal Lamartine de Faria, o mesmo que, como relator do projeto de 1921 na Câmara Federal, havia dado parecer favorável ao pleito, e fora aprovado pelo legislativo estadual e sancionado pelo governador José Augusto Bezerra de Medeiros. O Rio Grande do Norte foi, portanto, foi primeiro Estado brasileiro a conceder voto à mulher.

As duas primeiras eleitoras do no Brasil foram, portanto, as professoras Julia Barbosa, de Natal e Celina Vianna de Mossoró, no Rio Grande do Norte.

Também seria potiguar a primeira prefeita do Brasil, Alzira Teixeira Soriano, eleita no município de Lages, em 1928, pelo Partido Republicano Federal.

AMA

A Associação dos Municípios de Alagoas – AMA, vem desde 27 de janeiro de 2003 sendo presidida por uma mulher. Esse pioneirismo coube a ***Rosiana Beltrão,*** *que desde 2002 é Prefeita da cidade de Feliz Deserto.*

ANO	PREFEITAS ALAGOANAS	MUNICÍPIO	PARTIDO
1965	América Fernandes Torres	ÁGUA BRANCA	PSD
1969	Leonita Vieira Cavalcante Mello	BARRA DE SÃO MIGUEL	MDB
1969	Maria de Lourdes Cavalcante	OLIVENCA	ARENA
1972	Iolanda Romeiro Lopes	SANTA LUZIA DO NORTE	ARENA
1976	Emídia Guedes do Amaral	MAJOR ISIDORO	ARENA
1982	Arlene Cavalcante da Costa	FLEXEIRAS	PDS
1982	Maria Angélica Cavalcanti de Melo	BARRA DE SÃO MIGUEL	PDS
1982	Maria Lêda Cardoso	PINDOBA	PDS
1988	Maria do Amparo Cardoso Ferro	MINADOR DO NEGRÃO	PMDB
1988	Maria Ferreira Nunes	OLHO D ÁGUA GRANDE	PFL
1992	Maria Angelica Cavalcanti de Mello (novo mandato)	BARRA DE SÃO MIGUEL	PFL
1992	Marlúcia Rodrigues de Melo	BATALHA	PSC
1992	Arlene Cavalcante da Costa (reeleita)	FLEXEIRAS	PFL
1992	Nilza Lima Malta Amaral	MATA GRANDE	PST
1992	Cláudia Myra Lima Calheiros	MESSIAS	PL
1992	Maria do Amparo Cardoso Ferro (reeleita)	MINADOR DO NEGRÃO	PFL
1992	Maria Cláudia Carvalho	PASSO DE CAMARAGIBE	PDS
1992	Maria Aparecida Ferreira Rodrigues Silva	POÇO DAS TRINCHEIRAS	PSC
1996	Célia Maria Barbosa Rocha Teruel	ARAPIRACA	PSDB
1996	Marlene Falcão Pedrosa Fidélis	ANADIA	PMDB
1996	Noêmia Ferreira Vanderley	CACIMBINHAS	PFL
1996	Silvana Maria Cavalcante da Costa Pinto	FLEXEIRAS	PFL
1996	Maria Suyene de Oliveira	GIRAU DO PONCIANO	PSDB
1996	Quitéria Oliveira Caldas Barreto	IBATEGUARA	PMN
1996	Kátia Born Ribeiro	MACEIÓ	PSB
1996	Maria Teresa Calheiros Leite	MESSIAS	PSB
1996	Maria do Amparo Cardoso Ferro Sousa (3° mandato)	MINADOR DO NEGRÃO	PFL
1996	Leonor Melo Monteiro	MONTEIRÓPOLIS	PSB
1996	Maria Ester Damasceno Silva	OLHO D ÁGUA DAS FLORES	PSC
1996	Maria José de Carvalho Nascimento	PALMEIRA DOS ÍNDIOS	PSN
1996	Elma Sales Costa	PAULO JACINTO	PSD
1996	Maria Aparecida Ferreira Rodrigues Silva (reeleita)	POÇO DAS TRINCHEIRAS	PSC

ANO	PREFEITAS ALAGOANAS	MUNICÍPIO	PARTIDO
1996	Maria Eliza Alves da Silva	RIO LARGO	PFL
1996	Maria Helena Castro Jatobá Lins	ROTEIRO	PSDB
1996	Edneusa Pereira Ricardo	SÃO JOSE DA TAPERA	PSDB
1996	Mariza Tavares Valença Silva	TANQUE D ARCA	PFL
2000	Célia Maria Barbosa Rocha Teruel (novo mandato)	ARAPIRACA	PSDB
2000	Maria Helena Amtero Santa Rosa	BELÉM	PDT
2000	Rita Tenório Brandão	CANAPI	PSB
2000	Maria Nilza dos Santos Correia	COQUEIRO SECO	PSB
2000	Rosiana Lima Beltrão Siqueira	FELIZ DESERTO	PMDB
2000	Silvana Maria Cavalcante da Costa Pinto (reeleita)	FLEXEIRAS	PFL
2000	Rosenae Jatobá Lins	JEQUIÁ DA PRAIA	PSDB
2000	Kátia Born Ribeiro (reeleita)	MACEIÓ	PSB
2000	Maria Ester Damasceno Silva (reeleita)	OLHO D ÁGUA DAS FLORES	PSC
2000	Maria Lúcia Marinho da Silva Carmo	PIACABUCU	PTB
2000	Maria Eliza Alves da Silva (reeleita)	RIO LARGO	PSD
2000	Maria Helena Castro Jatobá Lins (reeleita)	ROTEIRO	PSDB
2000	Edneusa Pereira Ricardo (reeleita)	SAO JOSE DA TAPERA	PSDB
2000	Maria Rume Bianor Farias	BARRA DE SANTO ANTÔNIO	PPS
2000	Leonor Melo Monteiro	MONTEIRÓPOLIS	PRTB

ANO	PRIMEIRAS VEREADORAS	MUNICÍPIO	PARTIDO
1958	Luzinete Campos Teixeira	MACEIÓ	???
1960	Letícia Cavalcante Amorim Marinalva Menezes Damião	CACIMBINHAS	PSP PSP
1960	Arlene Cavalcante Lins	FLEXEIRAS	PDC
1960	Rivadavia Farias	GIRAU DO PONCIANO	PDC
1960	Juraci Alves Caldas	IBATEGUARA	PSP
1960	Camila Felix Ferreira	JACUIPE	PSP
1960	Maria do Carmo Santos	SÃO MIGUEL DOS MILAGRES	PSP
1960	Antônia Cavalcante da Silva	BARRA DE SANTO ANTÔNIO	UDN
1962	Edite Vieira Camelo de Morais Isa de Medeiros Duarte	ATALAIA	PSD PSB
1962	Presciliana Tavares Amorim	BATALHA	PSD
1962	Iracy Vilela Araújo	CARNEIROS	UDN
1962	Maria Nunes Farias	JARAMATAIA	PL
1962	Benigna Silva Fortes	PILAR	PDC
1962	Dalva Wanderley de Medeiros Rosa Maria Medeiros	POÇO DAS TRINCHEIRAS	PL PL
1962	Maria José Moreira	SALOMÉ	PL
1962	Maria Amélia Vieira	SÃO JOSÉ DA TAPERA	PSP
1962	Leonita Vieira de Melo	SÃO MIGUEL DOS CAMPOS	PSP

ANO	PRIMEIRAS VEREADORAS	MUNICÍPIO	PARTIDO
1962	Maria Eulina dos Santos	TRAIPU	PL
1966	Anatolia Florencio da Silva	IGACI	MDB
1966	Angelita Fernandes Costa	MARIBONDO	MDB
1966	Antônia Alzira Malta Gaia	MATA GRANDE	MDB
1966	Mirta Correia Costa	QUEBRANGULO	ARENA
1966	Maria CÍcera Alves	SÃO LUÍS DO QUITUNDE	MDB
1966	Luzinete Tavares dos Santos	TANQUE D'ARCA	ARENA
1970	Dalva Fidelis de Moura Amorim	ANADIA	ARENA
1970	Maria Bezerra Gomes	CAMPO ALEGRE	ARENA
1970	Antonia Bernardo da Silva	JOAQUIM GOMES	ARENA
1970	Terezinha Lamenha Peixoto	MESSIAS	ARENA
1970	Senira Bezerra Neta	SÃO BRÁS	ARENA
1970	Maria do Rosário Cavalcanti Silva	SÃO JOSE DA LAJE	ARENA
1970	Maria José Moreira Pacheco	SÃO SEBASTIÃO	ARENA
1970	Gerusa Barbosa de Oliveira	TAQUARANA	ARENA
1972	Lídia Vidal dos Santos	BARRA DE SAO MIGUEL	MDB
1972	Maria de Lourdes Pereira	CAPELA	ARENA
1972	Maria Luiza de Almeida	COQUEIRO SECO	ARENA
1972	Ana Maria de Azevêdo Peroba	CORURIPE	ARENA
1972	Josefa Ferreira Melo Júlia Maria da Conceição Silva	DOIS RIACHOS	ARENA ARENA
1972	Josefa Feitosa Bispo	FEIRA GRANDE	ARENA
1972	Maria de Lourdes Engrácio Maria de Lourdes Santos Vitorino	IGREJA NOVA	ARENA MDB
1972	Gedalva Bezerra Lima Yeda Lisboa Malta	INHAPI	ARENA ARENA
1972	Verônica Torres	JACARÉ DOS HOMENS	ARENA
1972	Denise Trindade dos Santos Miranda	JAPARATINGA	ARENA
1972	Divaneuza Clarindo Duarte	LIMOEIRO DE ANADIA	ARENA
1972	Eulália Soares Menezes	MARAVILHA	ARENA
1972	Maria Prudente Melo	MONTEIROPOLIS	ARENA
1972	Elza Buarque de Lima Zuleide Buarque de Lima	NOVO LINO	ARENA ARENA
1972	Tereza Alcântara Ferreira	OLHO D'ÁGUA DAS FLORES	MDB
1972	Maria das Dores Leite	OLHO D'ÁGUA DO CASADO	ARENA
1972	Maria Helena Barros	PÃO DE AÇÚCAR	ARENA
1972	Luiza Faustino Rocha	PAULO JACINTO	ARENA
1972	Maria Selma Miranda da Silva	PINDOBA	ARENA
1972	Jandira Ferreira Alves	PORTO CALVO	ARENA
1972	Alzira Moreira da Silva	PORTO DE PEDRAS	MDB
1972	Mirandolina Maria da Costa Odete Maria dos Santos	ROTEIRO	ARENA ARENA
1972	Elaine Lopes de Oliveira	UNIÃO DOS PALMARES	MDB
1976	Lídia Ferreira da Silva	COITE DO NOIA	ARENA
1976	Elizabete Marques da Silva	COLONIA LEOPOLDINA	ARENA

ANO	PRIMEIRAS VEREADORAS	MUNICÍPIO	PARTIDO
1976	Maria de Lourdes Santos	JUNQUEIRO	ARENA
1976	Maria do Carmo Cavalcante de Souza	MAJOR ISIDORO	MDB
1976	Maria das Dores Ferreira	MINADOR DO NEGRÃO	ARENA
1976	Adelaide Ferreira Nunes	OLHO D'ÁGUA GRANDE	ARENA
1976	Maria Auxiliadora Bráulio	PALESTINA	ARENA
1976	Josefa Neuza Marques Luz	PALMEIRA DOS ÍNDIOS	MDB
1982	Maria Aparecida da Silva Pereira Rosinete Gonzaga de Lima	ARAPIRACA	PMDB PDS
1982	Maria Vitória Vieira Silva	BELÉM	PDS
1982	Isabel Soares Silva	BELO MONTE	PDS
1982	Rita de Carvalho Teles	BOCA DA MATA	PDS
1982	Aleixa Angelo Inácio	BRANQUINHA	PMDB
1982	Ana Lucia Ribeiro de Melo Maria José Calheiros de Araújo	MURICI	PMDB PMDB
1982	Maria de Fátima Soares Nunes	OURO BRANCO	PDS
1982	Solange Beltrão Araújo	PIACABUCU	PDS
1982	Maria Clemência Batista Correia	SANTA LUZIA DO NORTE	PDS
1982	Maria Aparecida Teodório Maria de Lourdes Chagas Duarte Marinete Cabral da Costa	SANTANA DO IPANEMA	PDS PDS PDS
1982	Terezinha Cardoso Ferreira	SANTANA DO MUNDAU	PDS
1982	Joana Francisca da Silva	SATUBA	PMDB
1982	Maria de Lourdes Rodrigues	SENADOR RUI PALMEIRA	PDS
1988	Maria Aparecida da Graça	CAMPO GRANDE	PFL
1988	Marília Rodrigues Cavalcanti	PIRANHAS	PFL
1988	Eliete Tojal Donato	PORTO REAL DO COLÉGIO	PL
1988	Helena Ciriaco Santos Maria do Socorro Moreira de Melo Maria Elisa Alves da Silva	RIO LARGO	PMDB PSB PTR
1988	Janete Maria Martins Luna Maria Zenete Tenório	VIÇOSA	PFL PDT
1992	Edilma de Albuquerque Lins Barbosa	CAJUEIRO	PTR
1992	Josefa da Rocha Silva Freitas	CRAÍBAS	PMDB
1992	Maria Gorete Alves da Costa	LAGOA DA CANOA	PTR
1992	Maria Francisca de Menezes Tavares Maria José Brito da Silva	OLIVENCA	PFL PTB
1992	Josete Vieira da Silva	PARIPUEIRA	PST
1992	Gedalva Cavalcante dos Santos	SENADOR TEOTÔNIO VILELA	PSDB
1996	Maria de Fátima Cavalcante Bezerra	ÁGUA BRANCA	PT
1996	Maria Betânia Wanderley de C. Santos Buarque Maria José da Silva Solange Maria de Lira	CAMPESTRE	PSDB PSD PFL
1996	Joseane Bezerra Maia de Barros Correia	CHÃ PRETA	PTB

ANO	PRIMEIRAS VEREADORAS	MUNICÍPIO	PARTIDO
1996	Genilda Pereira de Souza	ESTRELA DE ALAGOAS	PRONA
1996	Helena Santos	FELIZ DESERTO	PSDB
1996	Maria de Lourdes Emídio da Silva	JUNDIA	PSDB
1996	Ana Maria Feitosa dos Santos Lima Maria Alice Romão da Silva	MAR VERMELHO	PMDB PTB
1996	Aliete Estanislau da Silva Luna	MARAGOGI	PST
1996	Isabel Cristina Alves de Barros Neusa Feitosa da Silva	PARICONHA	PT do B PSB
1996	Edvania Farias da Silva Maria Rita Monteiro da Silva	PASSO DE CAMARAGIBE	PSDB PMDB
1996	Alita Lopes Andrade de Alencar	PENEDO	PFL
2000	Henriqueta Eva Cardeal	DELMIRO GOUVEIA	PSB
2000	Lúcia Maria Sarmento Ribeiro	JEQUIA DA PRAIA	PDT
2000	Maria José Josilene da Silva	MARECHAL DEODORO	PFL

ANO	SENADORA	
1998	Heloisa Helena Lima de Moraes Carvalho	PT

ANO	DEPUTADA FEDERAL	
1994	Ceci Cunha (Josefa Santos Cunha)	PSDB
1998	(reeleita)	PSDB

ANO	DEPUTADAS ESTADUAIS	
1934	Lili Lages	--
1982	Selma Bandeira Mendes	PMDB
1990	Fátima Cordeiro	PMDB
1994	Heloísa Helena Lima de Moraes Carvalho	PT
1994	Lucila Régia Albuquerque Toledo	PSC
1998	Lucila Regia Albuquerque Toledo (reeleita)	PFL
1998	Eliziane Ferreira Costa (Ziane Costa)	PMDB
1998	Fátima Cordeiro (novo mandato)	PSL
2002	Maria José Viana	PSB
2002	Ziane Costa (reeleita)	PTB
2003	Genilda Leão (suplente - assume)	PSB

Do sertão ao cerrado...

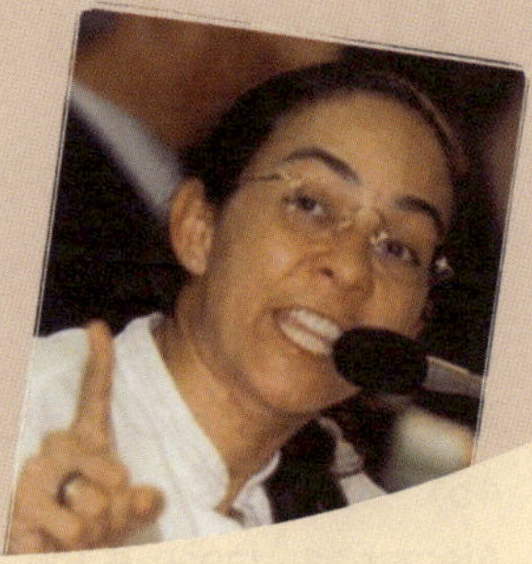

Nascida no sertão e criada em Palmeira dos Índios, a primeira mulher a tornar-se senadora por Alagoas já representa o estado por dois mandatos consecutivos. **Heloísa Helena Lima de Moraes Carvalho,** enfermeira e professora da Universidade Federal quando eleita pela primeira vez deputada estadual em 1988, obteve uma diferença de 120 mil votos em relação ao adversário.

Selma Bandeira e sua atuação no Legislativo e no feminismo

Nascida em Delmiro Gouveia (AL) em 1946, foi uma entre oito crianças de um pai operário. Lutou para estudar e chegar à universidade, sustentando-se com aulas particulares e destinando uma parte do que ganhava a oferecer mais conforto à mãe.

Cassada pelo regime militar, é anistiada e recupera seus direitos políticos, sendo convidada para trabalhar no governo de Guilherme Palmeira, ao lado do secretário de Saúde José Bernardes, período em que se tornou amiga de Teotônio Vilela. Nas eleições de 1982 candidatou-se a deputada estadual, e em seu mandato defendeu a reforma agrária, a expansão do saneamento no estado, melhorias na política de saúde e, em particular, a recuperação do Hospital Universitário, que estava em situação crítica.

Apresentou projeto de lei sobre a incineração do lixo hospitalar, o qual foi aprovado; lutou por creches e protestou contra a impunidade das usinas sucro-alcooleiras acusadas de lançar lixo tóxico no leito dos rios. Lutou também pela regulamentação da distribuição de casas populares, buscando eliminar práticas eleitoreiras e defendeu direitos do funcionalismo público.

Na transição democrática, Selma ajudou a organizar em Alagoas o Comitê de Mulheres pró-Tancredo Neves. Ao lado da vereadora Kátia Born, Selma Bandeira aliou-se a mulheres que se organizavam em associações pela defesa de seus direitos políticos. Expandiu sua ação pelo interior do estado e programou a União das Mulheres Sertanejas, cujo primeiro encontro aconteceu em dezembro de 1984. Em nível nacional esteve ao lado de Ruth Escobar e outras lideranças feministas na proposta de criação do Conselho Nacional dos Direitos da Mulher, implementado no governo Sarney, em 1985.

Em junho de 1986 foi indicada pela Federação dos Trabalhadores na Agricultura do Estado de Alagoas (FETAG) como candidata a deputada federal constituinte no pleito a ser realizado naquele ano, contando para isso com o apoio das classes populares e do movimento de mulheres. Seu nome foi o terceiro mais cotado nas pesquisas eleitorais.

Entretanto a trajetória promissora de Selma Bandeira foi bruscamente interrompida no dia 7 de setembro de 1986. A caminho de um comício em Viçosa, foi vítima de um violento acidente em que quatro pessoas morreram, entre elas Selma e Noraci Pedrosa, sua companheira na luta pelos direitos da mulher.

As mulheres enfrentam as ditaduras

Jovens alagoanas cruzam fronteiras e se juntam à luta revolucionária do PCB

Clara Charf

Após a eclosão da Segunda Guerra Mundial (1942-45), o Brasil rompeu relações diplomáticas com Alemanha, Japão e Itália e permitiu a instalação de bases militares norte-americanas no Nordeste. Por outro lado, o governo Vargas não enviou de imediato tropas brasileiras para lutar contra os nazistas.

Setores da sociedade civil promoveram então uma campanha defendendo o alinhamento. Em Maceió, **Clara Charf**, uma jovem de 17 anos descendente de judeus russos, engajou-se nessa mobilização com a mesma garra que marcou sua trajetória.

Ainda durante a guerra seus pais decidiram transferir-se com a família para o Recife. Logo em seguida, Clara perdia a mãe, precisando trabalhar para ajudar nas despesas e abandonando o plano de estudar medicina. Empregou-se então na base naval norte-americana estabelecida no Recife como datilógrafa-copista de língua inglesa, tornando-se depois bancária e secretária bilíngüe numa indústria, a Sambra Algodoeira do NE. Tudo isso aconteceu no auge da grande agitação política que depôs a ditadura Vargas.

No Recife, Clara presenciou o comício de Luiz Carlos Prestes, líder do Partido Comunista Brasileiro (PCB), além do desfile de recepção a Anita Leocádia, filha de Prestes com Olga Benário (morta em um campo de concentração nazista após ter sido deportada por ordem do governo Vargas). A jovem Anita chegava ao Brasil após ter sido libertada das prisões nazistas por força de uma campanha de solidariedade internacional.

Toda essa movimentação tocou fundo o espírito lutador de Clara. A alagoana decide mudar-se para o Rio de Janeiro e filiou-se ao PCB, que com o fim do Estado Novo voltara à legalidade, elegendo Prestes senador e vários deputados federais e estaduais. Dois anos depois o partido seria mais uma vez declarado ilegal, com a cassação de toda a bancada comunista. Apesar da resistência imposta por seu pai, que ainda vivia no Recife, Clara decidiu casar-se com Marighela, um dos deputados comunistas cassados, e assumir o trabalho político clandestino, optando por não ter filhos e arriscando-se a uma vida de perseguições e fugas, chegando a ser presa em 1950.

No intervalo entre 1956 e 1964 – período que se inicia com o governo JK e termina com o Golpe Militar –, o casal volta à legalidade. Nesse período, Clara se engajou na Liga Feminina da Guanabara.

Clara Charf participou de eventos internacionais de mulheres comunistas, representando o Brasil nos Congressos realizados em Cuba (1962 e 1963) e Moscou (1963).

Mulheres comunistas se organizavam

As Ligas Femininas surgiram a partir de 1944, sob orientação do Partido Comunista Brasileiro, mas estiveram na legalidade por curto espaço de tempo. Uma de suas principais bandeiras foi o nacionalismo e o engajamento na Luta Contra a Carestia e na campanha "O Petróleo é Nosso". O ano de 1961 foi o auge da Liga Feminina da Guanabara, culminando no lançamento de um manifesto com 100 mil assinaturas contra a alta do custo de vida, entregue por uma comissão ao presidente da República já instalado na nova capital, Brasília.

Josefa Paulino da Silva

Josefa Paulino da Silva era outra alagoana que atuou nesse contexto. Nascida em São Miguel dos Campos de família pobre e trabalhadora rural, começou sua trajetória como empregada doméstica ainda na infância, acabando por se casar com um agricultor e se mudar para o Rio de Janeiro em busca de melhores condições de vida. Era o ano de 1942 e Josefa tinha 18 anos. O casal ocupou terras abandonadas da União numa área rural da cidade. O marido, José Pureza da Silva, foi ser agricultor e ela costureira numa confecção. A fábrica faliu em 1949, e as circunstâncias levaram Josefa a trabalhar na roça com o marido e a se engajar em lutas comunitárias pela posse das terras, o que redundou na filiação de ambos ao PCB.

Na década de 1950 Josefa passou a militar em ações organizadas pelo movimento de mulheres e participou da campanha "O Petróleo é Nosso". Em 1954 esteve presente no Congresso Latino-Americano de Mulheres no Rio de Janeiro e, em 1955, no Congresso Estadual e Nacional das Mães patrocinado pela Federação Brasileira de Mulheres no Rio. Nessa ocasião foi escolhida para representar as trabalhadoras rurais brasileiras no Congresso Mundial das Mulheres Trabalhadoras na Hungria, oportunidade em que visitou a União Soviética.

Em 1958, engajada na organização de um Sindicato de Trabalhadores Agrícolas, Josefa participou de congressos nacionais e internacionais e fundou, junto com outras lideranças, associações de mulheres no campo para reivindicar a posse da terra e defender os maridos presos.

Duas vidas, dois desfechos

Carlos Marighela – marido e companheiro de Clara – foi baleado e preso em um cinema pela repressão militar. Ao sair da prisão, suas teses sobre a revolução brasileira já não coincidiam com as de seu partido. Marighela posicionou-se a favor da luta armada para derrubar a ditadura, tendo rompido com o PCB em 1968 e criado a Aliança Libertadora Nacional (ALN), organização que adotou práticas de guerrilha urbana.

Veio o Ato Institucional nº5 (1968), com o qual o governo militar radicalizou a arbitrariedade. Marighela foi qualificado como um dos principais inimigos do poder e assassinado no ano seguinte, numa emboscada na cidade de São Paulo. Clara, também perseguida, exilou-se em Cuba onde ficou por nove anos, retornando, bastante traumatizada, no momento da Anistia, em 1979. Recuperou-se, elaborou um Dossiê sobre Marighela, tem lutado pelos direitos dos mortos e desaparecidos da ditadura, participou da fundação do Partido dos Trabalhadores, no qual até hoje milita, e continua atuando em prol dos direitos humanos e dos direitos das mulheres.

Josefa e Pureza também foram vítimas de perseguição após o Golpe Militar. Josefa foi presa, mas logo solta, e Pureza conseguiu fugir. Os dois decidiram então retornar a Alagoas, onde permaneceram por três anos, ela trabalhando como costureira, ele como pescador. Já no Recife, foram presos em 1973 sob a acusação de tentarem reorganizar o PCB. Libertados, voltaram para o Rio de Janeiro para viver em Pendotiba, onde reiniciaram seu trabalho político, agora com a FETAG

Marighela e Clara

(Federação dos Trabalhadores na Agricultura) e com os sindicatos rurais da Região dos Lagos fluminense. Em 1986, já viúva, Josefa candidatou-se a deputada federal pelo PCB. Não se elegeu, mas prosseguiu sua militância sindical e em associações de moradores até sua morte, em 1999.

Alagoas neste contexto

A agroindústria açucareira nordestina não perdera sua força econômica e política, embora convivendo com certa diversificação pela introdução e desenvolvimento da cultura do fumo em pequenas propriedades, do plantio de arroz às margens do São Francisco e da criação de gado leiteiro.

O impacto da modernização, característica do Estado Novo, refletiu-se na instalação de bancos e operadoras de crédito, gerando um processo de aceleração da urbanização que, entretanto, não se reverteu em benefícios sociais. Marginalizadas, as classes populares viviam majoritariamente em condições muito precárias, sem acesso a benefícios básicos como abastecimento de água e energia elétrica. Nos centros urbanos a juventude estudantil, intelectuais, jornalistas e artistas mobilizavam-se, fazendo dos cafés e da imprensa um espaço para discutir política, cultura e arte.

A nova cena político-partidária não fez senão alimentar a tradicional prática eivada de autoritarismo e violência em que setores oligárquicos se alternavam no poder. Nas eleições de 1947 Silvestre Péricles foi eleito ao apoiar-se em um discurso populista, derrotando Rui Palmeira (UDN), que teve o apoio do PCB, então na legalidade. Péricles reprimiu a oposição e perseguiu os comunistas. Paralelamente, criava um poderoso aparelho de propaganda ao instalar a Rádio Difusora de Alagoas, que penetrou no interior com um discurso de direita e refreou com violência a imprensa de esquerda.

Já o sucessor de Péricles, Arnon de Mello (1950-53), representou a vitória das forças de oposição, com uma proposta salvacionista. Seu governo, porém, caracterizou-se por uma centralização exacerbada, contrariando na prática o discurso de campanha, sobretudo ao exercer violência no campo. Arnon de Mello comprou o jornal Gazeta de Alagoas, nascendo assim um império de comunicação no estado. E também caçou a voz e a palavra de quem contrariava os interesses que representava, encarcerando jornalistas e dispersando comícios.

Seu sucessor, Muniz Falcão (1956-1960), foi alvo de uma campanha de impeachment numa sessão parlamentar que terminou em tiroteio de 40 minutos, com seis feridos (entre eles o jornalista Marcio Moreira Alves) e um morto: o deputado Humberto Mendes, sogro do governador. Parte da tática golpista residia num discurso anticomunista, mas Falcão recorreu e conseguiu reassumir o poder com apoio do pequeno e médio empresariado e de caciques políticos municipais. Era o período desenvolvimentista de JK, em que ganhou corpo em Alagoas a exploração do petróleo pela Petrobras.

Quando veio o Golpe Militar de 1964, o governador eleito era o conservador Major Luiz de Souza Cavalcante (PL), que teve como vice Teotônio Vilela. Foi um dos primeiros governos estaduais brasileiros a apoiar o Golpe Militar, organizando um grupo armado com cerca de 10 mil homens para sustentar o movimento golpista, com o apoio de usineiros, fazendeiros e comerciantes.

A tradicional família alagoana apóia o Golpe Militar

Como em todo o Brasil, também em Alagoas, mães e donas de casa foram às ruas defender a ditadura contra a "ameaça comunista", num reflexo claro do sucesso da propaganda difundida pela direita. Logo após o Golpe Militar, os jornais noticiaram grandes concentrações femininas em defesa da estabilidade, em passeatas pelas ruas ou ocupando os salões do Teatro Deodoro cantando o Hino Nacional. Era o movimento "Deus, Pátria e a Família pela Paz e pela Democracia".

Em contrapartida às comemorações de adesão da direita católica, a resistência ao regime militar em Alagoas foi tenaz, tendo à frente estudantes, trabalhadores e trabalhadoras, intelectuais, artistas e integrantes da Igreja progressista. Mas esta é uma outra história, em que mulheres também tiveram posição de destaque.

Da revolução de 30 à ditadura militar de 1964: democracia afastada

A chamada Revolução de 1930 – na verdade todo o período da ditadura Vargas, que vai até o final da Segunda Guerra Mundial em 1945 – representou a ascensão ao poder de um empresariado industrial nascente, embora a política tenha sido contemporizadora com relação ao tradicional setor agrário-exportador, que manteve certo poder, sobretudo no Nordeste.

Na primeira fase dos anos Vargas foram conquistadas mudanças legislativas modernizadoras e "toleráveis" dentro da ordem capitalista. O voto secreto e o voto feminino vieram nesse bojo, assim como as reformas de peso introduzidas na lei trabalhista brasileira, regulamentando os sindicatos. Foram garantidas as eleições para o Legislativo nos estados, mas os governos estaduais ficaram nas mãos de interventores, em geral militares, nomeados pelo governo central.

Em Alagoas foi um período de tensão política e instabilidade no poder. De maneira geral, foram coibidos os movimentos políticos e sociais recém-surgidos, sobretudo a organização da classe trabalhadora contra o sistema econômico vigente. Dois alagoanos, vítimas da ação repressora, merecem ser lembrados: Graciliano Ramos e Nise da Silveira. A dra. Nise, detida em 26 de outubro de 1936 por se opor à ditadura Vargas, permaneceu mais de um ano no presídio da rua Frei Caneca. Graciliano Ramos relata em suas Memórias do cárcere suas impressões acerca da companheira de prisão, amiga e conterrânea. O poder repressor de Vargas culminou no golpe totalitário de 1937, instalando uma ditadura de inspiração fascista.

A estrutura partidária brasileira sofreu alterações. O PCB foi relegado à clandestinidade, sendo alvo privilegiado dos mecanismos repressores. Em 1942 foi criada a União Democrática Nacional (UDN), partido de oposição responsável pelas pressões que levaram à renúncia de Vargas. Antes da renúncia, entretanto, as bases ligadas a Getúlio já haviam criado o Partido Social Democrático (PSD) – liderado por antigos interventores – e o Partido Trabalhista Brasileiro (PTB) – fundado por lideranças sindicais fiéis ao governo, que se alternaram no poder entre a renúncia de Vargas (1945) e o Golpe Militar de 1964.

O cenário mundial do pós-guerra foi agitado por grandes transformações no equilíbrio mundial, que afetaram sobretudo os países chamados periféricos, como o Brasil. Estados Unidos, Inglaterra, França e União Soviética lideraram a criação da Organização das Nações Unidas (ONU), após um longo processo que culminou na assinatura de uma Carta em 24 de outubro de 1945. A ONU foi criada com o objetivo de assegurar a paz e o equilíbrio mundial, garantindo a cooperação internacional e o respeito às liberdades.

O Brasil e toda a América Latina (exceto Cuba, que fez sua conversão ao comunismo com a Revolução de 1949) submeteram-se à hegemonia norte-americana, que manteve seus "tutelados" fora da órbita comunista, como o governo Dutra (1945-51), que rompeu relações diplomáticas com a União Soviética. Com o retorno de Vargas, desta feita eleito pelo voto (1951-54), é deflagrada a campanha nacionalista pela exploração e industrialização do petróleo, que contou com a adesão da esquerda e resultou na criação da Petrobras. Mas o país vivia uma grande crise econômica, aliada a uma carestia galopante, situação que provocou a ida das massas para as ruas, refletindo um clima de confronto que culminou no suicídio de Vargas. Juscelino Kubitscheck (1956-61) elegeu-se então com uma plataforma baseada no modelo nacional desenvolvimentista, fez um governo de conciliação partidária de centro-direita e mudou a capital para Brasília. Após a renúncia de seu sucessor, Jânio Quadros, o vice-presidente empossado, João Goulart, enfrentou um período de conturbação política gerador do Golpe Militar, em março de 1964.

O Golpe Militar interrompeu mais uma vez a frágil democracia brasileira, cerceando violentamente todas as organizações sociais identificadas com a 'luta do povo', cujas lideranças foram caçadas, presas, torturadas e mortas. A oposição foi reduzida a um único partido legalizado, o MDB, criado para se contrapor à ARENA, partido de apoio aos militares, exibindo em seus quadros o que havia de mais conservador na sociedade brasileira.

Em frente! Marche!

A presença das alagoanas na Segunda Guerra Mundial

A Segunda Guerra Mundial eclode na Europa após a invasão da Polônia por tropas alemãs, em setembro de 1939. A ambigüidade política do governo Getulio Vargas levou o Brasil a uma posição de neutralidade, nem se alinhando com os EUA, nem com a Alemanha.

Em 1942, navios brasileiros foram torpedeados pelos alemães e a reação de protesto da população foi sair às ruas clamando por vingança. Somou-se a isso ajuda financeira dos EUA para a construção da siderúrgica de Volta Redonda em troca da construção de uma base militar norte-mericana em Natal (RN), o que inevitavelmente aproximou o Brasil das forças aliadas.

Num acordo com o alto comando militar norte-americano, o Brasil comprometeu-se a enviar alguns batalhões para lutar na Europa. A Força Expedicionária Brasileira (FEB), com aproximadamente 25.000 combatentes, atuou na frente italiana, participando de várias batalhas. Confirmada a participação de soldados brasileiros na guerra, o comando norte-americano exigiu, também, o envio de enfermeiras, para o atendimento aos feridos em combate.

Em 15 de dezembro de 1943, foi criado o **Quadro de Enfermeiras da Reserva do Exército no Serviço de Saúde.** Para a formação desse quadro foi implantado um curso de adaptação para enfermeiras civis, que mobilizou dezenas de voluntárias. Foram habilitadas 73 enfermeiras, nomeadas pelo ministro da Guerra para servir na FEB; selecionadas de acordo com a classificação no curso e também pela cor, pois o racismo norte-americano não aceitava "pessoas de cor" para trabalhar nos hospitais. Dentre elas, duas eram alagoanas: **Olímpia de Araújo Camerino** e **Jacyra Souza Góes.**

Olímpia, nascida no interior de Alagoas em 1908, especializou-se como voluntária socorrista e manipuladora de raios-X, no Rio de Janeiro. Partiu para a Itália em outubro de 1944, chefiando um grupo de 33 enfermeiras. Como integrante do Serviço Hospitalar Brasileiro, serviu em várias localidades italianas na função de instrumentadora.

Voltou ao Brasil em outubro de 1945, quando recebeu diversas homenagens por seu esforço e dedicação. Foi condecorada com a Medalha de Guerra e Campanha e com a Medalha Mascarenhas de Moraes, além de escrever um livro sobre a experiência das pioneiras brasileiras na II Guerra Mundial.

Jacyra Souza Góes, proveniente de uma família de fazendeiros, nasceu em Santana de Ipanema (AL) em 1910 e foi voluntária socorrista e manipuladora de raios-X. Partiu do Rio de Janeiro em agosto de 1944, com destino a Nápoles e serviu no 32nd. Field Hospital, em Valdiburra, local bem próximo à linha de frente. Nesse hospital, montado em barracas, acolhia os feridos com lesões graves, vindos diretamente da frente de batalha para a enfermaria cirúrgica, exigindo da equipe muita dedicação, técnica e competência. Também serviu em outros hospitais, durante sua estada na Itália.

Em setembro de 1945 retornou ao Brasil e recebeu várias condecorações, entre elas as medalhas de Guerra e de Campanha por seus valiosos serviços durante a guerra. Seu uniforme foi doado pela família ao Museu da II Guerra Mundial, instalado em Alagoas por ocasião da sua morte, em 1976.

Com o fim da guerra, as enfermeiras passaram a pleitear sua efetivação nos quadros do Exército. Pela lei nº1.209, de 25 de outubro de 1950, assumiram o posto de segundo-tenente e, nessa condição, foram incluídas na reserva de 2.ª classe do Exército brasileiro.

Importante também destacar a atuação de **Elza Cansanção Medeiros,** que, embora nascida no Rio de Janeiro, é descendente de uma tradicional família alagoana, considerando-se uma autêntica nativa do estado.

Elza sempre se interessou pela medicina. Antes mesmo de o Brasil declarar guerra à Alemanha, indignada com os ataques dos submarinos alemães aos navios brasileiros, procurou a Diretoria Geral de Saúde do Exército manifestando o desejo de servir à Pátria brasileira, caso necessário.

Quando o Brasil declarou guerra à Alemanha, vislumbrou a possibilidade de utilizar seus conhecimentos para ajudar o país. Integrou a primeira turma do Curso de Enfermagem da Reserva do Exército, tendo, ao lado de outras duas candidatas, tirado nota máxima na classificação. Como oradora na cerimônia de conclusão de curso, afirmou: "Vamos seguir para terras estranhas, onde, ao invés de palavras de conforto, vamos ouvir o matraquear constante da metralhadora, o ribombar ensurdecedor dos canhões, os gemidos lancinantes dos feridos."

Chegou a Nápoles em 15 de julho de 1944. Durante sua estada na Itália serviu em vários hospitais, além de ter sido designada enfermeira-chefe no 7th Station Hospital, na cidade de Livorno, onde atuava o maior contingente de brasileiras.

Major Elza, como é conhecida, nunca perdeu a garra, como demonstra seu heterogêneo currículo de militar, artista plástica, enfermeira e escritora. Ainda hoje presta serviços ao Exército brasileiro, contabilizando 36 condecorações, entre nacionais, estrangeiras e para-militares, além de possuir o título de Cidadã Alagoana.

Anos rebeldes

Estudantes contra a ditadura militar - uma luta também das mulheres

A ditadura militar de 1964 encontrou o sistema educacional brasileiro em crise. O ensino público estava defasado em relação ao crescimento urbano das últimas décadas, à expansão da classe média e ao desenvolvimento tecnológico e industrial, que vinha gerando novas demandas no mercado de trabalho. Em Alagoas, como nos principais estados, a proporção de mulheres nesse contingente, bem como dentro da universidade, crescia vertiginosamente.

O movimento estudantil estava bem organizado em torno da União Nacional dos Estudantes (UNE), fundada em 1937, possuindo estruturas disseminadoras pelos estados, através dos Diretórios Acadêmicos (DAs). O órgão recebia forte influência do Partido Comunista Brasileiro, embora congregasse estudantes de outros partidos, ou mesmo sem militância partidária, em torno de uma pauta específica concentrada, prioritariamente, na reivindicação pelo aumento de vagas, verbas públicas, reformas no ensino e na pesquisa e mais transparência nos critérios de avaliação.

Prontamente a ditadura posicionou-se na contramão dessas reivindicações. Já em 1966 o presidente Castelo Branco deixou claro que os investimentos no ensino abririam caminho para o desenvolvimento nacional voltado para os interesses do capital. De Brasília os militares acenaram com a possibilidade de um convênio do Ministério da Educação e Cultura com a USAID (Acordo MEC-USAID), órgão de cooperação internacional do "governo imperialista dos Estados Unidos". Esse acordo incentivava a privatização do ensino, tornando ainda mais seletivas as instituições educacionais públicas.

A iminência do Acordo MEC-USAID foi o estopim para acelerar a dinâmica do movimento estudantil. Em Maceió, o Diretório Central Estudantes, da recém-criada Universidade Federal de Alagoas (UFAL/1961), publicou na imprensa nota conclamando universitários alagoanos a lutarem contra o acordo. A UFAL, fruto da fusão das antigas faculdades de Direito, Medicina, Filosofia, Engenheira, Economia e Odontologia, vinha enfrentando sérios problemas de espaço físico, tendo sofrido, em 1967, corte significativo de sua verba federal, fato que se repetiu no ano seguinte, revoltando ainda mais a classe estudantil.

No período compreendido entre 1968 e 1969 algumas poucas mulheres ocupavam cargos de direção no movimento estudantil local: **Arriete Vilela** foi primeira-secretária do Diretório Acadêmico do Instituto de Letras e Artes; **Maciléa Rocha Santos** integrava o Diretório da Faculdade de Medicina; **Jarede Viana,** presidenta do DA da Faculdade de Educação, e **Ivanilda Soares Gusmão Verçosa**, ambas ocuparam cargo de direção no Diretório Central dos Estudantes da UFAL, sendo que Ivanilda chegou ao posto de secretária-geral. Ao lado de outras companheiras e lideranças masculinas impulsionaram a maior manifestação estudantil do estado, quando ajudaram a levar para as ruas da capital mais de 5.000 estudantes.

Estavam, portanto, em lugares-chave quando a crescente repressão culminou, ainda em 1968, na publicação do Ato Institucional nº5. Contestadoras, mesmo perseguidas e fichadas pela Polícia Federal, nunca abandonaram a luta, tendo se transformado em militantes da Ação Popular (AP), engajando-se na luta mais ampla contra a ditadura militar.

Diante da forte repressão característica do período pós-1968, o movimento estudantil começou a sofrer um refluxo. Nessa fase, também assumiram posições na direção da militância alagoana: **Ana Lucia Tenório Ribeiro,** presidenta do Diretório Acadêmico do IFCH (1969-70); **Marize Moura da Silva,** presidenta do DA de Educação; **Maria de Lourdes Tenório,** presidenta do DA de Serviço Social; e **Neusa Mendonça Plácido,** presidenta do DA do IGC, todas no período de 1971 a 1972.

Na eleição de 1979, delegadas e delegados dos diretórios escolhem a nova diretoria do DCE da UFAL, elegendo mais uma vez a chamada "frente medebista", composta pelo MDB jovem, PCdoB e ex-PCR e tendo como presidente Maurício de Macêdo e **Thaís Normande,** vice.

Muitas dessas "explosivas" mulheres permanecem firmes em sua militância, seja em partido políticos, em sindicatos ou no feminismo, como é o caso de Jarede Viana, Ivanilda Verçosa, e Thais Normande.

Quem sabe faz a hora: clandestinidade, prisão e tortura

Foi em 1969 que indícios da opção pela luta armada contra a ditadura militar fizeram-se sentir no cotidiano de Maceió, com as primeiras pichações revolucionárias e, no início de dezembro, panfletos lançados por militantes do PCBR do alto do edifício Breda.

A orientação do PCB, contrária à opção pela luta armada, provocou divisões internas, o que deu origem a algumas facções revolucionárias, arrastando consigo estudantes e trabalhadores/as rurais e urbanos para uma trajetória de clandestinidade e risco de vida. Apresentamos a seguir curtas biografias de algumas das muitas alagoanas que, de uma forma ou outra, envolveram-se no sonho de um Brasil socialista.

Maria Yvone Loureiro: de economista a costureira, uma vida de peripécias

Nascida em Viçosa (AL) no ano de 1947, **Maria Yvone** ingressou no PCBR – Partido Comunista Brasileiro Revolucionário – em 1968, quando ainda estudava Economia na Universidade Federal de Pernambuco. Em fevereiro de 1971, foi presa na praia de Pirangy, em Natal, junto com outros/companheiros e companheiras. Após três dias no Quartel do Exército, o grupo foi conduzido para Pernambuco, onde, segundo ela, "o clima era de terrorismo, diziam que estavam nos levando para torturar e matar".

Já no Dops do Recife, Yvone soube por uma companheira que seu marido também tinha sido preso, barbaramente torturado e que estava hospitalizado. Em vão procurou obter informações de Odijas. Incomunicáveis, camaradas de prisão lhe transmitiram a notícia através de assobios e cantorias, notícia da qual suspeitava sem querer acreditar.

Revoltada, Yvone ainda teve forças para denunciar a tortura e o assassinato de seu marido para centenas de pessoas que visitavam a Secretaria de Segurança para tirar carteira de identidade. Além disso, juntou-se a uma greve de fome coletiva que durou vários dias: "Odijas tinha sido morto em 8 de fevereiro de 1971 e ninguém me comunicou, mesmo eu estando presa desde o dia anterior." Só foi informada 20 dias depois.

Yvone foi transferida para o Presídio Feminino do Bom Pastor, onde cumpriu pena de dois anos. Saiu da cadeia em 1977 por falta de provas. Retornou a Viçosa para uma vida cheia de restrições. Impedida de retomar seu antigo trabalho, passou a ganhar a vida como costureira.

Depois de muita luta, conseguiu obter transferência para a Universidade Federal de Alagoas e concluir o curso de Economia em Maceió. Uma vez formada, entrou para o serviço público estadual, onde permanece até hoje. Ocupou funções de destaque na luta pelos direitos humanos. Participou intensamente da Luta pela Anistia, do Movimento Contra a Carestia e do Movimento dos Familiares de Mortos e Desaparecidos. Em 1983 ingressou no PCdoB, chegando a concorrer a cargos políticos. No mandato legislativo de 2004, Maria Yvone Loureiro foi suplente da senadora alagoana Heloísa Helena.

Selma Bandeira: uma extraordinária trajetória interrompida abruptamente

Nascida em Delmiro Gouveia (AL) em 1944, **Selma Bandeira** participou da política estudantil desde os 16 anos. Fez vestibular para a Faculdade de Medicina da UFAL em 1964, onde aprofundou sua militância filiando-se ao Partido Comunista Brasileiro Revolucionário (PCBR). Foi escolhida vice-presidenta do Diretório Acadêmico de sua faculdade, na década de 1960.

Quando concluiu seu curso, em 1969, já havia sido detida e interrogada, e seu comprometimento com a militância revolucionária a obrigava a constantes fugas da repressão. Mesmo assim, em 1970, Selma prestou concurso para a Residência em Pediatria do Instituto de Medicina Infantil de Pernambuco (IMIP), no Recife. Mudou-se para aquela cidade com toda a família, e durante os anos de seu curso e trabalho no IMIP não abandonou as ações políticas na clandestinidade.

Com a prisão e assassinato de seu companheiro, Manoel Moura Lisboa, Selma ficou entrou em grave depressão, adoentando-se e necessitando cuidados médicos. Com o apoio de amigos e amigas, conseguiu ser operada usando um nome falso nos registros do serviço de saúde. A partir daí seu cotidiano passou a ser ainda mais angustiante, tendo de sair disfarçada às ruas e perdendo contato até mesmo com a família. Essa situação só teve fim com sua prisão, que aconteceu oito anos após sua chegada ao Recife.

Selma ocupava um apartamento com Valmir Costa, que era da mesma organização. Os dois foram descobertos pela repressão, presos, julgados e condenados. Selma foi encaminhada para a Colônia Penal Feminina do Bom Pastor em março de 1978.

Por essa época crescia o clamor da opinião pública contra as mortes e as violências praticadas pela ditadura, fazendo com que as cenas de perseguição e prisão passassem a ser exibidas com certa discrição. Foi assim com Selma, quando os agentes que a capturaram tentaram cobrir com um casaco as algemas colocadas na médica. Mas ela fez escândalo, saindo do edifício em que foi detida e gritando: "Por que não me matam? Vocês mataram meu marido, matem-me também!" Jogou o casaco no chão e mostrou as algemas ao povo aglomerado gritando para que fossem aos jornais denunciar o que estavam presenciando. A atitude lhe salvou a vida, pois a denúncia chegou aos jornais! Selma e Valmir sofreram pressão psicológica, mas não foram torturados, como era hábito nessas circunstâncias. Já em Maceió sua família também foi presa e sofreu perseguições.

Com a Anistia, em 1979, Selma foi uma das primeiras presas políticas libertadas, recuperando seus direitos políticos. Retomou as atividades profissionais em Maceió como médica sanitarista e foi convidada para trabalhar na Secretaria de Saúde do governo Guilherme Palmeira.

Engajou-se no Movimento Democrático Brasileiro (MDB), participando da fundação do MDB Mulher e da Organização das Mulheres Trabalhadoras. Em 1982, foi eleita deputada estadual e tinha uma carreira promissora. Nunca deixou de participar do movimento feminista de Alagoas e contribuiu muito para a criação do Conselho Nacional dos Direitos da Mulher. Mas no auge de sua campanha por um mandato na Câmara Federal, em 1996, sofreu um acidente automobilístico fatal quando se dirigia para um comício. Com ela, no mesmo automóvel, estava a líder sindicalista **Noraci Pedrosa,** que também faleceu.

Hélia Almeida Mendes: uma ação solidária e sérias conseqüências

A prisão e a tortura de **Hélia Mendes** constituíram mais uma violenta arbitrariedade do regime militar. Nascida em Maceió em 1935 e tendo se formado em 1960 pela antiga Faculdade de Medicina de Alagoas, Hélia tornou-se a primeira mulher no estado a se especializar em Patologia Clínica, fundando o Laboratório da Patologia Clínica Hélia Mendes. Dedicada à profissão, nunca participou de atividades político-partidárias, nem de movimentos estudantis ou de qualquer outra agremiação que pudesse ser considerada "subversiva" na época. Mas sempre admirou a coragem de colegas que se expunham na luta pela igualdade de classes, que considerava justa.

Entretanto, no início de década de 1970, Hélia Mendes assinou um abaixo-assinado contra a bomba atômica e, a partir de então, passou a ser vista como engajada em movimentos políticos. Era amiga pessoal da colega de profissão Selma Bandeira, que em certa ocasião pediu que ela guardasse em sua casa um mimeógrafo pertencente ao PCB. Em setembro de 1973, apareceram dois homens dizendo serem policiais no laboratório procurando pela impressora. Assustada, negou o fato, e os policiais deram-lhe voz de prisão e a conduziram à força até sua casa, onde, de fato, o mimeógrafo se encontrava.

Começou aí sua tortura. Hélia foi encapuzada e encaminhada para um local desconhecido na área rural. No mesmo dia foi interrogada e relatou como aquele material chegara a sua casa. No dia seguinte foi transferida para uma prisão no Recife (PE) – sem conseguir falar com nenhum dos seus familiares –, dividindo a cela com outras mulheres. Dormia no chão e recebeu choques elétricos durante interrogatórios que não tinham dia nem hora para acontecer. Não eram permitidas visitas sequer de advogados, e Hélia nunca viu o rosto de seus algozes, sempre encapuzados.

A médica não sabe o dia exato em que foi transferida para uma prisão feminina, também no Recife, e depois para Maceió, onde ficou na delegacia do Bairro do Farol. Nesse período já recebia visitas de familiares, amigos e de um advogado, que assumiu a causa por sua libertação. Foram ao todo 72 dias de horror.

Uma incasável militante

***Jarede Viana**, natural de Maceió, é reconhecidamente uma liderança política e feminista. Em 1968 assumiu a presidência do Diretório Acadêmico da Faculdade de Educação da Universidade Federal de Alagoas. Militante da Ação Popular (AP), no final dos anos 1970 engajou-se na luta contra a ditadura militar, depois pela anistia, diretas já, entre outros históricos momentos de ação política. Perseguida pelos órgãos de repressão do governo ditatorial e fichada na Polícia Federal, foi proibida de ser patrona de formatura.*

No auge da repressão militar, acolheu companheiros e companheiras envolvidos na guerrilha do Araguaia, que passavam por Alagoas para despistar os militares. Nessa época respondeu a processo acusada de agitação política, por conta de seu envolvimento na mobilização de alunos e alunas da Universidade para protestarem contra a prisão de vários ativistas no Congresso da União Nacional dos Estudantes (UNE), realizado em Ibiúna, São Paulo.

Em 1982 participou da fundação da União de Mulheres de Maceió (UMMa)e elegeu-se vereadora pelo Movimento Democrático Brasileiro (MDB). Em 1987, antes de terminar o mandato, ingressa no Partido Comunista do Brasil (PcdoB), do qual é expulsa sete anos depois por questionar a postura político partidária de seus dirigentes.

Filiada ao Partido dos Trabalhadores (PT), é integrante de sua Executiva Regional. Em 2004, foi nomeada assessora co Sindicato dos Trabalhadores em Educação (SINTEAL), além de integrar a coordenação da Marcha Mundial das Mulheres.

Gastone Lucia Beltrão: vítima fatal

Outra alagoana que dedicou sua vida a luta por democracia foi a estudante Gastone Lucia Beltrão, nascida em 1950. Tendo iniciado sua militância política na Juventude Universitária Católica, Gastone mudou-se para o Rio de Janeiro, onde continuou a atuar no movimento estudantil. Casou-se em 1969 com o militante de esquerda José Pereira da Silva e filiou-se à Aliança Libertadora Nacional, fundada por Marighela. O casal passou uma temporada em Roma e Cuba, onde passou por treinamento de guerrilha. Separada do marido, Gastone voltou para o Brasil no início de 1972.

Gastone foi denunciada aos órgãos brasileiros de repressão quando ainda estava em Cuba. Dias após seu retorno ao Brasil, em 1972, foi presa em São Paulo pela equipe do delegado Sergio Fleury. Conta-se que Gastone reagiu, foi fuzilada e enterrada sem identificação no cemitério de Perus. Tinha apenas 22 anos.

Maria Lúcia de Souza Carvalho Couto

Maria Lúcia de Souza nasceu em Anadia (AL), em 1942. Formou-se em Serviço Social pela Universidade Federal de Alagoas, onde se engajou ao movimento estudantil. Em 1966 sofreu a primeira prisão, quando participava em Salvador do Congresso da Executiva dos Estudantes de Serviço Social, quando houve repressão policial.

Ao se formar, Maria Lúcia trabalhou no Serviço de Orientação Rural de Alagoas (SORAL), trabalho ligado à Igreja Católica que se concentrava na preparação de trabalhadores para sua organização em sindicatos. Em função desse serviço, foi presa e encarcerada numa prisão do interior, onde ficou até obter um habeas corpus impetrado por advogados trabalhistas, tendo contado com a solidariedade de trabalhadores, estudantes, e colegas de militância.

Maria Lúcia viveu 11 anos na clandestinidade como militante do PcdoB. Viajando por vários estados, chegou a trabalhar como operária, usando o nome de Severina Maria da Conceição Severo. Hoje reside em Salvador (BA), onde recomeçou a vida em 1985, após a Anistia, ao lado do marido, que também foi militante. Voltou a estudar, obtendo o título de Mestra em Administração Estratégica, exercendo o magistério superior na Universidade de Salvador (UNIFACS).

Vólia de Miranda Pinto

Vólia de Miranda Pinto nasceu em Maceió no dia 8 de maio de 1945. No início da década de 1960, atuou no movimento estudantil engajando-se na luta pelas reformas de base e pela manutenção e melhoria do ensino público no país. Foi integrante da Juventude do Partido Comunista Brasileiro (PCB) e colaboradora do movimento de cultura popular da União Nacional dos Estudantes. Nos anos anteriores ao golpe militar, Vólia esteve presente em quase todas as lutas políticas de sua época, ao lado do pai e dos irmãos. Após o golpe, toda a família sofreu perseguições, seu pai foi preso e seus irmãos tiveram que abandonar o estado de Alagoas.

Em 1963, Vólia viajou para Moscou e ingressou no Curso de Medicina da Universidade Patrice Lumumba, que oferecia bolsas de estudo para alunos de países em desenvolvimento. Durante sua permanência em Moscou conheceu o japonês Sozo Tosaka, com quem se casaria e teria uma filha, Yumi de Miranda Tosaka. Após se formar, retornou ao Brasil, deixando a filha sob a guarda de seus pais no Espírito Santo, a fim de concluir sua residência hospitalar. No Japão fez cursos de revalidação de seu diploma na Universidade de Tóquio, passando a exercer a psiquiatria naquele país.

Decidida a voltar ao Brasil para buscar sua filha, Vólia teve negado a emissão do seu passaporte pelas autoridades brasileiras. Esse ato arbitrário da ditadura impediu que Vólia pudesse conviver com a filha e fez com que, durante anos a fio, ela travasse uma penosa batalha jurídica para reverter a situação. Enfrentando dificuldades de toda sorte, Vólia conquista o direito de obter seu passaporte. Porém, mesmo depois dessa vitória, continuou sendo espionada pela polícia política japonesa a pedido do governo brasileiro, que a considerava perigosa e subversiva. Vólia viveu mais de 30 anos no Japão e deixou marcas profundas de sua passagem na vida médica daquele país. Sua única filha e os dois netos vivem em Maceió.

Ivanilda Soares de Gusmão Verçosa

Ivanilda Verçosa

Militante do movimento estudantil alagoano na década de 1960, **Ivanilda** teve participação ativa na elaboração do ato de resistência ao Golpe Militar, realizado em 1966, na condição de secretária-geral do Diretório Central dos Estudantes da UFAL. Por ter participado da organização dessa manifestação, que reuniu mais de 3.000 estudantes no pátio da antiga Faculdade de Medicina de Alagoas, respondeu a Inquérito Policial Militar (IPM) na Polícia Federal de Alagoas.

Foi militante da Ação Popular, mais tarde Ação Popular Marxista-Leninista (APML). Com o recrudescimento da repressão, parte da esquerda opta pelo chamado recuo estratégico, passando a utilizar outros instrumentos de resistência, como o teatro, atividade em que Ivanilda teve uma longa experiência.

Paralelamente à ação artística, continuava fazendo política na clandestinidade, acolhendo e dando cobertura, junto com Elcio Verçosa, com quem se casou, a dezenas de militantes clandestinos e guerrilheiros do Araguaia, que corriam risco de vida e passavam por Maceió para despistar as Forças Armadas e os órgãos de repressão.

No final da década de 1970, já militante do PCdoB, participou da organização, em Alagoas, do Movimento Feminino pela Anistia e da criação da Sociedade Alagoana de Defesa dos Direitos Humanos. No início dos anos de 1980, no bojo do movimento de organização das mulheres no Brasil, foi uma das fundadoras e primeira presidenta da União das Mulheres de Maceió (UMMA), entidade que organizou e mobilizou centenas de mulheres das classes populares em torno da defesa de direitos sociais. Como integrante dos quadros do Partido Comunista do Brasil, no início dos anos de 1980 foi dirigente de agitação e organização do partido, do qual se afastou em 1990.

Advogada solidária também é punida

A advogada alagoana **Mércia Albuquerque,** que atuou em favor de Selma e de outros presos políticos seus conterrâneos, foi presa sete vezes pelo DOI-CODI, que a submeteu a interrogatórios sobre seu suposto envolvimento com atividades subversivas. Após um desses interrogatórios, foi largada de madrugada na zona do meretrício do Recife (PE) e recolhida por uma prostituta conhecida como "Bisqui", que a alimentou e abrigou. Hoje Mércia vive em Pernambuco.

Muitas outras mulheres sofreram privações por terem lutado por um país mais justo e democrático, como **Ede Martins Fon,** que, em 1978, aos 39 anos, foi detida e indiciada em Inquérito Policial Militar e punida com a perda do emprego; **Maria Alba Correia da Silva,** militante clandestina da Ação Popular Marxista Leninista (APML), que respondeu a Inquérito Policial Militar, em 1967, por participar das lutas de resistência ao governo ditatorial instalado no Brasil após o golpe de 1964; e **Jarede Viana,** também perseguida pelos órgãos de repressão.

Advogadas e juristas acertando o compasso com a história

Muitos foram os preconceitos enfrentados pelas mulheres para ingressarem nas universidades, e também fortes resistências para o exercício da advocacia. Embora hoje a percentagem de mulheres nos bancos das faculdades de direito se equipare ou mesmo supere a dos homens, o estigma que as desprivilegia enquanto profissionais, com base meramente na condição de gênero, se revela sobretudo no que diz respeito à ocupação de cargos no Poder Judiciário, que demanda indicação política, ou à participação em associações de classe. Em Alagoas não tem sido diferente.

Emancipado em 1817, o estado de Alagoas esperou 159 anos para nomear sua primeira juíza de direito, em 1976, quando o governo Divaldo Suruagy nomeou **Nelma Torres Padilha,** aprovada em concurso público.

Em 1996, o governo alagoano enfrentou a "Gangue Fardada", uma quadrilha de policiais militares que vinha saqueando, roubando e matando pessoas em todo o estado. Como a situação exigia uma operação especial que implicava altos riscos, o Judiciário adotou uma estratégia de atuação conjunta. Assim, foi designado um grupo de 11 magistrados para proceder à apuração e ao julgamento dos indiciados. A juíza Nelma Padilha foi a única mulher a integrar grupo.

Embora o desequilíbrio de gênero venha pouco a pouco se atenuando no espaço judiciário, hoje dos 206 juizes existentes nas diferentes comarcas 15% são do sexo feminino.

Na 2ª instância, que abarca os tribunais de justiça do estado, a abertura tem sido mais lenta, com a primeira desembargadora sendo nomeada apenas em 2002. Trata-se da juíza, também concursada, **Elizabeth Carvalho Nascimento,** que na ocasião era titular da 1ª Vara de Delitos de Trânsito da Capital, tendo sido promotora pública em diversos municípios e a primeira juíza mulher a ser indicada para compor o Tribunal Regional Eleitoral.

Ingresso na OAB – tentativas anos a fio e criação da AMAAL

A Ordem dos Advogados do Brasil (OAB) é o órgão responsável pela regulação do exercício da advocacia, tendo como missão defender a ordem jurídica, a Constituição da República e contribuir para o aperfeiçoamento das instituições da área do direito.

A OAB Seccional Alagoas, instalada em 1932, seguiu os moldes da predominância masculina, com obstáculos que tornavam quase impossível a participação das advogadas. As primeiras inscrições de mulheres como associadas aconteceram após 18 anos de tentativas, com o pioneirismo de **Alice Pereira da Rocha,** em 1950, e **Lea Saraiva Barbosa,** no ano seguinte. Em 2003 o quadro da Seccional ultrapassava 6.500 associados, sendo as mulheres 33% deste total.

A eleição da primeira mulher para o cargo de conselheira da Seccional ocorreu em 1981-83, com **Marina Teixeira da Silva.** Era muito pouco para os anseios de um contingente já significativo de mulheres profissionalmente competentes e politicamente atuantes. As insatisfações diante das dificuldades comuns estimularam a formação de um grupo interessado em lutar pelo fortalecimento corporativo das advogadas, sua atualização técnica e pelo sua inserção na OAB.

Essa idéia foi concretizada em uma reunião na sede da Seccional Alagoas no dia 9 de dezembro de 1986, para a qual a imprensa foi amplamente convocada. Entre as advogadas presentes destacavam-se **Aydete Vianna de Lima, Celme Leão, Maria Nita Silva, Ivete Moreira, Marlene Santana, Alba Lúcia Torres, Leda Fragoso, Wesley Veloso Alves de Oliveira, Liberacy Rosa de Lima** e **Marly Ribeiro Aprígio.** O encontro formalizou a fundação da Associação da Mulher Advogada de Alagoas (AMAAL), organização que trabalhou com afinco para ampliar a presença feminina na OAB, tendo como presidenta nas duas primeiras gestões (1987-91) Aydete Vianna de Lima. As presidentas nos mandatos seguintes foram Maria Nita Silva; Marly Ribeiro de Souza Aprígio e, atualmente, **Dalva Ferreira Cavalcanti.**

O trabalho da AMAAL refletiu-se na composição do Conselho da OAB Seccional Alagoas no mandato 1989-91, quando a chapa vitoriosa incluía oito advogadas: Aydete Vianna de Lima**, Eloína Maria Braz dos Santos,** Maria Nita Silva**, Marilma Torres Gouveia de Oliveira,** Marina Teixeira da Silva**, Sônia Thereza Beltrão Brandão, Maria Anicleres Vieira Soares** e **Solange Bentes Jurema.** Infelizmente esse número se reduziu, contando o Conselho eleito para o mandato 2000-03 com cinco conselheiras mulheres, de um total de 24 membros. São elas: **Maria Salete Correia Toledo, Carmem Dolores Pontes Lima,** Dalva Ferreira Cavalcante, **Vilma Gama** e **Magda Leal de Oliveira.** Em 2000, o Clube dos Advogados de Alagoas, fundado há quase 20 anos, elegeu pela primeira vez uma mulher para a presidência: **Liberacy Rosa de Lima.**

Nas chapas para o Conselho da Seccional Alagoas da OAB, a disputa pelos postos de direção é acirrada e, até hoje, nenhuma mulher ocupou sua presidência.

A feminista Solange Bentes Jurema concorreu como candidata à presidência da Seccional Alagoas na eleição de 1997, pela chapa de oposição, com uma plataforma que incluía temas polêmicos, como a moralização do Poder Judiciário, a participação política das mulheres em igualdade de condições e que a OAB não fosse apenas um órgão de defesa da classe, mas participasse das lutas pela cidadania do povo alagoano. Foi uma campanha bastante disputada e politizada, que mobilizou o estado com debates na

Período	Cargo	Titulares
1989-91	1ª mulher secretária-geral	Aydete Vianna de Lima
1995-98	1ª mulher representante de Alagoas no Conselho Federal	Aydete Vianna de Lima
1995-98	1ª presidenta mulher da Caixa de Assistência dos Advogados de Alagoas	Maria Nita Silva
2002	1ª mulher vice-presidenta	Magali Pimentel Cardoso
2003	Representantes de Alagoas no Conselho Federal	Aydete Vianna de Lima e Socorro Vaz Torres

imprensa e outdoors espalhados pelas ruas da capital. Embora vencendo em Maceió, Solange perdeu no cômputo geral por apenas 28 votos. A candidata tem orgulho dessa campanha e lembra-se até hoje de episódios pitorescos que demonstram, ainda hoje, a resistência e o preconceito contra as mulheres: em viagem ao interior, um advogado de idade avançada lhe disse: **"A que ponto chegamos! Imagine o meu constrangimento em ter que votar numa mulher..."**

Criando a OAB Mulher de Alagoas

A OAB Mulher foi criada informalmente, em 1981, por um grupo de advogadas feministas do Rio de Janeiro, envolvidas na reforma do Código Civil, em tramitação no Congresso Nacional. A iniciativa fluminense estimulou o surgimento de espaços semelhantes em outros estados. Em 1996, também no Rio de Janeiro, algumas advogadas impulsionaram a criação da Comissão Permanente da Mulher Advogada, sendo a proposta assimilada pelo Conselho Federal da OAB, que regulamentou sua implantação.

Em 1998 foi criada a Comissão OAB Mulher em Alagoas. O grupo compunha-se inicialmente de 38 advogadas voluntárias, sendo a primeira presidenta Aydete Vianna de Lima. Os objetivos eram prestar assistência jurídica a mulheres pobres, com atendimento na área do Direito de Família, através de plantões e acionamento na Justiça; promover estudos, seminários ou pesquisas para o aperfeiçoamento técnico das advogadas interessadas na questão da condição feminina.

Atualmente, em 2003, a Comissão OAB-Mulher é presidida pela conhecida advogada **Maria Anunciada Pereira Guimarães Campos de Lima.** Destacaram-se, ainda nesse espaço político, as advogadas: **Marilda Fontan, Neide Correia de Lima,** Dalva Ferreira **Cavalcante, Betânia Lima da Guia** e Vilma Gama, entre outras.

Primeira ministra da mulher

***Solange Bentes Jurema**, maceioense, nascida em 1948 e filha de Isolina Gonzaga Bentes e do militar José Anchieta do Vale Bentes, Solange viveu e estudou em Manaus, Rio de Janeiro e Recife, capitais para onde o pai fora transferido durante sua infância e juventude. Em 1968, durante a ditadura militar, acompanhou a família no retorno à sua terra natal, onde o pai assumiu o cargo de secretário de Segurança Pública do governo Lamenha Filho.*

Ao contrário do que foi permitido a seu irmão, que permaneceu no Rio de Janeiro para cursar Engenharia, Solange foi obrigada a partir. Vendo frustrado seu desejo de estudar Sociologia na capital fluminense, optou pela carreira jurídica, cursando Direito na Universidade Federal de Alagoas (UFAL).

Engajou-se no movimento estudantil, e aproveitou a condição política do pai para usar sua casa como "ponto seguro e estratégico" de proteção contra a repressão. Solange conta que seu pai nunca interferiu ou reprimiu sua condição de agitadora e que costumava dizer: "Pior do que ser de esquerda ou direita é não ter um ideal."

Ao se casar, em 1971, mudou-se para o Recife, onde viveu nove anos. Retornando a Maceió, decidiu prestar concurso público para Procuradoria do estado. Integrou-se à OAB/Seccional de Alagoas, acompanhando de perto a elaboração da nova Constituição brasileira.

Em 1987 associou-se à Associação Brasileira de Mulheres de Carreira Jurídica (ABMCJ/Seccional Alagoas), momento em que se interessou pelas questões relativas aos direitos humanos e direitos das mulheres, tendo se engajado no movimento feminista. "Até então tinha atitudes feministas, mas não tinha consciência da importância e significado do feminismo", afirma a procuradora. Seu compromisso e empenho fizeram com que, dois anos depois, fosse eleita presidenta da Seccional Alagoas da ABMCJ, cargo para o qual foi reconduzida no mandato seguinte, para assumir em 1994 o posto máximo. Na presidência nacional da entidade, participou da IV Conferência Mundial sobre a Mulher, na China e tornou-se conselheira do Conselho Nacional dos Direitos da Mulher (CNDM) em 1996 e, em 1999, presidenta do mesmo órgão.

Uma vez na presidência do CNDM, suas preocupações iniciais foram ampliar a estrutura do órgão e recuperar a interlocução com os movimentos de mulheres, interrompida durante o governo Collor de Melo. Solange acompanhou a formação da delegação oficial brasileira para a sessão da ONU de avaliação da implementação da Plataforma de Beijing (Beijing +5 - 1995), garantindo um número expressivo de representantes do movimento feminista nesse grupo.

Em 2002, quando através de medida provisória o presidente Fernando Henrique Cardoso criou a Secretaria de Estado dos Direitos da Mulher, com status ministerial, Solange tomou posse como primeira mulher a ocupar esse cargo no Brasil.

ABMCJ no Brasil e em Alagoas

A Associação Brasileira de Mulheres de Carreira Jurídica (ABMCJ) é uma organização não-governamental filiada à Federação Internacional de Mulheres de Carreira Jurídica, criada em 1928. Sensíveis às discriminações sofridas pelas advogadas – que enfrentam dificuldades para exercer cargos como o de juíza ou de conselheira nas organizações de caráter corporativo – e preocupadas com o caráter discriminatório das legislações nacionais nos diferentes continentes, suas militantes conseguiram obter para a Federação representação na ONU, UNESCO, UNICEF e OIT.

No Brasil, a ABMCJ foi fundada em 1985. A Diretoria Nacional, de 2004, tem sede em São Paulo, e a organização reúne cerca de 3 mil associadas em 25 estados.

Quando Aydete Vianna de Lima exercia seu primeiro mandato de conselheira da Seccional Alagoas da OAB, participou de encontros nacionais nos quais entrou em contato com integrantes da ABMCJ. Foi assim que surgiu a idéia de criar uma sede alagoana da entidade.

Marilma Torres Gouveia de Oliveira

A ABMCJ/AL foi fundada em 1987 por um grupo de integrantes da AMAAL. Marilma Torres Gouveia de Oliveira e Celme Leão foram escolhidas para presidenta e vice-presidenta da nova entidade, e a diretoria era formada por **Yonne Schwartz Gama, Marly Granjeiro de França, Marlene de Santana Oliveira, Rosa Maria Casado Bezerra** e Wesley Ivone de Oliveira.

O Brasil vivia então pelo período inicial da abertura democrática, após os 20 anos de ditadura. Nesse contexto, foi intensa a mobilização do movimento de mulheres, o que resultou em importantes conquistas como a criação do Conselho Nacional dos Direitos da Mulher, que agregava nacionalmente as propostas dos setores organizados para a Assembléia Nacional Constituinte, já em curso.

A conjuntura era, portanto, favorável ao desenvolvimento de muitas ações de cidadania. A recém-criada ABMCJ de Alagoas, por exemplo, implementou atividades educativas em comunidades carentes da capital e do interior, produziu material didático sobre direitos e garantias individuais recém-conquistados na Constituição da República e participou da organização de fóruns e debates sobre temas importantes do campo jurídico ou da agenda política e econômica mais ampla.

Outra importante contribuição da entidade deu-se durante elaboração da Constituinte Estadual, em 1989, quando um grupo de trabalho formado por Solange Bentes Jurema – eleita presidenta na segunda e terceira gestões da AMCJ de Alagoas – **Silvia Lavenère, Marly Grangeiro de França,** Sônia Thereza Beltrão e Celme Leão acompanhou e opinou sobre temas de interesse social e jurídico.

A ABMCJ/AL tem se pronunciado diante de situações dramáticas, como no episódio em que um grupo de prostitutas foi espancado em praça pública em frente ao prédio da OAB e precisou recorrer já Justiça. Outra prática freqüente são as visitas ao Presídio Feminino para verificar as condições em que vivem as detentas. Apoiou também a OAB/AL na proposta de ação popular contra as nomeações ilegais perpetradas pela Assembléia Legislativa Estadual no ano de 1991, além de participar dos atos públicos pela democracia e a favor do impeachment do ex-presidente Fernando Collor.

A partir de 1997 engajou-se no projeto nacional da ABMCJ denominado JUS MULHER, de atendimento e orientação jurídica para mulheres carentes, proposta que funcionou apenas em alguns estados. Em Alagoas o projeto, coordenado no início por **Carmem Dolores Bomfim,** ganhou impulso e chegou a ser reconhecido pelo governo municipal de Maceió como iniciativa de utilidade pública.

Aydete Viana de Lima

Nascida em Maceió no dia 19 de novembro de 1937, Aydete estudou em escolas públicas, fazendo o ginasial no Instituto de Educação e o científico no Colégio Estadual de Alagoas, onde cursou o período noturno para poder trabalhar e custear os próprios estudos.

Em 1959, sem que a família soubesse, decidiu participar de um teste na Rádio Difusora para rádio-atriz, sendo aprovada. Adotando o pseudônimo de Silvia Lorène, passou a atuar em várias novelas. Em seguida tornou-se assistente de direção artística na Rádio Gazeta, e, em 1966, é contratada como redatora pelo jornal Gazeta de Alagoas, sendo responsável pela página feminina. Escrevia uma crônica por semana e a primeira delas, intitulada "Senhores, com licença!", já traduzia o espírito feminista que habitava na autora. Foi também editora internacional do mesmo jornal, na época em que cursava a Faculdade de Direito de Alagoas.

Aydete fez vários concursos na área do Direito e foi aprovada em três deles, escolhendo em 1981 assumir a função de consultora jurídica do estado. Permaneceu na Procuradoria até a aposentadoria, em 1996, quando assumiu o cargo em comissão de secretária-geral da Presidência do Tribunal Regional Eleitoral (19ª Região).

Consciente das dificuldades enfrentadas pelas profissionais do Direito para ocupar os espaços de poder, foi uma das pioneiras na luta pela criação da Associação da Mulher Advogada de Alagoas (AMAAL) em 1986, a qual presidiu nas duas primeiras gestões. Em 1998 deu impulso à instalação da Comissão OAB Mulher de Alagoas e mais uma vez inaugurou o mandato de presidenta do nascente espaço. Além de deter as comendas "Ministro Silvério Jorge" e "Graciliano Ramos", Aydete, recebeu, em março de 2003, a comenda "Nise da Silveira", instituída pelo governo do estado.

Presidentas e integrantes das diretorias da ABMJ/AL

Período	Presidenta	Vice presidenta
1987-89	Marilma Torres Gouveia de Oliveira	Celme Leão
1989-91	Solange Bentes Jurema	Mariana Teixeira da Silva
1991-94	Solange Bentes Jurema	Eunice Auto da Silva Nono
1994-97	Maria Lúcia de Fátima Barbosa Pirauá	Vânia Maria Cavalcante Lima
1997-2000	Maria Lúcia de Fátima Barbosa Piruá	Vânia Maria Cavalcante Lima
2000-03	Carmem Dolores Pontes Lima Bonfim	Eunice Auto da Silva Nono
2003-06	Marly Granjeiro de França	Eloina Maria Braz dos Santos

Outras profissionais do direito também contribuíram, nessas últimas décadas, para a construção e existência das três entidades citadas, bem como na luta pela democracia de gênero na Ordem dos Advogados de Alagoas e do Brasil; são elas: **Ana Maria Willowait, Carmen Sílvia Nogueira Sarmento, Cláudia Jeanne Barbineto, Idelva Santos Ferreira Pinto, Magali Pimentel Cardoso, Maria Anicleres Vieira Soares, Maria Estela Lima de Omena, Maria Salete da Silva Guedes de Farias, Maria Salete de Rossiter Correa, Maria Thereza Oliveira Gomes , Eloina Braz dos Santos, Júlia Batista dos Santos, Maria Aparecida Teles Araújo, Maria Rejane Cerqueira, Renilda Cavalcante Alcântara, Thereza Maria Albuquerque Acioli.**

Projetando-se nacionalmente

Em 1994, nas eleições para escolher a nova diretoria da ABMCJ, a então represente da seção alagoana, Solange Bentes Jurema, foi eleita presidenta, passando Maceió a sediar nacionalmente a organização. Foi nessa condição que, em 1996, Solange passou a integrar o corpo de conselheiras do Conselho Nacional dos Direitos da Mulher, assumindo, três anos depois, a presidência do órgão.

DONAS... *da própria sorte!!!*

É na história da sociedade rural que vemos instaladas, no Brasil Colônia, relações praticamente feudais, em que o senhor de terras e engenhos exerce seu domínio de maneira extremamente autoritária. O silêncio e a submissão impostos às mulheres refletem o muro dessa separação de gênero. Num dos mais completos relatos dessa época, o jesuíta Antonil ressalta que as casas dos senhores deviam ser construídas separadas das dos hóspedes a fim de impedir qualquer relação mais estreita entre os dois sexos.

O que explica mais tarde, no século XIX, as impressões deixadas pelo engenheiro Vauthie, em seu Diário (1840-46): ***"... fomos conduzidos a um salão que serve ao dono da casa de gabinete de trabalho e não revelava indício algum de presença de mulher. (...) Enfim depois de duas horas cruéis de espera fomos chamados à sala de jantar. Eu tinha avistado de costas, pelas portas entreabertas, uma mulher, evidentemente a dona da casa. Esperava encontrá-la na sala de jantar. Nem sombra de mulher..."***

Essa mulher – escondida, camuflada na intimidade soturna de sua própria casa – só se revela se demonstrar muita coragem ou em casos extremos. Em geral, somente após a morte do marido, ela passava para o mundo dos vivos. Em primeiro de abril de 1723 aparece nos Arquivos Ultramarinos o seguinte requerimento: "(...) de **Catarina de Araujo**, moradora do termo da vila de Alagoas e viúva de Severino Correia da Paz, ao rei dom João V a pedir nova provisão para o ouvidor-geral tombar e demarcar as suas duas léguas de terra chamada de Socopira para conservação do engenho e lavoura". Como viúva, a mulher passa a constar no registro do comércio. Mais tarde encontramos no Jornal do Penedo, em 28 de abril de 1877, anúncio de **Adelaide Vieira de Araujo** divulgando a abertura de ensino particular do curso primário, aritmética, geografia, história, gramática nacional e análise dos clássicos.

Em fevereiro de 1881, **D. Tereza Felícia Gomes Sampaio** anuncia a fuga de uma escrava, de nome **Luiza,** angolana de 52 anos. Em comum entre essas mulheres, o fato de elas próprias se pronunciarem ao invés de utilizar um intermediário. Apenas a escrava foge à regra. Os anúncios de vendas ou fugas são antigos, e as designam apenas como "negra", "creola" e outros adjetivos injuriosos.

É curioso constatar que na compra do terreno, pela Associação Comercial de Alagoas, para construção do Palácio do Comércio – historicamente um espaço masculino –, o Indicador Geral do Comércio de 1902 cita a viúva **Ana Guimarães de Vasconcelos** como uma das ex-proprietárias do terreno.

Mas é o Indicador Geral do Estado de Alagoas de 1902 que menciona a **Viúva Aguiar** & Mitchell, **Viúva Prado** & Cia, **Viúva Brasileiro** e **Viúva Duarte** & Cia. Uma única mulher, sem indicação de viuvez é citada – **Tereza de Azevedo Araújo** – reaparecendo no Annuário Commercial Ilustrado de 1929. Mesmo assim, vamos encontrar, ainda em 1923, a **Viúva Remígio** & Filhos e uma mulher de nome **Rosa Borges,** que aparece sozinha como uma negociante sem marido ou filhos na lista de sócios da Associação Comercial de Maceió.

Doceiras, modistas, floristas, telefonistas dividem com professoras e diretoras de escolas o rol de profissões femininas citadas no Indicador Profissional, uma das seções do Almanack Alagoano de Senhoras. Um especial destaque, entretanto, refere-se a **Elia de Souza Leite**, concessionária dos serviços telefônicos e primeira mulher a possuir uma empresa no Estado.

O Indicador Comercial, ainda destaca as proprietárias de lojas de fazenda (tecidos), a viúva Prado, **Josepha Zanotti, Maria de Souza** e **Luiza Souza;** uma proprietária de armazém de molhados, a senhora Thereza de Azevedo de Araújo e, no ramo de padarias, as senhoras **Maria Brasileiro** e a viúva Duarte.

E, passadas quase oito décadas do século XX, ainda vemos a mulher assentada sobre o nome do marido; dependente na sua condição de consorte; sendo afrontada pela tirania masculina, que estabelece para ela uma desigualdade de direitos tão institucional que a faz acreditar em sua própria inferioridade.

Ainda assim a mulher empreendedora, corajosa, pegando cedo no batente e competindo de igual para igual com o homem, bem que existiu, pelo menos em Maceió, e virou até nome de rua: rua **Tereza de Azevedo.** Tereza de Azevedo Araújo foi uma comerciante de estivas por mais de 30 anos.

Por conta própria

Transpor o muro que cerceava a atuação das mulheres no mundo empresarial não foi tarefa fácil. Como exemplo, basta observar as regras publicadas no Annuário Commercial de Alagoas, de 1929, onde segundo o Código Civil e o Código Commercial, **as mulheres casadas só podiam comerciar mediante autorização, por escritura pública, de seu marido, autorização que podia ser revogada a qualquer momento.** A única possibilidade de a mulher prescindir judicialmente de autorização marital para exercer tal profissão, segundo o Código Civil, era provar a incapacidade do marido de prover os meios de subsistência à mulher e aos filhos. Afora isso, só depois de dissolvida a sociedade conjugal, por desquite ou morte do marido, era permitido à mulher, mesmo menor de 21 anos, comerciar livremente.

Nas últimas décadas do século XX, porém, a mulher já se fazia presente no meio empresarial, apesar de ainda sofrer discriminações e, na maioria das vezes, encontrar-se afastada das entidades e das decisões de sua classe. Em Alagoas essa situação começa a ser transformada na década de 1980, com a criação do **Conselho da Mulher Executiva de Alagoas** (CMEX/AL).

O CMEX foi fundado em 4 de agosto de 1987 com o objetivo de atender as necessidades da mulher empresária, socializar experiências e buscar soluções para os problemas enfrentados. Sua primeira presidenta foi **Nenen Breda de Gusmão,** eleita por três anos. Renunciou no final de seu mandato, por problemas de saúde, sendo substituída por **Darcy Farias.** Nenen então volta a ser eleita para o mandato de 1998 a 2001. O segundo mandato na presidência do Conselho foi ocupado pela empresária **Sonja Vilela,** eleita em 1991 e reeleita em 1994, que permaneceu no cargo por um período de seis anos. Em 2002 assumiu **Teresa Almeida Schmaedecke,** atual presidenta da entidade.

O CMEX é vinculado à Associação Comercial de Maceió, uma das mais antigas entidades da classe do estado de Alagoas. Foi planejado para trabalhar em conjunto com os homens empresários em defesa da iniciativa privada. É dirigido por um colegiado integrante da Associação, composto por mulheres empresárias do comércio, indústria, setor agrícola, prestação de serviços e profissionais liberais. O Conselho trabalha pela valorização das mulheres empresárias, profissionais liberais e pequenas produtoras, buscando incentivá-las na conquista de espaço em seus respectivos setores de atividade, reforçando a ação desses segmentos.

Em 2002 inicia-se o processo de constituição da Associação de Desenvolvimento Sócio-Econômico de Alagoas (AMICRED), a partir do CMEX. Essa associação começa a funcionar oficialmente no segundo semestre de 2003 e tem como presidenta a empresária **Jane Lopes.**

A criação do CMEX incentivou e deu visibilidade à participação feminina no campo empresarial, além de facilitar a admissão de mulheres na direção da Associação Comercial de Maceió.

Nenem Breda de Gusmão

Alagoas exporta moda

Alagoas tem sido palco privilegiado do surgimento de renomadas estilistas. Nas primeiras décadas do século XX, o Atelier Guerra – que funcionava na rua do Comércio – era referência quando se tratava de alta costura. A habilidade da professora **Miné Guerra** *era anunciada, repetidas vezes, nas páginas do Jornal de Alagoas no ano de 1935.*

Outras filhas da terra ganharam destaque no cenário nacional e internacional da moda, pelo brilhantismo e talento com que transformaram a riqueza da cultura regional em peças originais e requintadas que ganharam as passarelas.

Maria Cândida Sarmento nasceu em 1938, em São Luiz do Quitunde (AL). Filha de usineiro, quando o pai faleceu vivenciou diversas e sucessivas crises financeiras, o que levou a família a se mudar para Maceió. Lá, ao mesmo tempo em que fazia seus estudos, sentiu brotar sua vocação para costura. Passou então a fazer roupas para uma pequena loja na cidade.

Em 1974, alçando vôos mais altos, foi para o Rio de Janeiro, onde criou, um ano mais tarde, a grife "Maria Bonita". Dona de um estilo próprio, misturava rendas nordestinas com cambraia de linho e tingimentos especiais. Em pouco tempo seu talento a fez ocupar lugar de destaque no cenário da alta costura brasileira, sendo, inclusive, considerada a estilista nº1 do país. Sua iniciativa pioneira e original encorajou toda uma geração de designers.

A alagoana que vestiu como ninguém as brasileiras usava com perfeição bordados e paetês, trazendo sofisticação e elegância para o guarda-roupa diário da mulher urbana. Ao longo dos anos fez de seu estilo clássico-moderno uma marca inconfundível. Sua criação inspirava-se em suas percepções do mundo: nos quadros que via, nos livros, nos sabores da culinária, nas cores das flores, na música de um concerto... Tudo que passava por suas mãos parecia adquirir um toque especial. Em peças muito elegantes, os tecidos, cores e acabamentos combinavam-se com extrema harmonia, em roupas que conquistaram os corações brasileiros e também estrangeiros. Sua morte, em dezembro de 2002, entristeceu o mundo da moda.

A estilista **Vera Arruda** abusa das cores e dos cortes, buscando em suas criações algo tipicamente brasileiro. Ao misturar a alta costura com elementos regionais, unindo plumas e paetês com sisal, penas e outros produtos confere às suas roupas uma marca de originalidade. Nascida em Palmeira dos Índios (AL) em 1967, herdou da avó o gosto e o hábito de desenhar suas próprias roupas e contratar costureiras para fazê-las. Começou como artista plástica e vitrinista até que, em 1995, mudou-se para São Paulo e passou a fazer roupas para "socialites". Atualmente sua moda procura realçar a sensualidade das mulheres, com tons alegres, o que faz de Vera uma precursora do estilo artesanal e romântico que virou febre entre as estilistas. Tem como forte influência em seu trabalho o ambiente cultural e artístico propiciado por sua família, aliado à sua intuição e criatividade.

Mais recente é o trabalho da alagoana **Marta Medeiros,** referência na comercialização de roupas de fino trato. Como estilista, trabalha exclusivamente com o "filé", um traçado artesanal rico e cheio de tramas típico da história e cultura do estado de Alagoas.

As Irmãs Rocha

Nascidas entre 1920 e 1933, era de sete a prole de ***Edith Pavie Gonçalves*** *e do dr. Pedro Rocha, sendo seis mulheres:* ***Jacy Rocha Cavalcanti Medeiros, Yeda Rocha Cavalcanti Jucá, Bartyra Rocha Cavalcanti Nogueira, Maria Rocha Cavalcanti Accioly, Jacyra Rocha Cavalcanti*** *e* ***Moema Rocha Cavalcanti****.*

Descendentes de dona Ana Lins, foram criadas no engenho Varrela, em São Miguel dos Campos (AL). A mais forte lembrança que trazem de sua tradição familiar é a hora das refeições. A família grande e a mesa farta estimulavam momentos de confraternização, e o troca-troca de receitas entre as primas sinhazinhas, ainda no período colonial, foram passadas de geração em geração, alimentando até hoje o corpo e a memória de muitos alagoanos. Apaixonadas pela cultura alagoana, as Irmãs Rocha ingressaram na luta pela preservação deste rico patrimônio regional.

O Nordeste brasileiro, a partir do século XIX, viu-se insuflado por um forte espírito nativista. Nessa busca pela brasilidade, a comida do povo foi assimilada pelas tradicionais famílias e a típica comida regional tomou seu espaço na mesa dos senhores de engenhos. Eram receitas que mesclavam tradições africanas, indígenas e portuguesas, com denso tempero de alagoanidade, como o sururu de capote, caldeirada de frutos do mar e tantas outras.

A ida para Maceió, na década de 1960, não mudou os costumes familiares. As antigas receitas foram sendo aprimoradas e o pilão e o fogão a lenha substituídos pelo liquidificador e o fogão a gás. A partir de 1985, passaram a dispor de uma barraca de comidas na anual Feira da Fraternidade da Arquidiocese de Maceió, fazendo tal sucesso que começaram a ser requisitadas para preparar almoços e jantares em residências. Percebendo que a culinária tradicional alagoana estava perdendo terreno para pizzas e hambúrgueres, contribuíram para deter o processo.

O restaurante das Irmãs Rocha, aberto em 2003, é um patrimônio histórico alagoano reconhecido nacional e internacionalmente por sua comida tipicamente regional. Jacyra e Moema já faleceram, mas suas receitas continuam vivas graças à dedicação de suas quatro irmãs, responsáveis pelo sucesso do empreendimento. Bom apetite !!!

A arquitetura alagoana em boas mãos

O verbo "construir", tão representativo do universo feminino alagoano, encontra-se literalmente presente no campo da arquitetura e urbanismo, desmistificando assim quem pensava que as ciências exatas eram atributos masculinos.

No final da década de 40 e início dos anos 50, **Ligia Fernandes,** maranhense residente em Maceió, formada em 1945 no Rio de Janeiro, leva o nome de Alagoas ao exterior através de publicações de seus projetos nas revistas Arquitetura do Brasil (ago 1952), Architecture d'Aujourd'hui (jun 1952), International Architecture (periódico japonês publicado em inglês) e no livro Modern Architecture in Brazil, de Henrique Midlin (1955).

A primeira alagoana arquiteta, **Zélia Maia Nobre,** formada na década de 1960, participou ativamente da fundação do curso de Arquitetura e Urbanismo da Universidade Federal de Alagoas, em 1974, sendo responsável pela formação de profissionais por várias décadas. Seguindo-lhe os passos, muitas outras, das quais destacamos **Maria Angélica da Silva,** deram continuidade ao trabalho de formação de profissionais da arquitetura. Mineira de nascimento e alagoana de coração, Maria Angélica concluiu o curso de arquitetura na Universidade Federal de Minas Gerais, em 1981, ingressando dois anos depois na Universidade Federal de Alagoas. Preocupada em preservar a memória publicou, em 1991, o livro *A arquitetura moderna: a atitude alagoana.*

Leila Pedrosa Nogueira de Lima formou-se em Arquitetura e Urbanismo na UFPE em janeiro de 1970, partindo logo a seguir para a França, onde participou de um Curso Internacional de Urbanismo para Arquitetos patrocinado pelo governo francês. Ao regressar, dirigiu por duas gestões o Departamento de Urbanismo da Prefeitura de Maceió, desenvolvendo os primeiros projetos de urbanização da orla marítima da cidade.

A década de 80 é particularmente rica no florescimento de arquitetas mulheres. **Eurídice Lobo Rocha Leão,** mais conhecida como Neu Leão, graduou-se no curso de Arquitetura e Urbanismo da Universidade Federal de Alagoas em 1980, ano em que também finalizou sua primeira pós-graduação e especialização em Planejamento Urbano, Transporte e Engenharia de Tráfego pela Universidade Federal da Bahia. Ocupa os cargos de arquiteta da Secretaria Municipal de Planejamento e Desenvolvimento e de consultora do SEBRAE/AL.

Simone de Paiva Lima Marinho, depois de concluir o curso de Arquitetura e Urbanismo pela UFAL, em 1984, direcionou-se para as áreas de patrimônio histórico e arquitetura comercial. Foi arquiteta do Serviço de Engenharia do Estado de Alagoas de 1981 a 1987. Nesse ínterim, ficou a serviço da Secretaria de Cultura do estado de Alagoas, constituindo-se em elo das ações estaduais junto à cidade de Penedo. Atualmente, além de coordenadora de Patrimônio Histórico do Programa Monumenta/IPHAN, é responsável pela coordenação geral do Projeto de Design Urbano do Centro Histórico de Penedo e pelo Projeto Arquitetônico de Restauro e Adaptação de vários espaços do SEBRAE em Penedo e Maceió.

Estudar pintura com a artista plástica Vânia Lima, freqüentar a escola de arte do mestre Pierre Chalita e as aulas de cerâmica de **Carmelita Inojosa** foram os passos que lapidaram o talento natural de **Valéria Cox.** Daí para a Faculdade de Arquitetura foi um pulo. Formou-se na UFAL em 1983 e, desde então, tem contribuído com sua criatividade para os mais diversos projetos – casas, apartamentos, lojas comerciais e escritórios – em Alagoas e São Paulo, além de emprestar seu talento a inúmeras mostras e exposições.

Humberta Farias, que também se formou arquiteta em 1980 pela Universidade Federal de Alagoas, fez pós-graduação na Universidade Nacional de Brasília, com temporadas em São Paulo, Rio de Janeiro e Recife. Possui intensa atuação profissional, caracterizada pela diversidade de projetos e pelo ecletismo que promove entre arquitetura, interiores e design. Seu trabalho caracteriza-se pela tentativa de adequar e implantar o novo na sua região, sugerindo uma nova leitura para o ato de fazer arquitetura de interiores no Nordeste e construindo uma cultura arquitetônica essencialmente brasileira.

Graduada em Arquitetura e Urbanismo, em 1982, na UFAL, **Ceres Vasconcelos** vem há mais de 20 anos se dedicando a essa profissão, durante os quais acumulou prêmios como o do concurso promovido pela empresa DECA em 1998, quando teve seu projeto exposto no Museu de Arte Moderna (MAM) em São Paulo. Possui trabalhos publicados em revistas nacionais como Casa Cláudia, Casa & Jardim, Casa Cor Brasil, Espaço D, entre outras; e em publicações internacionais como Decoration Show Houses (2000), Décor Year Book Nordeste 2000, para citar as principais. Foi convidada especial de Alagoas para participar do megaevento Casa Plural Fashion e Arte, mostra de maior porte do Nordeste, em 2002, onde assinou a sala de leitura e o hobby. Consegue unir habilmente luxo, tecnologia e universalidade conjugados à funcionalidade e ao regionalismo.

Josemary Ferrari é mais uma arquiteta alagoana que vem se somar ao extenso elenco de profissionais dessa área. Recebeu o Prêmio Nacional Gustavo Capanema, em 2003, pelo projeto de Restauração do Museu Théo Brandão.

Ceres Vasconcelos

Pela cidadania das mulheres

A arquiteta maceioense ***Uedna Miranda*** *nasceu no seio de uma família envolvida com a política, especialmente na época da ditadura militar, quando muitos deles foram perseguidos.*

Sua militância começou no movimento estudantil. Alheia até então às causas feministas, teve a atenção despertada por Selma Bandeira, durante a mobilização pelas Diretas-Já, na qual se engajou. Abraçou então definitivamente a luta das mulheres e, em 1985, ao lado de outras companheiras, participou da fundação do Centro da Mulher Alagoana (CEMA).

Uedna lembra que um dos maiores desafios enfrentado na época era explicar aos companheiros de partido que a luta de classes não dava conta de resolver as desigualdades de gênero, fazendo-se portanto necessárias a dupla militância e a defesa de um feminismo autônomo.

Em 1990 foi conduzida à presidência do Conselho Estadual dos Direitos da Mulher (CEDIM), onde com convicção e coragem teve que lidar com os preconceitos da mídia, que em várias ocasiões tentou desqualificar o movimento de mulheres. A responsabilidade do cargo exigia tanta dedicação e tempo que, vencido seu mandato, resolveu "tirar férias" da militância feminista.

Assumiu, em 1999, a superintendência do Programa de Orientação e Proteção ao Consumidor de Alagoas (PROCOM), onde atende aproximadamente a 120 pessoas por dia, num trabalho social dos mais importantes para a população. Além disso, integra o Conselho da Mulher Empresária e o Fórum Autonômo de Mulheres de Alagoas.

Começa germinar o feminismo

Atuação política das mulheres brota das cinzas espalhadas pela ditadura militar

① Ibelza Moura ② Genilda Leão ③ Thais Normandi ④ Bruna Lombardi ⑤ Katia Born ⑥ Selma Bandeira ⑦ Katia Moreira ⑧ Rita ⑨ Lenira Xavier ⑩ Suzana ⑪ Uedna Miranda ⑫ Sandra Bandeira

A década de 1970 foi para Alagoas um período de crescimento econômico que beneficiou a economia sucro-alcooleira com projetos subsidiados de modernização. Entre 1971 e 1978 o estado foi comandado pelos "biônicos" Afrânio Lages, cujo governo trouxe novas indústrias, e Divaldo Suruagy, que construiu estradas e abriu mais indústrias, também favorecidas pelo governo militar. Esse crescimento, porém, não rompeu com o modelo concentrador de riquezas. No campo e nas cidades permaneceram os quadros de pobreza, exclusão social, e carência de políticas públicas voltadas para as populações mais necessitadas.

Nas diferentes vertentes de ação política que caracterizaram o movimento de mulheres brasileiro nas últimas décadas do século XX, foi intensa a atuação de ativistas alagoanas nesse contexto. Entre essas vertentes estão as organizações comunitárias; a atuação partidária; a incidência na organização sindical; a luta pela anistia e pela redemocratização; e um ativismo contemporâneo influenciado pelo retorno das exiladas políticas, que teve caráter eminentemente feminista, questionador da condição de subalternidade das mulheres na sociedade.

Presença nas comunidades e movimento sindical

Os clubes de mães, associações de moradores e comunidades eclesiais de base – estas arregimentadas em torno da Igreja católica progressista – foram espaços que proliferaram na década de 1970, ganhando maior visibilidade com a abertura política estabelecida a partir de 1978. Eram sinais de que a sociedade civil desenvolvia, apesar da repressão, sua capacidade de organização para reivindicar, sobretudo no tocante a problemas da vida comunitária nos bairros empobrecidos. Nesses espaços as mulheres se sobressaíram na luta por políticas de saneamento, transporte público, saúde ou educação.

Kátia Born, tão logo se formou em Odontologia, foi trabalhar, principalmente com mulheres e crianças, em Vergel do Lago, bairro de Maceió. Chegou a ser acusada de revolucionária por colocar-se à frente de um movimento comunitário, mobilizando mulheres para exigir melhores condições de atendimento no posto de saúde. Deu continuidade a esse trabalho participando da organização de mulheres em vários bairros da capital e, no contexto da abertura política, na criação do Movimento Feminino do MDB.

Outro exemplo é o da médica pediatra **Terezinha Ramires** que, convertida ao catolicismo no final da década de 1970 e influenciada pela Teologia da Libertação, passou a visitar favelas e desenvolver ações em defesa das populações que aí viviam. A partir de 1978 trabalhou com uma equipe de jovens na conscientização de mulheres, seguindo a linha da educação comunitária. Em 1981 atuou junto às populações das favelas Palhau e Vila Esperança, localizadas no rico bairro da Ponta Verde, prestando assessoria por ocasião da transferência dessas famílias para casas populares. A experiência com as mulheres desse meio foi um marco na trajetória de Terezinha no renascente ativismo feminista alagoano.

O mundo do trabalho e da política sindical

Se analisarmos os dados do Instituto Brasileiro de Geografia e Estatística (IBGE) referentes à inserção das mulheres no mercado de trabalho, podemos constatar um aumento gradativo, apesar da conjuntura adversa a que o país tem sido submetido. É visível, no entanto, que as taxas de desemprego são mais elevadas para as mulheres, além constituírem o segmento que encontra mais dificuldades para obter emprego.

Tão evidente quanto a falta de oportunidades de trabalho formal e as desigualdades salariais por que passam as mulheres, é sua participação na política sindical, lugar da negociação coletiva e um dos espaços fundamentais para reivindicar a eqüidade de gênero.

Em Alagoas, nota-se, desde as últimas décadas do século passado, uma forte presença feminina no movimento sindical. Em 1991, **Genilda Leão** quebra um tabu, ao ocupar pioneiramente o cargo de secretária-geral da Central Única dos Trabalhadores (CUT) do estado, o mesmo acontecendo com **Vanda Menezes,** que, em 1993, torna-se a primeira mulher a presidir um sindicato de Polícia Civil, no Brasil.

O movimento sanitarista, um dos mais fortes de Alagoas, teve a sorte de contar em seus quadros com a liderança de mulheres comprometidas com as relações de gênero, como Kátia Born, Genilda Leão e a enfermeira **Noraci Pedrosa,** uma líder imbatível. Ajudou a organizar a Associação dos Profissionais de Enfermagem de Alagoas (APENAL) em 1979, convertida, dois anos depois, em sindicato. Foi chefe do Departamento de Enfermagem da UFAL e delegada de Saúde no estado, cargo que procurou exercer em interlocução permanente com trabalhadoras e trabalhadores do setor e com o movimento de mulheres. Integrou a equipe técnica do Conselho Estadual dos Direitos da Mulher, no ano de sua criação, em 1986. Em 1986, estava na presidência do Sindicato dos Enfermeiros e Enfermeiras de Alagoas, quando foi vítima de um acidente automobilístico fatal. Assumiu o cargo **Socorro França,** na ocasião integrante da diretoria do Sindicato, militante negra, do Partido Comunista do Brasil e do movimento de mulheres. Na eleição seguinte, em 1987, foi eleita presidenta **Ana Viera.**

Ainda no setor ligado a saúde, a auxiliar de enfermagem **Elizete dos Santos,** consciente das desigualdades que as mulheres negras enfrentam em nossa sociedade, inicia em 1981 sua militância no Movimento Negro de Alagoas.

Por essa época também ajudou a criar o Sindicato de Auxiliares de Enfermagem, onde há mais de 20 anos luta por salários mais justos e melhores condições de

Uma fera na saúde

Genilda Leão, nascida em Maceió na vila operária de Fernão Velho, em 8 de agosto de 1946, era filha de mãe tecelã, operária da fábrica de tecidos, e sempre estudou em escolas públicas. Embora desde cedo trabalhasse para seu sustento, a militância política e partidária (ra filiada ao MDB) nunca deixou de integrar sua agenda, especialmente no trabalho de mobilização e conscientização de operários, comunidades negra e indígena, contra a ditadura militar, pela anistia e por melhores condições de vida desses segmentos.

Em 1978, concluiu o curso de Serviço Social na UFAL e, dois anos depois, fez pós-graduação em Saúde Pública na Escola Nacional de Serviço Público/RJ. Ao retornar à Alagoas aderiu ao movimento sanitarista do estado e às lutas pela redemocratização do país e pelas liberdades democráticas.

Genilda fazia parte do grupo de resistência ao governo, reivindicando melhores condições de trabalho para os profissionais de saúde, além de acesso e atendimento digno para a população, origem da primeira greve unificada do setor. O movimento sanitarista foi um dos mais expressivos espaços de mobilização da sociedade alagoana.

Implacável militante do movimento sindical na década de 1980 e 90, presidiu nesse período o Conselho Regional do Serviço Social, integrou a Diretoria do Conselho Federal de Serviço Social, representou os assistentes sociais no Fórum Nacional das Entidades de Saúde e foi secretária-geral da CUT/AL. Também militou no feminismo, sendo uma das fundadoras do Centro da Mulher Alagoana (CEMA) e participando da criação do CEDIM e de outras ações impulsionadas pelo movimento de mulheres.

Profissionalmente, teve boa parte de sua atuação voltada para a saúde, especialmente na área de planejamento e na gestão de políticas públicas. Fez parte do grupo que criou o Núcleo de Saúde Pública da Universidade Federal (NUSP/UFAL) e em 1997 foi secretária das Regiões Administrativas, coordenando o projeto "Orçamento Cidadão". No ano 2000, assumiu a secretaria Municipal de Saúde de Maceió, cargo que ocupou até fevereiro de 2002, quando saiu candidata a deputada estadual pelo PSB. Embora tenha sido a mais votada do partido na capital alagoana, ficou na suplência.

Em 2003 assumiu a Secretaria da Célula da Saúde e Bem-Estar Social do Estado de Alagoas, responsável pela coordenação da Secretaria Executiva de Saúde, Secretaria Assistência Social, Secretaria de Recursos Hídricos e Naturais e Instituto do Meio Ambiente. No final desse mesmo ano assume o mandato de deputada estadual.

trabalho, estando sempre envolvida com estratégias capazes de visibilizar as justas reivindicações da categoria e do segmento negro. Exerce sua atividade profissional na Unidade de Emergência Dr. Armando Lages, e é presidente, em 2004, da Associação dos Servidores da Fundação Lamenha Filho.

No campo da educação é onde vamos encontrar o maior número de lideranças femininas. A professora universitária e especialista em meio ambiente e desenvolvimento sustentável **Maria Alba Correia da Silva** começa sua militância política no movimento de resistência à ditadura militar e, a partir de 1982, passa a atuar na União das Mulheres de Maceió (UMMa), da qual é co-fundadora.

Como líder sindical, foi presidenta da Associação dos Professores de Alagoas (APAL), desempenhando importante papel em sua transformação em Sindicato dos Trabalhadores da Educação de Alagoas (SINTEAL) e no movimento ligado à luta pela sindicalização do servidor público. Exerceu o cargo de vice-presidenta regional da Confederação dos Professores do Brasil, que veio a constituir a atual Confederação dos Trabalhadores de Educação (CNTE), da qual foi secretária-geral e vice-residente de 1984 a 1993. Na Associação dos Docentes da Universidade Federal de Alagoas (ADUFAL), filiada à ANDES – Associação Nacional dos Docentes do Ensino Superior, ocupou os cargos de primeira-secretária, vice-presidenta e presidenta no período de 1996 a 2001.

Lenilda Lima da Silva iniciou sua carreira profissional como professora de educação infantil e militante sindical na Associação dos Supervisores Educacionais de Alagoas. A partir de 1997 lutou pela unificação das entidades representativas dos trabalhadores em educação no estado. O processo culminou na criação do Sindicato dos Trabalhadores em Educação de Alagoas (SINTEAL), do qual Lenilda foi duas vezes presidenta: em 1997 e 2002. É vice-presidenta da Central Única dos Trabalhadores (CUT/AL), secretária de Formação Sindical e integra a Comissão da Mulher Trabalhadora da central. Egressa do PcdoB, em 1994 filiou-se ao PT, partido pelo qual é candidata a vereadora em Maceió nas eleições de 2004. Lenilda orgulha-se de sua ascendência africana.

Ivanilda Soares de Gusmão Verçosa aprendeu desde cedo com os pais os princípios da justiça social e da solidariedade. Oriunda do movimento estudantil, foi dirigente partidária e se envolveu com a organização das mulheres. No campo profissional, dedicou toda sua vida ao magistério. Como expressão de seu compromisso com a educação, esteve sempre integrada à luta por melhores escolas e pela dignidade dos profissionais de educação. Nesse sentido engajou-se, ainda em fins dos anos de 1970, na luta pela autonomia política da Associação dos Professores de Alagoas (APAL), tendo participado de sua primeira diretoria. Nessa trajetória, colaborou ativamente na transformação da Associação em Sindicato dos Trabalhadores em Educação de Alagoas (SINTEAL).

Na década de 1990, passou a atuar no Conselho Municipal de Educação de Maceió, do qual foi presidenta. Eleita em 2003 vice-presidenta da União Nacional dos Conselhos Municipais de Educação (UNCME), foi coordenadora, em Alagoas, da Campanha Nacional pelo Direito à Educação, que luta por uma educação pública e gratuita de qualidade para todos os jovens brasileiros.

Atualmente, representa a UNCME no Comitê Nacional de Educação Infantil, órgão que assessora o MEC na definição e implementação das políticas públicas para educação infantil, e, no âmbito estadual, integra a coordenação do Fórum Alagoano de Defesa da Educação Infantil.

Na luta pela terra

O Movimento dos Sem-Terra de Alagoas (MST/AL) é um dos mais atuantes e bem organizados do país. As mulheres têm um papel preponderante nas estratégias de luta pela reforma agrária e o definitivo assentamento de trabalhadores e trabalhadoras em condições dignas. Três lideranças femininas são exemplos dessa constatação.

Flávia de Oliveira iniciou a luta pelo direito à terra como coordenadora na área de educação. Jovem liderança do movimento, hoje é dirigente do Setor Família na região agreste do estado, área denominada pelo MST como "Região Maria Bonita".

Taciana Ribeiro entrou para o MST e durante um bom tempo esteve ligada ao Setor Educacional, do qual foi coordenadora. Em 2004 passou a dirigir a área de Finanças do Movimento. Sua atuação está concentrada na Zona da Mata Alagoana, conhecida como "Região de Canudos". Mais conhecida como Terezinha, **Tereza Inês** integra o MST de Alagoas há seis anos. Em 2004 assumiu a responsabilidade de dirigir o Setor de Saúde na região norte do estado, conhecida como "Zumbi dos Palmares".

Movimento de mulheres trabalhadoras rurais de Alagoas

Com a abertura política surgem muitas possibilidades

Foram intensos os anos 1970: no Brasil e no mundo!

SANCIONADA A ANISTIA

Primeiros presos libertados

Maria Aparecida e Selma Bandeira Mendes, maletas à mão, são as primeiras presas políticas libertadas

No Brasil crescia a pressão social e política em defesa das liberdades democráticas e pela anistia ampla, geral e irrestrita. A escolha do general Figueiredo para presidente da República, em 1978, refletia a disposição, por parte de setores militares de negociar uma abertura. Parlamentares já vinham se posicionando a favor da anistia e o pluripartidarismo já havia sido restabelecido, o que gerou a fundação do Partido dos Trabalhadores (PT) em 1979 e a nova orientação do MDB, que se transformou no PMDB. O senador alagoano Teotônio Vilela foi escolhido presidente da Comissão de Anistia, realizando um percurso nacional de visitas às cadeias, acompanhado de artistas, com o objetivo de levar alento e promessas de liberdade aos homens e mulheres que formavam o contingente de presas e presos políticos da ditadura.

As mulheres desempenharam papel central nesse momento crucial da história política brasileira, tendo criado o Movimento Feminino pela Anistia, que reuniu militantes de diferentes setores da sociedade, repercutindo em todo o país. Em Alagoas foi formada a Sociedade Alagoana em Defesa dos Direitos Humanos, no mesmo ano de 1979, por iniciativa de familiares de vítimas do regime militar. Finalmente, em 28 de agosto de 1979 foi decretada a Anistia que permitiu a libertação dos detidos e detidas e a volta dos exilados, garantindo a recuperação de seus direitos políticos.

O feminismo vinha se expandindo no mundo ocidental como parte do movimento contestatório mais amplo que emergiu nos anos 1960. **Selma Bandeira**, *que se encontrava no Presídio Feminino do Bom Pastor, no Recife, foi das primeiras a deixar a cadeia, retornando a Maceió cheia de energia e unindo-se a* **Kátia Born**, **Anilda Leão**, **Noraci Pedrosa**, **Genilda Leão** *e outras em torno da proposta de reorganização do movimento de mulheres, assumindo publicamente a ideologia feminista.*

Dois sonhos se desmanchavam no imaginário político ocidental

Do outro lado do oceano, demolia-se pouco a pouco o mito da revolução socialista, liderada por vanguardas representadas pelos partidos comunistas. O autoritarismo e as práticas criminosas e imperialistas de Stálin na União Soviética, com a invasão da Hungria em 1956 e da Tchecoslováquia em 1968, minaram a força da luta unitária para derrotar o capitalismo.

Nesse bojo crescia, sobretudo entre a juventude estudantil ocidental, um caldo de cultura contestatória que teve como símbolos máximos o movimento hippie e os protestos estudantis de maio de 1968. Uma nova geração se expressava com atitudes anticonvencionais, como a bandeira da liberdade sexual. Foi nesse contexto que nasceu o novo feminismo no mundo ocidental, com norte-americanas e européias resgatando como bíblia o livro de Simone de Beauvoir, **O segundo sexo**, *publicado em 1949.*

Manifestações libertárias espalhavam-se por toda parte. As norte-americanas tiravam seus sutiãs em praça pública e lutavam por acesso a métodos anticoncepcionais. As européias reuniam-se em grupos de reflexão e discutiam a politização do mundo privado, questionando a dominação masculina. A luta pela legalização do aborto foi um ponto de honra que levou milhares de mulheres às ruas em Washington e Paris, além de outras capitais da Europa. Nascia assim a chamada segunda onda feminista, cuja bandeira "nosso corpo nos pertence" teve forte influência sobre os rumos do feminismo na América Latina e, em particular, no Brasil.

No campo da política internacional, o ano de 1975 foi escolhido como Ano Internacional da Mulher pela Organização das Nações Unidas (ONU), influenciada pelas crescentes pressões do feminismo mundo afora. A ONU realizou na Cidade do México um grande Congresso, convocando os governos dos países membros para debater as situações das mulheres. O governo ditatorial brasileiro convidou para integrar sua delegação oficial a militante Bertha Lutz, então doente e já com 81 anos de idade. Mas a participação brasileira superou em muito a da delegação oficial. Esse Congresso inaugurou a Década da Mulher, que culminaria num grande encontro internacional dez anos depois, na cidade de Pequim (China).

A segunda onda feminista

Nos anos 1980 a atuação feminina no cenário político alagoano foi assumindo uma postura crítica frente à opressão de gênero, entendida como obstáculo ao exercício da cidadania plena das mulheres. Para as militantes, já não bastava acompanhar as problemáticas existentes ao redor.

Era preciso analisar criticamente a realidade das mulheres. Buscar nela os fios que ajudassem a tecer uma nova estratégia, capaz de transformar a participação feminina em verdadeiro protagonismo, seja nos grupos políticos, sindicais, científicos, culturais ou comunitários.

Em várias capitais brasileiras, grupos de mulheres vinham aprofundando discussões sobre temas específicos, sobretudo saúde sexual e reprodutiva e violência contra as mulheres. Foi uma guinada ousada, sobretudo para aquelas engajadas em partidos de esquerda. Afinal, o que se alegava era que as "questões específicas" poderiam desmanchar a unidade em torno da luta central contra as desigualdades sociais e econômicas, que independeriam dos sexos. Em meio a todo esse conflito, entretanto, as mulheres sabiam onde queriam chegar com aquele feminismo "atrevido".

No Nordeste e no Brasil realizavam-se os primeiros encontros feministas, demonstrando a vitalidade do debate proposto pelas mulheres. Um debate capaz de colocar em xeque as estruturas de dominação. Em 1980 ocorreu em Pernambuco o Primeiro Encontro Feminista Regional, no rastro da grande novidade do ano anterior, quando na Reunião Anual da Sociedade Brasileira para o Progresso da Ciência (SBPC), em Fortaleza, mulheres de diversos setores se reuniram no que posteriormente foi considerado o Primeiro Encontro Nacional Feminista. As reuniões da SBPC foram um foco de resistência nos anos da ditadura militar, e mulheres acadêmicas, militantes de partidos políticos de oposição e representantes das primeiras organizações feministas de todo o país fizeram desse espaço uma oportunidade de intercâmbio e disseminação de suas idéias.

Os espaços políticos construídos pelo feminismo dessa geração foram incorporando a diversidade dos movimentos de mulheres surgidos nesses encontros regionais e nacionais, que se transformaram num núcleo de fortalecimento e formulação de propostas coletivas de luta. Um marco foi o VIII Encontro Nacional Feminista, realizado em Garanhuns (PE) em 1986, pela diversidade de segmentos lá presentes: ONGs, mulheres acadêmicas, grupos de mulheres negras, sindicalistas, mulheres lésbicas, trabalhadoras rurais, prostitutas, empresárias, produtoras culturais, educadoras, mulheres engajadas em movimentos de base.

As frentes de luta em Alagoas

Na década de 1980, na capital e no interior de Alagoas começaram a se articular associações dispostas a lutar contra o regime militar e por eleições diretas para presidente da República. Impulsionada por um grupo de mulheres advindas da luta estudantil e ligadas a partidos de esquerda, em março de 1982 nasceu a União de Mulheres de Maceió (UMMa), entidade que concentrava sua atuação na luta de classes, engrossando o caldo daqueles e daquelas que viam no socialismo uma forma de resolver as desigualdades de gênero. Á frente dessa proposta estavam: **Alba Correia, Fátima Machado, Isabel Brandão, Jarede Viana, Thaís Normande** e **Ivanilda Verçosa,** primeira presidenta da entidade. Ainda em fase de estruturação a UMMa ganhou visibilidade política em 1983, ao liderar uma passeata contra a chamada "gangue sádica" – denominação de um grupo de homens que torturava e estuprava mulheres na orla marítima de Maceió. Quase 5.000 pessoas foram às ruas exigir providências e punição para os criminosos.

Estimuladas por essa iniciativa, em 1984 **Ana Célia de Melo Neto** e outras companheiras criam a União de Mulheres do Sertão Alagoano (UMSA), cuja mobilização inicial partiu de um grupo de ativistas de Santana do Ipanema (AL).

Em 1985 formam-se duas entidades que se tornariam referência para o, desenvolvimento do feminismo no estado: em janeiro, o Centro da Mulher Alagoana (CEMA), liderado por Selma Bandeira, **Uedna Miranda, Rebeca Tenório, Kátia Born, Genilda Leão, Tânia Davino, Denise Agra,** entre outras. Embora a composição fosse majoritariamente de mulheres com militância partidária, a organização sempre teve a preocupação de não se atrelar a nenhum partido político; em agosto, a Associação Alagoana Pró-Mulher, fundada por **Terezinha Ramires** (nomeada presidenta), junto com **Adeilda Martins, Ângela Ribeiro, Heliônia Ceres, Eliete Gonçalves, Elina Lages Vieira, Eva Vicente da Silva, Graça Dias, Graça Tenório, Lygia Toledo de Lima, Lucy Agra, Maria de Lourdes Gomes, Matilde Pereira do Carmo** e **Sonia Alves.** A Pró-Mulher surge com o objetivo de desenvolver um trabalho educativo, sem conotação partidária, com foco na condição feminina e na luta contra a violência sofrida pelas mulheres.

Na Universidade Federal o feminismo também desabrochou: em 1985 foi criado o Núcleo de Pesquisas Sobre a Condição Feminina, por iniciativa de **Belmira Magalhães,** e, em 1989, o Núcleo Temático Mulher e Cidadania, que tinha à frente a feminista **Nadia Regina Loureiro.** As conquistas do feminismo alagoano daí por diante demonstram o quanto sua ação foi centrada no desenvolvimento de políticas institucionais para as mulheres.

Da esquerda para direita: Nia Malta, Uedna Miranda, Vanda Menezes, Sonia Nascimento, Fátima Borges

Uma feminista irmã, camarada

A médica e feminista **Terezinha Ramires** *nasceu em 1931 no município de Rio Largo. Seu pai e sua mãe eram comerciantes, e foi criada e estudou em Maceió. Em 1951 ingressou na Faculdade de Medicina de Alagoas, tendo participado do Diretório Acadêmico e da diretoria da União Nacional dos Estudantes (UNE), onde ocupou a vice-presidência.*

Especializada em Pediatria, participou de congressos, abriu um consultório particular e atuou na Sociedade de Medicina de Alagoas, um espaço eminentemente masculino. Foi responsável pela criação do Departamento de Pediatria dessa associação e por duas vezes ocupou a vice-presidência da entidade. Como pediatra, é ainda hoje uma referência: criou o primeiro pronto-socorro infantil de Maceió e a primeira clínica particular para crianças. Foi também professora da Faculdade de Medicina da UFAL, lecionando nas cadeiras de Neuropediatria e Pediatria.

No final da década de 1970, sua vida sofreu uma reviravolta. Até então atéia, cedeu aos convites do marido para participar de atividades de reflexão promovidas pela Igreja católica. Essa experiência resultou em sua conversão profunda ao cristianismo e na decisão de se dedicar aos pobres. Era o período em que a Igreja católica progressista, através da Teologia da Libertação, desenvolvia um importante trabalho de ação social, no qual a médica se engajou.

No início da década de 1980 o bispo local indicou Terezinha para representar a Igreja em uma reunião na Assembléia Legislativa estadual, que iria discutir a criação do Conselho Estadual dos Direitos da Mulher. A princípio o diálogo foi difícil, mas pouco a pouco a médica se entusiasmou com o debate sobre a condição feminina, passando a freqüentar assiduamente as "tumultuadas reuniões".

O feminismo conquistou-a em definitivo, e a partir daí sua capacidade de trabalho e de liderança foi canalizada para as políticas voltadas para as mulheres. Tendo participado em 1984 do Seminário sobre Mulher e Política, organizado por **Ruth Escobar** *em São Paulo para discutir a criação do Conselho Nacional dos Direitos da Mulher, fundou em 1985, ao lado de outras companheiras, a Associação Alagoana Pró-Mulher.*

Filiada ao PT, chegou a ser primeira-secretária e indicada pré-candidata ao cargo de vereadora. Conflitos internos levaram-na a romper com o partido, o que não a afastou da vida partidária. Candidata a vereadora pelo PSB nas eleições de 1988, ficou na suplência por apenas dois votos. Nas eleições de 1992 foi eleita com expressiva votação pelo PSDB.

No mesmo ano assumiu a coordenação do recém-criado Fórum de Entidades Autônomas do Movimento de Mulheres de Alagoas, como integrante da Associação Pró-Mulher. Hoje Terezinha Ramires é uma das principais referências para o feminismo alagoano. Reconhecida e admirada, tem recebido muitas homenagens, entre elas a Comenda Nise da Silveira, pela luta em defesa das mulheres; a Comenda Nacional Marechal Deodoro da Fonseca recebida do governo do estado por sua contribuição na luta pela democracia social; e o Prêmio Heliônia Ceres, concedido pelo Núcleo Temático Mulher e Cidadania da Universidade Federal de Alagoas.

Instituições governamentais de políticas para a mulher emolduram cenário da transição democrática

Conselhos dos Direitos da Mulher

O Movimento de Mulheres pelas Diretas Já foi uma bandeira que uniu diversas tendências partidárias e feministas. Mas a emenda das eleições diretas foi derrotada no Congresso Nacional, e em 1984 Tancredo Neves, do PMDB, foi eleito presidente pelo Colégio Eleitoral. Quando ainda era candidato, Tancredo recebera a visita de 40 militantes feministas, às quais prometeu, caso eleito, criar um órgão federal para cuidar exclusivamente dos direitos da mulher. A criação de um mecanismo institucional que se dedicasse à formulação e ao monitoramento de políticas voltadas para as mulheres era apoiada por diversos setores do movimento, que se articularam nacionalmente para elaborar uma proposta consensual.

Em meados de 1984 a deputada estadual Ruth Escobar, do PMDB de São Paulo, convocou líderes de todo o país para o Seminário Mulher e Política, com o objetivo de debater o assunto. De Alagoas, participaram a deputada estadual Selma Bandeira, a vereadora por Maceió Kátia Born, Terezinha Ramires, e outras.

A brusca interrupção da carreira política de Tancredo Neves, com sua doença e morte antes mesmo da posse, levou ao poder o vice José Sarney. Recebendo pressões do movimento organizado de mulheres, Sarney honrou a promessa feita por Tancredo. Nomeou uma comissão multipartidária, composta por parlamentares, encarregada de elaborar um anteprojeto. A deputada estadual alagoana Selma Bandeira fez parte desse grupo. O presidente acatou a sugestão da Comissão e encaminhou ao Congresso o projeto de lei 7.335/85, propondo a criação do Conselho Nacional dos Direitos da Mulher, como órgão vinculado ao Ministério da Justiça e com dotação orçamentária específica. A proposta foi aprovada no Congresso em agosto de 1985, depois de um competente e bem articulado lobby.

Ao voltarem da reunião coordenada por Ruth Escobar, as alagoanas lançaram a idéia de criar um órgão similar em Alagoas. Lideraram essa movimentação: Selma Bandeira, Kátia Born, Terezinha Ramires, Uedna Miranda, Thais Normande e Tânia Davino.

Um grande debate foi realizado no auditório da Assembléia Legislativa estadual, ao qual compareceram cerca de 100 mulheres. A partir daí sucederam-se discussões e disputas por cerca de três meses. Mas já em março de 1986, o então governador Divaldo Suruagy, eleito em 1982 nas primeiras eleições diretas após o Golpe Militar, assinou o decreto nº29.488/1986, criando o Conselho Estadual de Defesa dos Direitos da Mulher (CEDIM) de Alagoas.

Para a primeira gestão do CEDIM/AL foram nomeadas 16 conselheiras (13 titulares e três suplentes), numa composição que incluiu representantes do Poder

Reunião do Conselho Municipal da Condição Feminina de Maceió

Orgulhosamente mulher, negra e guerreira

Vanda Maria Menezes Barbosa nasceu em Maceió em 12 de março de 1960. Era a única mulher entre os cinco filhos de dona Ana Augusta Menezes Barbosa e Martiniano Barbosa dos Santos, o qual, filho de escravo alforriado fora criado num engenho em São Luiz do Quitunde (AL).

Aluna exemplar, despertou a atenção da professora de matemática, **Teresa Lima**, quando estava na terceira série do primário. A mestra sugeriu à direção da escola que Vanda prestasse o exame de admissão e entrasse direto para o curso ginasial. Dito e feito.

As situações de racismo, sofridas por Vanda, também estão gravadas em sua memória. A primeira discriminação de que tem consciência deu-se aos nove anos de idade: embora tivesse sido indicada várias vezes para compor o time de queimado da escola, nunca foi escalada pela direção.

Em 1978 entrou para a Faculdade de Psicologia, além de prestar concurso para agente policial, cargo que assumiu em 1980. Durante oito anos desenvolveu seu trabalho no Presídio Feminino da capital alagoana de maneira inovadora e até revolucionária para alguns. Ao adotar a postura de debater com as detentas temas relativos a cidadania, direitos das mulheres, questões raciais e outros, foi apontada como racista por uma das presas, o que representou a gota d'água para pedirem seu afastamento, acusada de insuflar as presidiárias.

Vanda conseguiu transferir-se para a Delegacia de Menores. Apaixonada pelo trabalho e preocupada em desempenhar com competência sua função, fez vários cursos em sua área, como o de Perícia em Salvador (BA), no ano de 1993, e especializações em DSTs/AIDS de 1996 à 2000.

Em 1979 liderou a fundação da primeira entidade negra de Alagoas a Associação Cultural Zumbi. Após quatro anos de militância no movimento negro, começou a despertar para o feminismo. Elegeu-se Secretária da União Brasileira de Mulheres, levando para a direção da entidade a primeira representação negra. Em 1984, convocada por companheiras de outros segmentos, passou a integrar o grupo de mulheres que encabeçou a discussão sobre o Conselho Nacional dos Direitos da Mulher e mais tarde a criação do Conselho Estadual dos Direitos da Mulher (CEDIM), do qual foi conselheira, como representante das mulheres negras, na gestão iniciada em 1989.

Participou também da criação do Fórum de Entidades Autônomas de Mulheres de Alagoas, em 1992, e dois anos depois passou a representá-lo junto à Articulação de Mulheres Brasileiras, responsável pelo acompanhamento do processo preparatório para a IV Conferência Mundial sobre a Mulher/ Beijing-95. Vanda costuma dizer que 1995 foi um ano fértil, pois além de ter tido um filho (Arytan) que se juntou a outros dois criados por ela (Jorge Luiz e Carlos Eduardo), foi uma das protagonistas da grande mobilização das brasileiras que resultou na Plataforma de Ação Mundial, aprovada pelos governos na China.

Na área profissional, atuou na política sindical e, em 1993, foi eleita vice-presidenta do Sindicato da Polícia Civil de Alagoas. No ano seguinte assumiu, por nove meses, a presidência num período de muita turbulência, causada pelas reivindicações por melhores condições de trabalho. Comandou uma bem-sucedida greve, num trabalho articulado com a polícia militar e federal. Foi a primeira mulher no Brasil a dirigir um sindicato da categoria.

Em 2000 foi convidada para a coordenadoria do Comitê de Saúde da Mulher, vinculado à Secretaria Municipal de Saúde de Maceió, onde desenvolveu vários projetos junto às comunidades carentes, profissionais do sexo e travestis. Conduzida, em 2002, à Presidência do Conselho Municipal da Condição Feminina, permaneceu no cargo por apenas seis meses, sendo convocada pelo governador para uma missão irrecusável – tornar-se a primeira secretária da Mulher do estado de Alagoas.

"Cheguei ate aqui através do mérito de muitas mulheres e homens de luta. Acredito que através da minha experiência no movimento feminista e negro, poderei no governo, influir para que gestoras e gestores incorporem as questões de gênero e étnico-racial no planejamento e execução das políticas, contribuindo assim para a democracia e a efetiva inclusão social das mulheres e dos negros nas Alagoas e no Brasil."

Executivo estadual e municipal, organizações não-governamentais, das mulheres indígenas, negras, sertanejas e da comunidade acadêmica vinculada ao estudo da condição feminina.

A primeira presidenta do órgão foi a médica Terezinha Ramires. Posteriormente assumiram o cargo: Uedna Miranda, Ligia Toledo, Cleonice Ferreira, Rebeca Tenório, Ana Célia de Melo Neto e **Ana Raposo.**

A criação do Conselho Municipal

Em 18 de março de 1993 foi sancionado o projeto de lei 4.182 criando o Conselho Municipal da Condição Feminina (CMCF). Elaborado pela vereadora Terezinha Ramires, cujo mandato era comprometido com as causas feministas, o projeto encontrou boa receptividade por parte do prefeito Ronaldo Lessa, que era do PSB, partido identificado com a esquerda, sendo, na ocasião, a vice-prefeita **Heloisa Helena,** do PT.

Entretanto o estado vivia tempos tumultuados. O alagoano Fernando Collor de Melo acabava de renunciar ao cargo de presidente da República diante de graves denúncias de corrupção em sua campanha e da iminência do impeachment, dada a forte mobilização popular em torno do escândalo. O governador eleito era Geraldo Bulhões, candidato identificado com o clã dos Collor de Melo e com uma gestão igualmente permeada de escândalos, greves de servidores públicos, três anos letivos perdidos nas escolas, além de um recrudescimento alarmante da violência e impunidade no estado.

Socorro Gomes

Nessa situação conflituosa, o CMCF só começou a funcionar efetivamente em fevereiro de 1995, tendo **Betânia Carneiro** como primeira presidenta. Em seguida vieram **Verônica Lyra, Janilce Marinho do Bonfim,** Terezinha Ramires, Vanda Maria Menezes Barbosa e, desde outubro de 2002, **Socorro Gomes,** que acumula o cargo de tesoureira da Associação Alagoana Pró-Mulher. Vale destacar a força das mulheres negras, que integraram a direção desse mecanismo institucional em três gestões: Janilce, Vanda e Socorro.

Na mesma década foi criado também o Conselho Municipal dos Direitos da Mulher de Arapiraca, através do projeto de lei 1.870/95, tendo, a partir de sua inauguração, as seguintes presidentas: **Célia Maria Barbosa Rocha, Ângela Maria Marques, Maria de Lourdes Carvalho de Oliveira** e **Rosileide Fancelina dos Santos.**

Delegacias especiais

A violência contra as mulheres sempre foi tratada como um problema de âmbito privado. A segunda onda do feminismo brasileiro introduziu mudanças nesse cenário mediante campanhas para que sociedade e governos tratassem o tema como uma questão social. A criação de delegacias especializadas de atendimento às mulheres vítimas de violência foi mais uma reivindicação do feminismo que obteve resposta positiva, e Alagoas foi um dos estados pioneiros nessa conquista.

Noélia Lessa Santos

Em 18 de novembro de 1985, a partir de demanda do movimento organizado de mulheres, o governador Divaldo Suruagy sancionou a lei 4.714 criando a Delegacia Especial de Defesa da Mulher. A primeira delegada nomeada foi **Noélia Lessa Santos,** sucedida por **Maria Aparecida Araújo,** primeira delegada de carreira em Alagoas. Outras que se seguiram foram **Marilene Oliveira Sabino, Maria Tereza Ramos, Maria de Fátima Fernandes de Menezes, Andréa Lemos Fontoura** e **Paula Mercês da Silva.**

Em 1992, foi criado o Grupo de Ajuda Mútua (GAM), com a finalidade de atender e acompanhar as mulheres em situação de violência, após registro da queixa efetuada na delegacia. As responsáveis por essa iniciativa foram a psicóloga **Sonia Nascimento** e a assistente social **Andréia Fonseca.**

A Delegacia Especializada de Defesa da Mulher de Arapiraca foi criada em 1987, tendo como sua primeira delegada **Marilene de Oliveira Sabino Barros.** Até 2004, Arapiraca é o único município do interior do estado que possui esse equipamento social.

Centro de Mulheres da Vila Brejal - fundado em 08/04/92 por Maria José Santos Silva e Geralda Sampaio. Maria José, Luciamar Santos, Dona Marialva, Liliane Bonifácio - atual presidenta -, Geralda Sampaio - vice-presidenta -, Angela Maria, Josefa Santos, Maria de Lourdes.

Mulheres nos órgãos de Segurança Pública

Com a criação da Delegacia Especializada da Mulher, as entidades feministas começaram a discutir a temática da violência vinculada à segurança pública. Com o propósito de humanizar os serviços na área de segurança e ampliar o mercado de trabalho para as mulheres, essa discussão desembocou na criação da Polícia Militar Feminina, em janeiro de 1987, quando o governador José Tavares Bastos sancionou a lei 4.877.

Nos anos 1990 deu-se mais um passo com a conquista da incorporação de mulheres nos quadros do Corpo de Bombeiros Militar de Alagoas, após uma luta incansável de militantes lideradas por Terezinha Ramires, Marilma Torres, Vanda Menezes, **Elvira Barreto,** Sonia Nascimento e Aydete Viana.

Ainda devemos destacar nessa década o surgimento de outras lideranças que, em seus espaços profissionais, de classe ou mesmo junto ao movimento, mantiveram-se antenadas e comprometidas com a ampliação da cidadania feminina. Dentre elas destacamos: Ana Áurea, Noraci Pedrosa, Nadia Regina Loureiro, Jô Rodrigues, Eunice Nonô, Graciliana Selestino, Graça Gurgel, Socorro França.

Acrescentam-se a esse grupo de líderes de movimentos populares **Aurelina Pereira** – fundadora, em maio de 1987, da Associação das Empregadas Domésticas, entidade que luta pela melhoria das condições de trabalho para a categoria – e as integrantes do Centro de Mulheres da Vila Brejal, criado em 1991 graças ao esforço e impulso de **Maria José da Silva, Geralda Correa** e **Graça Assis.**

Eis uma pequena lista das combativas e ecléticas entidades alagoanas criadas nas últimas décadas: Coletivo de Mulheres Negras de Alagoas, Associação das Viúvas do IPASEAL, Associação de Mulheres Divorciadas, Associação de Mulheres da Vila Brejal, Associação de Mulheres do Clima Bom I, Associação dos Direitos da Mulher de Fernão Velho, ABC e Rio Novo, Associação de Mulheres Pilarenses, Associação da Melhor Idade, Associação das Quituteiras de Maceió, Clube de Mães do Vergel, Clube de Mães do Trapiche da Barra e Dique Estrada, Clube da Mulher do Campo, Associação das Mulheres Solteiras e Domésticas da Cidade do Santana do Ipanema, Associação das Mulheres de Ipioca, Associação de Mulheres de Riacho Doce, Grupo de Mulheres Idosas de Ipioca, Associação de Mulheres de Traipu e mais recentemente, em 2003, a Associação Mulheres por Alagoas, com o propósito de garantir espaço para as mulheres no aparelho estatal e promover ações para divulgar as riquezas naturais e culturais do estado.

Nasce o Fórum de Entidades Autônomas do Movimento de Mulheres de Alagoas

Os grupos autônomos de mulheres em Alagoas alcançaram maior organicidade na década de 1990. Cresceu sua participação em eventos nacionais do âmbito da política feminista, o intercâmbio com ONGs e líderes de outros estados, e o diálogo e negociações com o CNDM e com parlamentares mulheres do Congresso Nacional. A partir dessa expansão Terezinha Ramires, Vanda Menezes e Sonia Nascimento tiveram a idéia de criar uma instância que pudesse aglutinar a diversidade de grupos de mulheres e feministas no estado. Nasceu assim, em 23 de março de 1992, o Fórum de Entidades Autônomas do Movimento de Mulheres de Alagoas, fruto de um debate aprofundado entre as proponentes e Uedna Miranda, Solange Bentes Jurema, **Sonja Vilela, Júlia Batista, Elizete dos Santos, Ana Willowait,** e outras militantes. O objetivo do Fórum foi fortalecer o movimento de mulheres alagoano, engajando as mais diversas áreas, sem, entretanto, descaracterizar as especificidades de cada organização. Terezinha Ramires assumiu a coordenação.

O Fórum alagoano teve papel importante na criação e consolidação da Articulação de Mulheres Brasileiras (AMB), organização surgida em 1994 durante a preparação da IV Conferência Internacional sobre Mulher e Desenvolvimento. A AMB hoje congrega fóruns e articulações de mulheres de 26 estados e distrito federal, numa estrutura voltada para o monitoramento das políticas públicas para as mulheres e para a democracia, defendendo o respeito à pluralidade e à diversidade racial e étnica, orientação sexual, socioeconômica e profissional que caracteriza as mulheres brasileiras.

Vanda Menezes, líder do movimento feminista e negro, representou Alagoas na Coordenação Executiva Nacional da AMB, permanecendo nessa função por vários anos e tendo um papel de liderança na formação da Regional Nordeste I, mobilizando as feministas de Sergipe e Bahia, que com Alagoas compõem esse braço da AMB.

No ano 2000 o Fórum de Entidades Autônomas do Movimento de Mulheres de Alagoas foi responsável pela organização da Conferência Estadual de Mulheres, da qual saíram contribuições locais para a Plataforma Política Feminista.

Alagoanas e o processo para as conferências da ONU

No início dos anos 1990 a Organização das Nações Unidas iniciou uma série de conferências para que os países membros discutissem aspectos da globalização e do desenvolvimento, aprovando consensos em torno de questões contemporâneas. Paralelamente às Conferências dos Governos, foram realizados fóruns da sociedade civil, que atuam de maneira autônoma e produzem documentos alternativos.

Em 1992, grupos de mulheres em todo o país se organizaram para participar do Fórum da Sociedade Civil, realizado no Rio de Janeiro simultaneamente à Conferência sobre Meio Ambiente (ECO-92). Um grande momento no processo alagoano de mobilização para a ECO-92 foi o debate sobre o tema "Mulher e Meio Ambiente", com palestra da advogada Marilma Torres e tendo como debatedoras **Theresa Leão** e Terezinha Ramires. Alagoas enviou como representantes ao Fórum do Rio de Janeiro Sônia do Nascimento, Vanda Menezes e a índia Graciliana Selestino, que se engajaram às atividades do Planeta Fêmea. Organizado por uma coalizão de grupos feministas, esse espaço reuniu mulheres do mundo inteiro em conferências, debates e manifestações que resultaram na elaboração da Agenda 21 das Mulheres, documento pioneiro ainda hoje referência para os trabalhos com perspectiva de gênero no campo do desenvolvimento urbano e sustentável.

Conferência Alagoana de Mulheres - 2002

Para a IV Conferência Internacional Mulher e Desenvolvimento, realizada na China em 1995, Alagoas engajou-se desde o princípio na articulação nacional de preparação das brasileiras que iriam participar da elaboração da Plataforma de Ação das Mulheres e do Fórum Paralelo de ONG's, eventos que antecederam o encontro oficial.

Reuniões periódicas aconteceram nos níveis locais, nacional e até internacional. Maceió foi sede do Encontro Nacional da AMB, em novembro de 1994, oportunidade em que se realizou uma reunião ampliada para que as militantes locais puderam debater com representantes da Comissão Executiva da Articulação de Mulheres Brasileiras.

Em março de 1995 o Fórum realizou o I Seminário Alagoano de Mulheres, com mais de 100 participantes. Neste seminário foi aprovado um diagnóstico local sobre a situação das mulheres. E Alagoas foi também o estado articulador da criação do Fórum de Mulheres de Sergipe e Piauí, levando a discussão sobre a IV Conferência Mundial para líderes e organizações desses estados.

Assessorado pelo Conselho Nacional dos Direitos da Mulher, o governo brasileiro formou uma delegação oficial para a IV Conferência Mundial Mulher e Desenvolvimento. Do estado de Alagoas integraram essa delegação Rebeca Tenório, na condição de presidenta do CEDIM-AL; Solange Bentes Jurema, na qualidade de presidenta da ABMCJ; as advogadas **Marta Bueno** e Marilma Torres; e a deputada federal Ceci Cunha.

Projetos pioneiros na política de Saúde

Em 1993, o novo prefeito Ronaldo Lessa nomeia como secretária municipal de Saúde a feminista Katia Born e, para a chefia de Gabinete, Genilda Leão, que, contando com uma equipe comprometida com o povo, fizeram uma "revolução" na política de saúde do município. Uma iniciativa de destaque fpo a campanha Pró-Vida, lançada em 1996 e coordenada por Vanda Menezes Barbosa e Sonia Nascimento.

A proposta consistia em trabalhar a questão da cidadania com profissionais do sexo e travestis, tendo como foco a prevenção das DSTs e Aids. Paralelamente eram realizadas capacitações com os profissionais de saúde com o objetivo de discutir a livre orientação sexual e, portanto, sensibilizá-los para um atendimento respeitoso, independente de suas escolhas sexuais e profissionais. O sucesso do projeto resultou em sua premiação entre os trabalhos exemplares do Nordeste, selecionados pelo Ministério da Saúde.

Sonia Nascimento com travestis

Em 2001, o projeto tomou um novo rumo, deixando de ser uma ação da Secretaria de Saúde e se tornando uma ONG, com autonomia, agenda própria e integrada por travestis. Já as profissionais do sexo fundaram a Associação de Prostitutas de Maceió, transformada em 2003, no Pró-Vida Mulher.

Feminismo alagoano no novo milênio

Na entrada do novo milênio a capital já exibia um cenário político bastante diferenciado do androcentrismo que caracterizou sua história. A feminista Kátia Born foi, em 2000, reeleita prefeita de Maceió. Além de sua grande participação no Legislativo, as mulheres já têm presença significativa no primeiro escalão da administração pública municipal e estadual. Houve avanços importantes nas políticas sobre violência doméstica e sexual, com a questão racial entrando em definitivo na pauta do movimento.

Violência em pauta

O século XXI começou com uma vitória histórica e uma conquista pioneira, viabilizada pela prefeita Kátia Born, com a instalação da Casa Abrigo de Maceió Viva Vida. Formalmente, essa conquista veio no bojo das discussões da década anterior sobre políticas de combate e apoio às vítimas da violência doméstica

Núcleo Temático Mulher e Cidadania

A proposta de criação do Núcleo Temático Mulher e Cidadania (NTMC) originou-se a partir do Seminário "Mulher e educação popular: um delineamento teórico", realizado em 1989 na Universidade Federal de Alagoas e promovido pelo grupo de trabalho Mulher e Educação Popular, na ocasião coordenado pela professora **Nadia Regina Loureiro de Barros Lima.**

Como desdobramento desse seminário, surgiu o projeto Oficina de Educação Popular para os Direitos da Mulher, com a participação de 32 lideranças femininas das comunidades de Novo Mundo, Vila São Francisco, Vila Brejal, Clima Bom, Fives Lille e Campestre II, todas da capital. No mesmo ano, um outro evento foi realizado, dessa vez para discutir a participação das mulheres no campo da ciência, resultando na publicação do primeiro número da coleção Gênero e Cidadania – Mulher e Ciência.

Nesse sentido, a criação do NTMC/UFAL contou com duas fontes de gestação – a comunitária e a acadêmica –, sendo institucionalmente formalizado como órgão suplementar da Universidade. Em suas origens, esteve vinculado à Coordenadoria de Núcleos Temáticos e, posteriormente, com a extinção desta, está diretamente ligado ao Gabinete da Reitoria.

Desde a sua origem, o núcleo vem trabalhando no sentido de articular o ensino, a pesquisa e seu entorno, caracterizando-se como um organismo de natureza interdisciplinar, interprofissional e interinstitucional, haja vista a formação profissional de suas fundadoras. São elas: **Nadia Regina Loureiro de Barros,** professora da UFAL, mestra em Sociologia, graduada em Serviço Social e Psicologia e formação em Psicanálise; **Theny Mary V. de Araújo,** psicóloga e assistente social e **Silvana Medeiros,** assistente social, ambas da Secretaria de Saúde e Serviço Social; **Cleonice Ferreira dos Santos** e **Maria Aparecida B. de Oliveira,** professoras de filosofia da UFAL; **Rosineide Duarte Vieira** e **Maria Helena de A. Calheiros,** assistentes sociais do Hospital Universitário; **Reny Dalva L.Gomide,** professora de História da UFAL, e **Margarete Pereira Cavalcante,** assistente social e professora da UFAL.

Nesses 15 anos de existência o núcleo desenvolveu uma grande diversidade de projetos, desde eventos acadêmicos, pesquisas, publicações, até parcerias com organizações da sociedade civil e organismos estatais. Sua reconhecida trajetória possibilitou incorporar novos profissionais de diferentes áreas, como por exemplo, da literatura, comunicação, ciências sociais, assim como, integrar distintas redes locais e nacionais, entre elas, a Rede Feminista de Núcleos de Estudos e Pesquisa sobre a Mulher e Relações de Gênero (REDOR), a Rede Nacional Feminista de Saúde e Direitos Reprodutivos e o Fórum de Mulheres de Alagoas.

Na área editorial um grupo de pesquisadoras, ligadas ao projeto "A identidade de gênero da mulher nas ciências e nas artes", denominado Mare&sal e coordenado pela professora **Izabel Brandão,** foi responsável pela edição de três valiosas publicações, hoje referências na área acadêmica.

A primeira gestão do núcleo foi coordenada pela psicanalista Nadia Regina Loureiro de Barros, no cargo até 1994, quando foi substituída por **Elvira Simões Barreto,** assistente social com mestrado na área de Sexualidade e Saúde Reprodutiva e feminista, que desempenhou essa função até 2002. Desde então é a professora de filosofia Maria Aparecida Batista de Oliveira é quem responde pelo NTMC/UFAL.

Mestra por vocação!!!

Maria Aparecida Batista de Oliveira *nasceu em União dos Palmares (AL), em 14 de junho de 1950. Foi alfabetizada e cursou o segundo grau (magistério) na sua terra natal, onde, ainda menor de idade e sem ter concluído o curso normal, já trabalhava como professora.*

Em 1974, mudou-se para Maceió a fim de cursar Filosofia na UFAL. Paralelamente ao curso universitário, lecionava no Centro de Estudos Superior de Maceió e exercia o magistério no ensino público, onde era concursada. Dois anos depois da graduação na universidade, em 1980, prestou concurso para professora auxiliar, tendo a partir desse momento deslanchado sua vida acadêmica. Tem especialização em Metodologia e Historiografia e sua dissertação de mestrado versa sobre a violência contra a mulher.

Ativista do movimento negro e atenta às desigualdades de gênero, integra, desde a fundação, o Núcleo Temático Mulher e Cidadania, do qual é coordenadora, e o Núcleo de Estudos e Pesquisas sobre a Condição Feminina, ambos ligados à Universidade Federal. Desde junho de 2001, é diretora do Centro de Ciências Humanas Letras e Artes da Universidade Federal de Alagoas.

e sexual. Em setembro de 1995 foi aprovado, na Câmara dos Vereadores, o projeto de lei 4.446 que instituía esse equipamento social, de autoria da então vereadora Terezinha Ramires. A inauguração, festiva, aconteceu em 19 de setembro de 2000.

O Centro de Atendimento e Referência às Mulheres Vítimas de Violência Doméstica Dra.Terezinha Ramires foi outra iniciativa social importante, inaugurado no dia 8 de março de 2002, Dia Internacional da Mulher. Vinculado à Secretaria Municipal de Saúde, fornece assistência direta, integral e multiprofissional nas mais diversas áreas para mulheres em situação de violência doméstica, além de realizar ações afirmativas que visam combater a violência de gênero. O Centro de Atendimento também foi criado através da lei municipal de autoria da vereadora Terezinha Ramires, a lei 4.446, de 19 de setembro de 1995.

Mecanismos institucionais geração 2000

Criação e ação da SEMULHER

Em 3 de julho de 2002, através da lei 6.326, o governador Ronaldo Lessa instituiu a Secretaria de Estado da Mulher (SEMULHER), respaldada na lei estadual nº6.326, e criada com o propósito de construir novas formas de enfrentamento da violência e discriminação de gênero, raça, etnia e condição social, e de fortalecer a cidadania e inserção social das mulheres, desconstruindo estereótipos e preconceitos historicamente arraigados.

Acesso à educação, saúde e trabalho, formação profissional, garantia dos direitos sexuais e reprodutivos

Delegação de mulheres indígenas na Conferência Nacional de Mulheres Brasileiras - Brasília 2002

são as prioridades para o órgão em termos de políticas públicas. Com esse mandato, foi nomeada titular da pasta a feminista e militante do movimento negro Vanda Menezes Barbosa, que despontou na década de 1990 como líder importante no estado.

Uma das primeiras medidas do SEMULHER foi a realização dos fóruns Mulher e Cidadania a fim de mapear os anseios e necessidades das mulheres alagoanas nos 102 municípios e fazer um diagnóstico, tendo como base indicadores sociais. Foram implantados em 13 microrregiões do Estado, tendo sido promovidas capacitações na área de gênero, raça/etnia e violência para as equipes dos mecanismos de atendimento à mulher e equipe da Secretaria, além de firmadas parceiras com órgãos governamentais e da sociedade civil.

O Conselho Estadual dos Direitos da Mulher (CEDIM) passou a ser um órgão colegiado de controle social, vinculado à SEMULHER, cuja estrutura está sendo devidamente adaptada por um grupo de mulheres juristas, aguardando ser ativado, em 2004, com a nomeação das respectivas representantes da sociedade civil.

Implementação do Instituto da Mulher

Desde 8 de março de 2003 vem sendo implementado o Instituto da Mulher, vinculado à Secretaria Coordenadora de Justiça e Defesa Social do estado, voltado para a capacitação profissional e organizacional e tendo como recorte teórico e metodológico o trabalho com a questão de gênero. Lideranças feministas do Fórum de Entidades Autônomas de Mulheres de Alagoas, juntamente com outras militantes, estão empenhadas na efetiva operacionalização desse órgão transformador, idealizado por **Fátima Borges**.

Em 2002 nasce o Movimento de Mulheres por Alagoas, tendo a frente, como presidenta **Teresa Laranjeira**.

O feminismo alagoano avançou na implantação de mecanismos de Estado com políticas para as mulheres. O desafio do novo milênio está na elaboração de uma pauta que inclua uma ação cultural e comportamental e resgate de vez valores de eqüidade e solidariedade entre os sexos, raças e etnias, demolindo estigmas e preconceitos que ainda motivam atitudes de violência e dominação.

Associação Cultural Zumbi

Em 1979 um grupo de negros e negras, preocupados com a pequena inserção de afro-descententes no cenário acadêmico e com o preconceito racial existente dentro e fora do âmbito universitário, uniu-se para enfrentar o racismo, explícito ou velado, que permeia a sociedade alagoana e brasileira. Nasce assim a primeira entidade negra de Alagoas: Associação Cultural Zumbi dos Palmares. Fazia parte desse núcleo embrionário 30 homens e três mulheres: ***Ana Costa Neta**, **Silvete Galdino** e **Vanda Menezes**. O fato gerou visibilidade, o que atraiu novos militantes. É assim que **Fátima Viana**, mestra em Química, **Socorro França**, enfermeira, **Tereza Tavares**, **Edla Maria da Silva**, **Roseana Viana**, e outras ingressam na associação. Silvete, em 1986, nessa época já formada em Meteorologia, torna-se presidenta da entidade. Dois anos depois é a vez de Vanda Menezes assumir o cargo.*

Na década de 1980, a Associação tornou-se referência na luta pelo resgate e valorização da história de Palmares. Liderada pelo professor Zezito Araújo, sua atuação provocou, após muitos enfrentamentos e resistências por parte dos donos das terras, a demarcação, tombamento e desapropriação da Serra da Barriga, tornando-a patrimônio histórico nacional.

Hoje, tanto Fátima Viana quanto Silvete Galdino e Socorro França integram o Instituto de Pesquisas Étnicas, organização não-governamental voltada para estudos e pesquisas sobre a condição dos negros e negras, que busca fornecer subsídios para a implementação de políticas públicas capazes de melhorar a qualidade de vida da população afro-descendente.

Fátima Viana Socorro França Silvete Galdino

Feminístas alagoanas que ganharam o mundo

Mais que uma homenagem, trata-se de reconhecimento do importante papel que essas valorosas feministas desempenharam pelo mundo afora em defesa dos direitos das mulheres, da igualdade racial, da justiça social e da democracia radical.

Maria Bethania de Melo Avila

Muitas das conquistas vivenciadas pelas mulheres hoje se originaram do esforço e ousadia de gerações de brasileiras, de alagoanas, de Lilys, Claras, Josefas, Gastones, Nises, Marias, Lucias, Elviras, Bethanias, Zezés, Leniras e tantas outras.

Maria Bethânia de Melo Ávila nasceu em 1948 num engenho de açúcar do município de Capela, na Zona da Mata alagoana. Seu pai, senhor de engenho, morreu quando ela entrava na adolescência, o que mudou radicalmente sua vida. Maria Betânia cresceu numa família só de mulheres: a avó, a mãe e duas irmãs. Cursou o primário no Grupo Escolar do município rural, mas aos dez anos foi morar em Maceió, onde prosseguiu os estudos.

Em plena ditadura (1967) mudou-se para o Recife para cursar Sociologia na Universidade Federal de Pernambuco. Revoltada contra as rígidas regras que aprendeu no engenho, a jovem acompanhou o movimento estudantil com uma visão mais "hippie" do que política. Depois de formada, conseguiu emprego em um projeto da Fundação das Nações Unidas para Agricultura e Alimento (FAO), o que lhe permitiu juntar recursos para realizar o sonho de sair do país, não vendo grandes perspectivas no Brasil daquele momento.

Em 1974, no auge da repressão militar, mudou-se para Paris, matriculando-se no Instituto de Desenvolvimento Econômico e Social da Sorbonne para fazer o curso de Sociologia do Desenvolvimento. Enquanto isso sustentava-se trabalhando como baby-sitter ou prestando serviços para uma editora alternativa.

Para a inquieta menina da Capela, os cinco anos parisienses foram de intensa aproximação com o movimento feminista que renascia. Participou de grupos de reflexão e esteve presente nas grandes passeatas pela legalização do aborto, que culminaram em uma manifestação com mais de 200 mil mulheres de todo o país, numa luta vitoriosa, pois o aborto foi legalizado na França na década de 1970.

Seus vínculos com o Brasil forjaram-se e se consolidaram com sua participação no Círculo de Mulheres Brasileiras em Paris, que ajudou a criar junto com Lena Lavinas, Angela Arruda, Helena Hirata, Solange Padilha, Maria José Araújo, Sonia Calió e outras. Engajada no subgrupo responsável pela imprensa e relações com o Brasil, Betânia Ávila entrou em contato com o Ação Mulher, de Pernambuco, o que foi uma espécie de preparação de terreno para o seu retorno, que se deu na leva da Anistia de 1979.

Chegando ao Recife, a feminista encontrou um cenário de grande mobilização partidária, com o surgimento de uma nova geração de organizações não-governamentais que vinham reforçar a luta pela redemocratização. Engajou-se de imediato no Ação Mulher que, junto como o Brasil Mulher, formava a matriz do movimento feminista contemporâneo em Pernambuco. Nesse ambiente de efervescência, os dois grupos já tendiam a dar lugar a organizações mais institucionalizadas, surgindo assim as primeiras ONGs feministas de Pernambuco: o SOS Corpo e a Casa da Mulher do Nordeste.

Maria Betânia Ávila escolheu para seu lugar de militância o pequeno coletivo que deu origem ao SOS Corpo. As discussões sobre sexualidade e saúde ginecológica e o questionamento do poder médico foram o ponto de partida da organização, que iniciou sua trajetória produzindo material educativo para mulheres dos bairros populares e realizando pesquisas sociológicas sobre contracepção, aborto e esterilização voluntária. Era apenas o começo de uma ampla iniciativa, para a qual Maria Betânia Ávila foi peça fundamental.

Na década de 1980 a equipe do SOS Corpo ajudou a formular o Programa de Assistência Integral à Saúde da Mulher, construiu uma experiência importante de controle e incidência nas políticas públicas e participou das discussões a respeito da criação do Conselho Nacional dos Direitos da Mulher. Maria Betânia Ávila foi nomeada conselheira do CNDM em duas gestões: 1985 e 1994.

No início dos anos 1990, fez parte do grupo que propôs a criação da Rede Nacional Feminista de Saúde, Direitos Sexuais e Direitos Reprodutivos, tendo sido eleita secretária executiva por dois mandatos consecutivos. Nessa década, conquistou importante reconhecimento por seu trabalho teórico, de assessoria e representação política, junto a diferentes setores. Sua produção teórica sobre gênero e direitos reprodutivos e sexuais passou a ser uma referência tanto no cenário nacional como internacional.

Zezé de Lima

Em 2004 Maria Betânia ocupou o cargo de coordenadora-geral do SOS Corpo, sendo indicada para representar a Rede Feminista de Saúde no Conselho Nacional de Saúde. Embora seja uma mulher cosmopolita, mantém a relação afetiva com Alagoas, sua terra natal e onde foram cultivadas a ousadia e irreverência que lhe possibilitaram transgredir e romper com a cultura que impunha às mulheres um papel subalterno e insípido.

Maria José de Lima, ou **Zezé de Lima,** como é conhecida, nasceu em 1935 no município rural de Quebrangulo (AL), filha de uma pequena proprietária de terra cujo casamento representou a miscigenação de três raças: branca, indígena e negra. Aos 18 anos foi estudar no Recife, onde se formou na Escola de Enfermagem da Universidade Católica de Pernambuco. Em 1963 foi aprovada em concurso público para o Instituto Nacional de Previdência Social (INPS), no Rio de Janeiro, onde ocupou a chefia na área de planejamento da assistência médica.

Nos idos do Ano Internacional da Mulher, 1975, as idéias feministas fervilharam na metrópole carioca, com debates realizados em espaços como a Associação Brasileira de Imprensa (ABI), importante foco de resistência à ditadura militar. Zezé de Lima foi atraída por esses debates, raros naquela conjuntura de forte repressão. Passou a ser uma estudiosa e defensora das teses feministas no ambiente profissional, compatibilizando essas atividades com a militância no movimento de mulheres.

Participou dos primeiros grupos de estudo e autoconsciência que deram origem ao Centro da Mulher Brasileira (CMB). Seus aportes foram uma constante nos espaços que o feminismo carioca vinha criando, seja no diálogo com a imprensa, realizando palestras ou participando de debates. Nesses ambientes, Zezé esteve entre as pioneiras na reflexão sobre violência contra as mulheres, saúde sexual e reprodutiva, planejamento familiar e direito ao aborto.

Em 1980, foi colaboradora no grupo que organizou a Associação de Pesquisas e Estudos das Mulheres (APEM), com sede no IUPERJ-RJ. E, ao longo dessa década, teve várias experiências com a aplicação de metodologias aprendidas com o feminismo, nas atividades didáticas com assistentes sociais e enfermeiras, apostando na transformação da cultura machista e androcêntrica a partir das próprias instituições públicas.

Em 1976, Zezé de Lima realizou sua primeira viagem à Europa, conhecendo de perto a mobilização das mulheres nos campos da saúde, sexualidade, procriação e aborto. De volta ao Rio de Janeiro, defrontou-se com um impasse no âmbito do Centro da Mulher Brasileira, cujas discussões refletiram a vitória do feminismo engajado à luta geral. Zezé de Lima posicionou-se em defesa do feminismo autônomo e, diante do impasse, voltou, ao lado de outras feministas, aos grupos informais de reflexão, o que resultou na criação, em 1979, do Coletivo de Mulheres do Rio de Janeiro.

Zezé participou do III Encontro Internacional Mulher e Saúde, em 1981, na Suíça. Na mesma ocasião obteve licença profissional para fazer um estágio no Dispensário de Mulheres de Genebra, onde entrou em contato com a revolucionária prática do auto-exame ginecológico, que filosoficamente põe em xeque o poder médico, desmistificando o monopólio do conhecimento do corpo da mulher.

Retornando ao Brasil, integrou a equipe feminista que criou uma série de folhetos educativos denominada "Esse sexo que é nosso", lançada posteriormente pelo Ministério da Saúde e largamente distribuída para as unidades de saúde dos estados da Federação. A partir daí, Zezé de Lima manteve uma produção crescente no âmbito do movimento de mulheres pela saúde, destacando-se no grupo estruturador do Fórum Feminista do Rio de Janeiro, em 1984, e no I Encontro Regional sobre a Saúde da Mulher, Colômbia, no mesmo ano.

Embora viva no Rio de Janeiro há mais de 30 anos, Zezé de Lima visita freqüentemente seu estado natal e orgulha-se todas as vezes em que revela sua identidade nordestina e alagoana.

Lenira Carvalho nasceu em 1932, num engenho do município de Porto Calvo, uma das primeiras cidades

Lenira Carvalho

da província de Alagoas. Foi a quinta filha de uma descendente de escravos, que teve ao todo sete crianças, de pais diferentes. Lenira mal conviveu com seu suposto pai, que nunca a reconheceu como filha. A pequena foi criada pela patroa da mãe, que a mantinha fazendo trabalhos domésticos na casa-grande. Muitas vezes dormia sem jantar, pois a regra proibia que a criadagem se alimentasse antes dos patrões.

Discriminação foi, portanto um conceito que muito cedo ela aprendeu. A vida de escrava e o sofrimento de sua mãe, a diferença entre o tratamento que recebia e os privilégios reservados aos filhos do patrão, o freqüente medo de ser violentada, foram elementos que povoaram sua infância, sem escola e sem diálogo. Muito esperta e inteligente, entretanto, a menina tinha vontade de estudar. Com insistência conseguiu que uma tia dos donos da casa lhe ensinasse as primeiras letras. Logo depois foi morar com o irmão, e passou a treinar a leitura nos folhetos de cordel que encontrava pela casa.

Embora alimentasse sonhos de seguir estudando, Lenira não escapou do destino de ser empregada doméstica. Seduzida pela possibilidade de fazer um tratamento dentário, aceitou ser babá no Recife, na casa de seu padrinho, que era um dos filhos da senhora de engenho. Completou assim seu crescimento, trabalhando sem direito a folga e lidando com um discurso inócuo segundo o qual era uma cria da casa, "quase da família". Assim viveu por mais de 16 anos, acompanhando o nascimento e crescimento de mais sete crianças da família. Com o tempo tornou-se a governanta da casa, sem que jamais sua remuneração tenha alcançado o salário mínimo.

Aos poucos foi conquistando espaços de liberdade. Se antes tinha permissão de sair apenas para ir a missa dominical ou ao dentista, logo conseguiu matricular-se em um curso noturno no colégio das freiras salesianas, onde completou o curso primário.

A revolta que crescia em seu íntimo foi aplacada pela fé religiosa. Lenira batalhou para ser Filha de Maria, e nunca deixou de lutar para obter o que queria dos patrões, tendo conquistado o direito ao descanso de 15 em 15 dias; o compromisso de que enviassem mensalmente um dinheiro para sua mãe; e a folga no Carnaval para fazer seu retiro espiritual.

Por volta de 1962 teve acesso às reuniões da Juventude Operária Católica, formando um grupo de domésticas para discutir problemas específicos da classe. Era o primeiro contato que tinha com a Igreja progressista, e com outras categorias de trabalhadores.

No 1º de maio em 1963 esteve no Congresso Regional de Empregadas Domésticas no Recife, após o qual as domésticas fizeram uma histórica passeata, a primeira da categoria no Brasil. Mas logo veio o Golpe Militar, que surpreendeu Lenira, especialmente quando as domésticas foram chamadas de comunistas. Nesse período vivia em uma casa junto com outros militantes da Juventude Católica. A polícia invadiu o reduto e ela e outros ativistas foram presos. Sofreu interrogatório e passou uma noite detida, convivendo com a prisão, morte ou afastamento, pelo exílio, dos padres que lideravam estes movimentos.

Diante da repressão ao movimento, Lenira Carvalho retornou à sua profissão, sem, entretanto, abandonar o propósito de ajudar a construir uma associação de empregadas domésticas, a exemplo das que já existiam do Rio de Janeiro e São Paulo. Passou a viver num bairro pobre da cidade, com a mãe que trouxe de Alagoas. A nova casa pertencia a um padre operário, e se transformou numa espécie de comunidade eclesial alternativa, sempre cheia de visitantes.

Em 1968, a militante participou do primeiro Congresso de Trabalhadoras Domésticas de São Paulo e, desde então, dos outros que se seguiram. Comemorou uma grande vitória em 27 de julho de 1979, com a fundação da Associação das Empregadas Domésticas da Área Metropolitana do Recife. A fim de se dedicar integralmente ao trabalho de organização do Congresso de Olinda, que reuniu 100 participantes, largou o emprego.

Encerrado o Congresso de Olinda (1985), Lenira empregou-se como faxineira numa organização não-governamental feminista, o SOS Corpo. Aprofundou, a partir daí, sua aproximação com esse movimento, seus conteúdos de discussão e suas metodologias de trabalho.

Junto com suas companheiras, Lenira participou do processo que resultou na elaboração da Constituição de 1988, que trouxe para a categoria a histórica conquista do salário mínimo, do direito a férias, 13º, aviso prévio, repouso semanal e 120 dias de licença maternidade. Houve muitos motivos para comemoração, mas a luta não parou por aí. Em novembro do mesmo ano, a associação que Lenira ajudou a fundar transformou-se em sindicato, do qual ela foi a primeira presidenta.

Sempre defendeu a parceria das empregadas domésticas com o movimento feminista, orgulhando-se de que o sindicato da categoria tenha sido o primeiro no Brasil a estabelecer esta aproximação. Filiada ao PT há muitos anos, e militante incansável na área sindical, tem convicção de que no feminismo as mulheres encontram um espaço único de fortalecimento para a ação política.

Por influência de Lenira Carvalho, o Sindicato das Empregadas Domésticas da RMR atua no Fórum de Mulheres de Pernambuco, do qual ela já foi coordenadora. Ela costuma dizer: "O movimento feminista nos ajudou a ampliar nossas conquistas, mas a recíproca também é verdadeira", numa demonstração de altivez, perspicácia e sensibilidade política.

Bibliografia

Periódicos:

Alagoas. Caderno de Debates do Conselho Estadual de Comunicação. Maceió: set/out de 2003, n.º 4.

Almanak Alagoano das Senhoras. Litterário, Histórico e Estatístico para 1904. LAVENÉRE, Luis. (coord.) Maceió: Livraria Fonseca, 1904.

Almanach Literário Alagoano das Senhoras para 1889. DUARTE, Maria Lúcia. (coord.) Ano II. Maceió: Typ. Novo Mundo, 1889.

A Tribuna. Maceió: 07 de mai. de 1901, Ano VI, n.º 1292, 13 de fev. de 1902, Ano VII, n.º 1502, 11 de mar. de 1902, Ano VII, n.º 1563, 08 de jul. de 1903, Ano VIII, n.º 1901, 18 de jul. de 1903, Ano VIII, n.º 1910, 28 de jan. de 1904, Ano, IX, n.º 2055, 07 de fev. de 1904, Ano IX, n.º 2063, 26 de abr. de 1904, Ano IX, n.º 2124, 23 de abr. de 1904, Ano IX, n.º 2122, 25 de abr. de 1904, Ano IX, n.º 2123, 03 de mai. de 1904, Ano IX, n.º 2130, 24 de mai. de 1904, Ano IX, n.º 2144, 14 de janeiro de 1905, Ano X, n.º 2321, 08 de fev. de 1906, Ano XI, n.º 2623, 08 de fev. de 1907, Ano XII, n.º 2937, 05 de mar. de 1908, Ano XIII, n.º 3246, 18 de fev. de 1909, Ano XIV, n.º 3524, 21 de fev. de 1909, Ano XIV, n.º 3527.

Correio de Maceió. Maceió: 15 de nov. de 1911, ano VI, n.º 204.

Diário das Alagoas. Maceió: 27 de julho de 1859, ano II, n.º 164.

Jornal FÊMEA, CFEMEA – Centro Feminista de Estudos e Assessoria. Brasília: junho de 1997, ano VI, n.º 53, mai. de 1998, ano VI, n.º 64, out. de 1998, ano VI, n.º 69, ago. de 2000, ano VIII, n.º 91, set. de 2000, ano VIII, n.º 91, nov. de 2000, ano VIII, n.º 94.

O Feminista. Maceió: 09 de fev. de 1902, ano I, n.º 1.

Revista da Academia Alagoana de Letras. Maceió: n.º 19, 1936/37; n.º 21, 1940/41; n.º 25, 1944; dezembro de 1983, ano IX, n.º 9.

Coleção Memórias Legislativas. Assembléia Legislativa de Maceió.(org)

CERES, Heliônia. Selma Bandeira. A combatividade feminina no Parlamento. Maceió: 22 de fevereiro de 1998, n.º 10.

CHALITA, Solange Lages. Lilly Lages. Médica, feminista e primeira mulher no Parlamento alagoano. Maceió: 19 de abril de 1998, n.º 18.

Coleção Mulheres Alagoanas. TENÓRIO, Douglas Apratto. (Coord.)

ACIOLI, Edilma. Maria Maria. Mulheres Alagoanas. Série: Memória Feminina de Alagoas. Maceió: Gazeta de Alagoas, 03 de agosto de 2001.

ALMEIDA, Leda Maria de. Joana Gajuru. Mulheres Alagoanas. Série: Memória Feminina de Alagoas. Maceió: Gazeta de Alagoas, 20 de julho de 2001.

ARAÚJO, Vera Lúcia Romariz. Heliônia Ceres. Mulheres Alagoanas. Série: Memória Feminina de Alagoas. Maceió: Gazeta de Alagoas, 11 de agosto de 2001.

CANUTO, Ângela. Rosa da Fonseca. Mulheres Alagoanas. Série: Memória Feminina de Alagoas. Maceió: Gazeta de Alagoas, 06 de julho de 2001.

FALCÓN, Yara. Clara Charf. Mulheres Alagoanas. Série: Memória Feminina de Alagoas. Maceió: Gazeta de Alagoas, 13 de julho de 2001.

______. Nise da Silveira.Série: Memória Cultural de Alagoas. Maceió: Gazeta de Alagoas, 14 de abril de 2000.

FONSECA, Luciana. Rosália Sandoval. Mulheres Alagoanas. Série: Memória Feminina de Alagoas. Maceió: Gazeta de Alagoas, 22 de junho de 2001.

MALUF, Sheila Diab. Aída Wucherer. Mulheres Alagoanas. Série: Memória Feminina de Alagoas. Maceió: Gazeta de Alagoas, 29 de junho de 2001.

PEDROSA, Tânia de Maya. Miriam Lima. Mulheres Alagoanas. Série: Memória Feminina de Alagoas. Maceió: Gazeta de Alagoas, 24 de agosto de 2001.

ROSA E SILVA Enaura Quixabeira. Linda Mascarenhas. Mulheres Alagoanas. Série: Memória Feminina de Alagoas. Maceió: Gazeta de Alagoas, 17 de agosto de 2001.

______. Leda Collor de Mello. Mulheres Alagoanas. Série: Memória Feminina de Alagoas. Maceió: Gazeta de Alagoas, 07 de setembro de 2001.

SANTOS, Ivone. Aqualtune. Mulheres Alagoanas. Série: Memória Feminina de Alagoas. Maceió: Gazeta de Alagoas, 27 de julho de 2001.

Fontes primárias:

Anais da Biblioteca Nacional do Rio de Janeiro, Vols. XXIV e XXV.

Annuario Commercial Illustrado de Alagoas. Off. Graph. "Diário da manhã". Recife – Gama & Cia Editores, 1929.

Arquivo da Casa do Penedo.

Arquivo do Museu da Imagem e do Som de Alagoas.

Arquivo da Gazeta de Alagoas.

Arquivo Histórico Ultramarino. Catálogo de Documentos Manuscritos Avulsos da Capitania de Alagoas. Portugal.

Arquivo Público do Estado.

Arquivo da Tribuna de Alagoas.

Indicador Geral do Estado de Alagoas. Maceió: Typographia Commercial, 1902.

Pasta Almerinda Farias Gama, CPDOC/FGV. Rio de Janeiro.

Regulamento da Escola Profissional Feminina de Maceió. Decreto n.° 2398, de 13 de julho de 1938. Maceió: Secretaria do Interior, Educação e Saúde, 1938.

Fontes secundárias:

ACCIOLY, Maria Rocha Cavalcanti. Fatos, Personagens, História de São Miguel dos Campos. Brasília, 1992.

ALBUQUERQUE, Isabel Loureiro. Notas sobre a História de Alagoas. Maceió: Sergasa, 1989.

______. Notas sobre os Holandeses no Brasil. Maceió: Depto. Estadual de Cultura/ Imprensa Oficial, 1965.

ALMEIDA, Sávio. "Uma lembrança de amor para tia Marcelina". In: Revista de Letras. Maceió: Edufal, 1980.

ALTAVILA, Jayme Lustosa de. Bibliografia de autores alagoanos. Maceió: Ed. Catavento/ Fundação Municipal de Ação Cultural, 2001.

______. Canto Nativo. Maceió: Graf. do Orfanato São Domingos, 1949.

______. História da Civilização das Alagoas. Maceió: Typographia Alagoana, 1933.

______. O Quilombo dos Palmares. São Paulo: Melhoramentos, 1930.

______. O Tesouro Holandês de Porto Calvo. Maceió: Depto. Estadual de Cultura, 1961.

ANCHIETA, J. Cartas, informações, fragmentos históricos e sermões (1554-1594). Rio de Janeiro: Civilização Brasileira, 1933.

ANTONIL, João de Andrade. Cultura e Opulência do Brasil. Lisboa, 1711.

ARAÚJO, Antônio Amauri Corrêa de. Lampião: as mulheres e o cangaço. São Paulo: Traço, 1984.

ARAÚJO, Orlando. "Emancipação política de Alagoas e suas causas". In: Revista do Instituto Histórico de Alagoas, n.° 25, 1947.

AVELAR, Romeu de. Antologia de Contistas Alagoanos. Maceió: Depto. de Ciência e Cultura, 1970.

______. Calabar.Interpretação Romanceada do Tempo da Invasão Holandesa. Rio de Janeiro: Oficinas Amorim, 1938.

AZEVEDO, João (Coord); Universidade Federal de Alagoas: Documentos Históricos. Maceió: Edufal, 1982.

BARLEUS, Gaspar. História dos feitos recentemente praticados durante oito anos no Brasil. Rio de Janeiro: Cia. Editora Nacional, 1940.

BARROS, Maria Esther Buarque da Costa. Páginas icásticas. Maceió: Of. Graf. do Orfanato São Domingos, 1944.

BARROS, Maria Noêmia da Costa. Pétalas ao Vento. Maceió: Tip. Alagoana, 1944.

BARROS LIMA, Nadia Regina Loureiro de. Femininas e Feministas – Dimensão Política do Movimento de Mulheres em Maceió. (texto datilografado) Maceió: Universidade Federal de Alagoas/CNPq, 1989.

BENJOINO, Gilvan Xavier. O Retrato da Coronéia. Maceió: Sergasa, s/d.

BRANDÃO, Alfredo. "Documentos antigos sobre a guerra dos negros palmarinos" In: O Negro no Brasil. Rio de Janeiro: Cia. Editora Nacional, 1940.

BRANDÃO, Alfredo de B. Loureiro. Os negros na história de Alagoas. Maceió: Secretaria de Cultura, 1988.

BRANDÃO, Izabel. "Eunice Lavenère Reis". In: BRANDÃO, Izabel & ALVES, Ivia. Retratos à margem: antologia de escritoras das Alagoas e Bahia (1900-1950). Maceió: Edufal, 2002.

______. "Yolanda de Mendonça". In: BRANDÃO, Izabel & ALVES, Ivia. Retratos à margem: antologia de escritoras das Alagoas e Bahia (1900-1950). Maceió: Edufal, 2002.

BRANDÃO, Moreno. Monographia do Município de Penedo. Maceió: Typographia Menezes, 1936.

BRANDÃO, Werther Vilela. A Ancianidade de Santa Luzia do Norte. Maceió: IHGAL, 1999.

CAMPOS, Laura de Souza. Penedo na história religiosa de Alagoas. Maceió: Casa Ramalho, 1953.

CARNEIRO, Edison. O Quilombo dos Palmares. São Paulo: Cia. Editora Nacional, 1958.

CARVALHO, Lenira. A Luta que me fez Crescer. Entrevistada por Cornélia Parisius. Recife: Edições Bagaço, 2000.

CASTRO, Guiomar Alcides de. Prof. João Ulisses Moreira - Contribuição à Cultura Musical Alagoana. Maceió: Fundação Teatro Deodoro, 1984.

CAVALCANTI, Irineu. Atuação dos Jesuítas na formação do Brasil – Crônicas. 1549-1570. S.l.: s.n., 1939.

CAVALCANTI, Valdemar. 14 Poetas Alagoanos. Poemas Escolhidos. Maceió: Depto. de Assuntos Culturais, 1974.

CERES, Heliônia. Linda Mascarenhas, Vida e Desempenho. Série Alagoas: Terra e Orgulho, n.°4, Maceió: Edufal, 1998.

CHALHOUB, Sidney. Cidade Febril. Cortiços e epidemias na corte imperial. São Paulo: Companhia das Letras, 1996.

COELHO, Nelly Novaes. Dicionário Crítico de Escritoras Brasileiras (1711-2001). São Paulo: Escrituras Editoras, 2002.

COSTA, Craveiro. A Emancipação de Alagoas. 1874-1934. Maceió: Gráfica São Pedro, 1967.

______. Alagoas em 1931. Maceió: Imprensa Oficial, 1932.

______. História das Alagoas: resumo didático. São Paulo: Ed. Melhoramentos/ SEC-AL, 1983.

______. Instrução Pública e Instituições Culturais de Alagoas. Maceió, 1931.

______. Maceió. Maceió: Sergasa, 1981.

COSTA, Luzia de Oliveira. Mágoas Secretas. Poemeto. Maceió/Pilar: Lithographia Trigueiros, 1913.

CUNHA, Salles E. Aspectos do folclore de Alagoas. Rio de Janeiro, 1956.

D'ALTAVILA, Jayme. "Alagoas na Revolução Pernambucana de 1817". In: Revista do Instituto Histórico de Alagoas, n.° 18, 1935. Discurso pronunciado na sessão magna de 16 de setembro de 1935.

DANTAS, B. G. História de grupos indígenas e fontes escritas: o caso de Sergipe. 1987/88/89.

DANTAS, B.; SAMPAIO, J.; CARVALHO, M. "Os povos indígenas do nordeste brasileiro: um esboço histórico". In: CUNHA, M. M Carneiro da. História dos Índios no Brasil. São Paulo: Fapesp/ Companhia das Letras/SMC, 1992.

DIEGUES JÚNIOR, Manuel. "Evolução urbana e social de Maceió no período republicano". In: COSTA, Craveiro. Maceió. Maceió: Sergasa, 1981.

______. O Bangüê nas Alagoas.Traços da Influência do Sistema Econômico de Engenho de Açúcar na vida e na cultura regional. Maceió: Edufal, 1980.

DUARTE, Abelardo. Acréscimos e retificações à "História do Liceu Alagoano". Maceió: Imp. Oficial, 1963.

______. "A Revolução Pernambucana de 1817 e a Emancipação Política de Alagoas". In: Revista do Instituto Histórico de Alagoas, n.º 21, 1940/41. Discurso pronunciado no "Centro Alagoano", no Rio de Janeiro, por ocasião do 1.º Centenário da Emancipação Política de Alagoas, na sessão solene de 16-09-1941.

______. Alagoas na Guerra de Independência. Maceió: Arquivo Público do Estado, 1979.

______. Catálogo Ilustrado da Coleção Perseverança. Maceió: DECA, 1974.

______. Dom Pedro II e Dona Teresa Cristina nas Alagoas. Maceió: IHGAL, 1975.

______. Folclore Negro das Alagoas. Maceió: SENEC, 1974.

______. História do Liceu Alagoano. Maceió: Depto. Estadual de Cultura, 1961.

Estadual do Centenário da Abolição/ Ediculte, 1988.

_____. "O Negro na colonização de Alagoas". In: Revista do Instituto Histórico de Alagoas, n.º 25, 1944.

______. "Os primórdios do povoamento de Alagoas". In: Revista do Instituto Histórico de Alagoas, n.º 25, 1944.

______. Três Ensaios. De Republicanismo nas Alagoas. Episódios de Contrabando de Africanos. Os Jesuítas nas Alagoas. Maceió: DEC, 1966.

ENNES, Ernesto. As Guerras nos Palmares. São Paulo: Cia. Editora Nacional, 1938.

Americana, 1954, 2 vols.

FALCÃO, Ib Gatto. Ao Sabor dos Ventos e Tempestades. Maceió: Gráfica Graciliano Ramos, 2003.

FEIJÓ, Ateneia. "Aqui Lampião amou, brigou e morreu". In: Manchete. Julho de 1998.

______. "A Trilha de Lampião no Sertão Nordestino".In: Revista Geográfica Universal. Setembro de 1981.

FRANÇA, Ranilson. "Folguedos e Danças das Alagoas". In: PEDROSA, Tânia de Maya.(org.) Arte Popular de Alagoas. Maceió: Grafitex, 2000.

FREIRE, Francisco Brito. Viagem da Armada. Lisboa, 1655.

FREIRE, Francisco Brito. Nova Lusitânia. Lisboa, 1675.

FREITAS, Décio. Palmares, a guerra dos escravos. Rio de Janeiro: Edições Graal, 1981.

FREITAS, M.M. Reino negro de Palmares. Rio de Janeiro: Cia. Editora FONSECA, Luciana. "Rosália Sandoval". In: BRANDÃO, Izabel & ALVES, Ivia. Retratos à margem: antologia de escritoras das Alagoas e Bahia (1900-1950). Maceió: Edufal, 2002.

FREYRE, Gilberto. Sobrados e Mocambos. Rio de Janeiro: Record, 2000.

GALVÃO, E. E. Áreas culturais indígenas do Brasil: 1900-1959. Encontro de Sociedades (Índios e Brancos no Brasil). Rio de Janeiro: Paz e Terra, 193-228, 1959.

GORENDER, Jacob. Combate nas Trevas – A esquerda brasileira: das ilusões perdidas à luta armada. São Paulo: Átila, 1987.

GUSMÃO, Wanderley de. "Clarisse Lispector e a alagoana Macabéa". In: Revista da Academia Alagoana de Letras. Maceió: Ano V, n.º 5, dezembro 1979.

HEMMING. Red Gold, the conquest of the Brazilian Indians. Cambridge: Harvard University Press, 1978.

LAGES, Solange. Lily Lages: médica, feminista, deputada, literata. Biografia. S.l.: s.n., s.d.

LIMA, Estácio de. O mundo estranho dos cangaceiros. Salvador: Ed. Itapoá, 1965.

LIMA JUNIOR, Félix. Episódios da história de Alagoas. Maceió: Imprensa Universitária, 1975.

______. Escravidão em Alagoas. Maceió: Depto de Assuntos Culturais, Sec. de Educação e Cultura, 1975.

_______. Maceió de outrora. Vol. I. Maceió: Arquivo público de Alagoas, 1976.

______. O Barão de Penedo. Recife: Oficinas Mousinho, 1970.

LINDOSO, Dirceu. A Utopia Armada. Rebeliões de pobres nas matas do Tombo Real. Rio de Janeiro: Paz e Terra, 1983.

LINS, Alberto Rego. O julgamento de Calabar. Rio de Janeiro: Typ. Do Jornal do Commercio, 1935.

LEDO, Ivo. Calabar: Um Poema Dramático. Rio de Janeiro: Record, 1985.

LOPES, Pedro Carvalho. "A Cangaceira". In: Presença da Mulher. Ano VI, n.º 26, out/nov/dez 1993.

LORETO DO COUTO, Domingos. "Desagravos do Brasil e Glórias de Pernambuco". In: Anais da Biblioteca Nacional do Rio de Janeiro, Vols. XXIV e XXV.

LUSTOSA, Isabel. Histórias de Presidentes: a República do Catete. Rio de Janeiro/Petrópolis: Fundação Casa de Rui Barbosa/Vozes, 1989.

MAIA, Francisquinha. A Sucessão governamental em Alagoas. Movimento Cívico da Mulher Alagoana. Discurso pronunciado pela Senhorita Francisquinha Maia – Oradora do Bloco Feminino pró-Fernandes Lima em 24/10/1917. Maceió: Typ. Fernandes, 1918.

MARTINS, Joaquim Dias. Os mártires pernambucanos. Recife: Typ. F. C. de Lemos e Silva, 1853.

MELLO, A. Joaquim de. Biografia de alguns poetas e homens ilustres da Província de Pernambuco. Recife: Typografia Universal, 1856.

MELLO, J.A. Gonçalves de. Fontes para a História do Brasil Holandês. Recife: MEC/SPHAN/Fundação Pró-Memória, 1981.

MELO, Floro de Araújo. O Trabalho da Mulher na História. Rio de Janeiro: Graf. Luna, 1978.

MELO, Venúsia de Barros. Barros Pimentel: uma família alagoana. Maceió: Depto de Assuntos Culturais, 1984.

MENDONÇA, Fernando Mendes de Oliveira. A Mulher, decepção e milagra da vida. Maceió: Imprensa Oficial, 1933.

MENDONÇA, Georgette. Eunice Lavenere e seu cantar. Recife,1980.

MENDONÇA, Hélson Batinga. Casa de Mulheres... e outras crônicas. Bahia: Imprensa Oficial, 1967.

MÉRO, Ernani Otacílio. Arruar pelo tempo. Maceió: Grafittex, 1993.

______. O Barão do Penedo. A Missão da Palavra. Maceió: Sergasa, 1992.

______. Os Fonsecas e a História. Maceió: DAC/SEC, 1984.

MIRANDA, Antonio Guedes. Holandeses em Porto Calvo: História. Maceió: DEC, 1961.

MOLITERNO, Carlos. "Síntese do movimento cultural em Alagoas (1940-1960)". In: Revista da Academia Alagoana de Letras. Maceió, 1986.

MORAES, Tancredo. Resumo Histórico Antropológico do Estado de Alagoas. Rio de Janeiro: Irmãos Pongetti Editores, 1954.

MULATO, Tancredo Moares. Resumo Antropogeográfico do Estado de Alagoas. Rio de Janeiro: Irmãos Pongetti Editores, 1954.

MURICI, Rita de Cássia de Melo. "Maria Judith Malta". In: BRANDÃO, Izabel & ALVES, Ivia. Retratos à margem: antologia de escritoras das Alagoas e Bahia (1900-1950). Maceió: Edufal, 2002.

NADAF, Yasmin Jamil. Presença de escritores alagoanos na imprensa de Mato Grosso (1.ª metade do século XX). Trabalho de pesquisa do GT "A mulher na literatura" da Associação Nacional de Pós-graduação e pesquisa em Letras e Lingüística – ANPOLL.

NIMUENDAJÚ, C. Mapa etno-histórico de Curt Nimuendajú. Rio de Janeiro: IBGE, 1981.

OLIVEIRA, Heleniza Maria Saldanha de. "Celeste de Pereira". In: BRANDÃO, Izabel & ALVES, Ivia. Retratos à margem: antologia de escritoras das Alagoas e Bahia (1900-1950). Maceió: Edufal, 2002.

OLIVEIRA, José Alberto Saldanha de. A Mitologia Estudantil – uma abordagem sobre o movimento estudantil alagoano. Maceió: Secretaria de Comunicação Social, 1994.

PALMEIRA, Guilherme. Alagoanos sempre lembrados. Brasília: Senado Federal, 1996.

PEDROSA, Valter. Niquinha, minha flor. Brasília: Roteiro Ed., 1990.

PEDROSA, Tânia de Maya.(org.) Arte Popular de Alagoas. Maceió: Grafitex, 2000.

PERET, Benjamim. O Quilombo dos Palmares. Crônica da "República dos Escravos", Brasil, 1640-1695. Lisboa: Fenda Edições, 1988.

PINHO, Wanderley. Salão e Damas do Segundo Reinado. São Paulo: Livraria Martins Editora, 1959.

POMBO, Rocha. História do Brasil. s/l, 1953.

PUNTONI, P. "Brasil: colonização e resistência". In: Ciência Hoje, vol. 28. n.º164, 2000.

______. A Guerra dos Bárbaros. s/l, 2000.

QUEIROZ, Álvaro. Clero e política nas Alagoas. Maceió: Graf. Bom Conselho, 1996.

______. Episódios da história de Alagoas. Maceió: Catavento, 1999.

______. Missão do Porto de Pedras: primícias da evangelização nas Alagoas. Maceió: s.n. 1999.

______. Os Carmelitas na história de Alagoas. Maceió: Sergasa, 1994.

RAMOS, Benedito. A Construção do Palácio do Comércio – Uma história dos bastidores. Maceió: EDUFAL, 2003.

RAU, Vírginia e GOMES DA SILVA, Maria F. Os Manuscritos da Casa de Cadaval respeitantes ao Brasil. Coimbra: 1958, Vol. 1.

REIS FILHO, Daniel Aarão. 68. A Paixão de uma Utopia. Rio de Janeiro: 1988.

ROCHA, Melchíades da. Bandoleiras das Caatingas. Rio de Janeiro: A Noite, 1947.

ROCHA PITTA, Sebastião da. História da América Portuguesa. Salvador: Progresso Editora, 1950.

RODRIGUES, Tereza Angélica Pinheiro. Mulheres Penedenses. Maceió: Grafitex, 1994.

ROSA E SILVA Enaura Quixabeira. "As mulheres autorizam que se abra a cortina". In: Cenário. Revista do Teatro Deodoro. n.º2, ed. Semestral, nov. 2002.

SANT'ANA, Moacyr Medeiros de. Alagoas na Guerra de Canudos. Maceió: Sergasa, 1998.

______. Efemérides Alagoanas. Maceió: Instituto Arnon de Mello, 1992.

______. História da Imprensa em Alagoas: 1831-1981. Maceió: Arquivo Público de Alagoas, 1987.

______. História do Modernismo em Alagoas (1922-1932). 2.ª ed. Maceió: Edufal, 2003.

______. Mitos da Escravidão. Maceió: Sec. de Comunicação Social, 1989.

______. Os estudos históricos e os arquivos em Alagoas. Maceió: Arquivo público de Alagoas, 1962.

______. Positivismo e Republicanismo em Alagoas. Maceió: Edufal, 1989.

SCHUMAHER, Schuma & BRAZIL, Érico Vital. AbreAlas. Rio de Janeiro: REDEH, 1998.

______. Dicionário Mulheres do Brasil. De 1500 até a atualidade. Biográfico e Ilustrado. Rio de Janeiro: Zahar, 2000.

______. Um Rio de Mulheres: a participação das fluminenses na história do Estado do Rio de Janeiro. Rio de Janeiro: REDEH, 2003.

SILVA, José Avelino. "O Abolicionismo em Alagoas". In: Revista do Instituto Histórico de Alagoas, n.º 19, 1936/37.

SOBRINHO, Francisco Braga. Minha Terra, Minha Gente. S.l.: Verano Editora, 1996.

STEWARD, J. Handbook of South American Indians, vol. 1, Nova York: Cooper Square, 1963.

STUDART FILHO, C. Páginas de história e pré-história. Fortaleza: Editora do Instituto do Ceará, 1966.

SURUAGY, Divaldo. Cultura Alagoana. Maceió: Ed. Catavento, 2002.

SURUAGY, Divaldo & WANDERLEY FILHO, Ruben. Raízes de Alagoas. Maceió/São Paulo: Ed. Catavento, 2000.

TENÓRIO, Douglas Apratto. República Velha – O doce marasmo das oligarquias no poder. Primeiros governadores urbanos. Alagoas 500 Anos/ "O Jornal" Respeito ao Leitor/ n.º 9, Maceió: 02 de abril de 2000.

VAZ FILHO, Augusto. Alagoanos Ilustres. Maceió, 1965.

VEIGA, Laurentino Rocha da. Perfis Alagoanos. Maceió: Ufal, 2001.

VERÇOSA, Elcio de Gusmão. Cultura e Educação nas Alagoas. Maceió: Edufal, 1996.

______. História do ensino superior em Alagoas: verso e reverso. Maceió: Edufal, 1997.

VILELA, Arriete. Maria Flor, etc. Maceió: Grafimarques, 2002.

______. Grande Baú, a infância de Arriete Vilela. Maceió: Edufal, 2003.

VILELA, Humberto de Albuquerque. A Escola Normal de Maceió. Maceió: Secretaria de Educação e Cultura, 1982.

______. A Primeira Casa Escolar de Maceió. Maceió: Edufal, 1980.

Agradecimentos:

Ana Luiza Marcolino
Arnaldo Vieira
Bartyra Rocha Cavalcanti Nogueira
César Oliveira Rodrigues de Melo
Daniela Palmeira
Davi Sampaio Sarmento
Edécio Lopes
Edvânia Lima
Elis Vânia Lopes Garcia
Fabiana do Carmo Vanderley
Fátima Maria Ramalho Vesperiano
Gedalva Souza Carvalho
Gilberto Leite Filho
Gilberto Souza Carvalho
Graça Tenório
Isidoro Rocha
Ivanilda Soares de Gusmão Verçosa
Jacy Rocha Cavalcanti Medeiros
Jorge Raimundo
Jorgina Gomes Correia
Kátia Born
Maria Aparecida Batista de Oliveira
Maria do Carmo Branco
Maria José Viana
Maria Joseneide Granja Vieira
Maria Rocha Cavalcanti Accioly
Marietta Sarmento
Marinete Andrade
Monalisa Alves Moreira
Nadia Regina Loureiro
Pedro Tórtima
Rebeca Tenório Barreto
Rejane Ferreira
Rejane Oliveira Rodrigues
Rosemeri Máximo de Sena
Silvano Venâncio
Sônia Nascimento
Ticiano Henrique Almeida
Valquíria da Paz
Wilma Maria Nóbrega Lima
Yeda Rocha Cavalcanti Jucá

Instituições:

Academia Alagoana de Letras
Arquivo Gazeta de Alagoas
Arquivo Público do Estado
Arquivo Tribuna de Alagoas
Associação Comercial de Maceió
Biblioteca Pública Estadual
Casa do Penedo
Instituto Arnon de Melo
Instituto Histórico e Geográfico de Alagoas
Museu da Imagem e do Som de Alagoas
Museu Théo Brandão
Núcleo Temático Mulher e Cidadania - UFAL
Secretaria Especializada de Defesa e Proteção das Minorias
Secretaria Municipal de Educação de Maceió
Secretaria de Educação do Estado de Alagoas

PARCERIA

Semulher

Secretaria Especializada da Mulher

A Secretaria Especializada da Mulher foi criada no governo Ronaldo Lessa em 08 de outubro de 2002 pela Lei 6.326. A SEMULHER é fruto das reivindicações do Movimento Feminista de Mulheres por igualdade de oportunidades, de direitos e de participação nas representações políticas, econômicas e socioculturais

Sendo a primeira Secretaria de Estado da Mulher do país, a SEMULHER propõe-se a construir novas fórmulas de enfrentamento no controle a violência de gênero, classe, raça e etnia, e, propiciar o empoderamento da mulher e sua inserção social.

FINALIDADE

- Propor, formular, implementar e executar políticas públicas para as mulheres;
- Assegurar a integração da mulher Alagoana como cidadã à vida sociocultural, política e econômica sob a perspectiva de gênero, classe, raça e etnia;
- Estimular os mecanismos institucionais de defesa dos direitos da mulher;
- Estimular a criação de Conselhos Municipais.

Aos homens seus direitos e nada mais. As mulheres seus direitos e nada menos. Este é o mundo que queremos!

AL GOVERNO DE ALAGOAS
CONSTRUINDO O DESENVOLVIMENTO

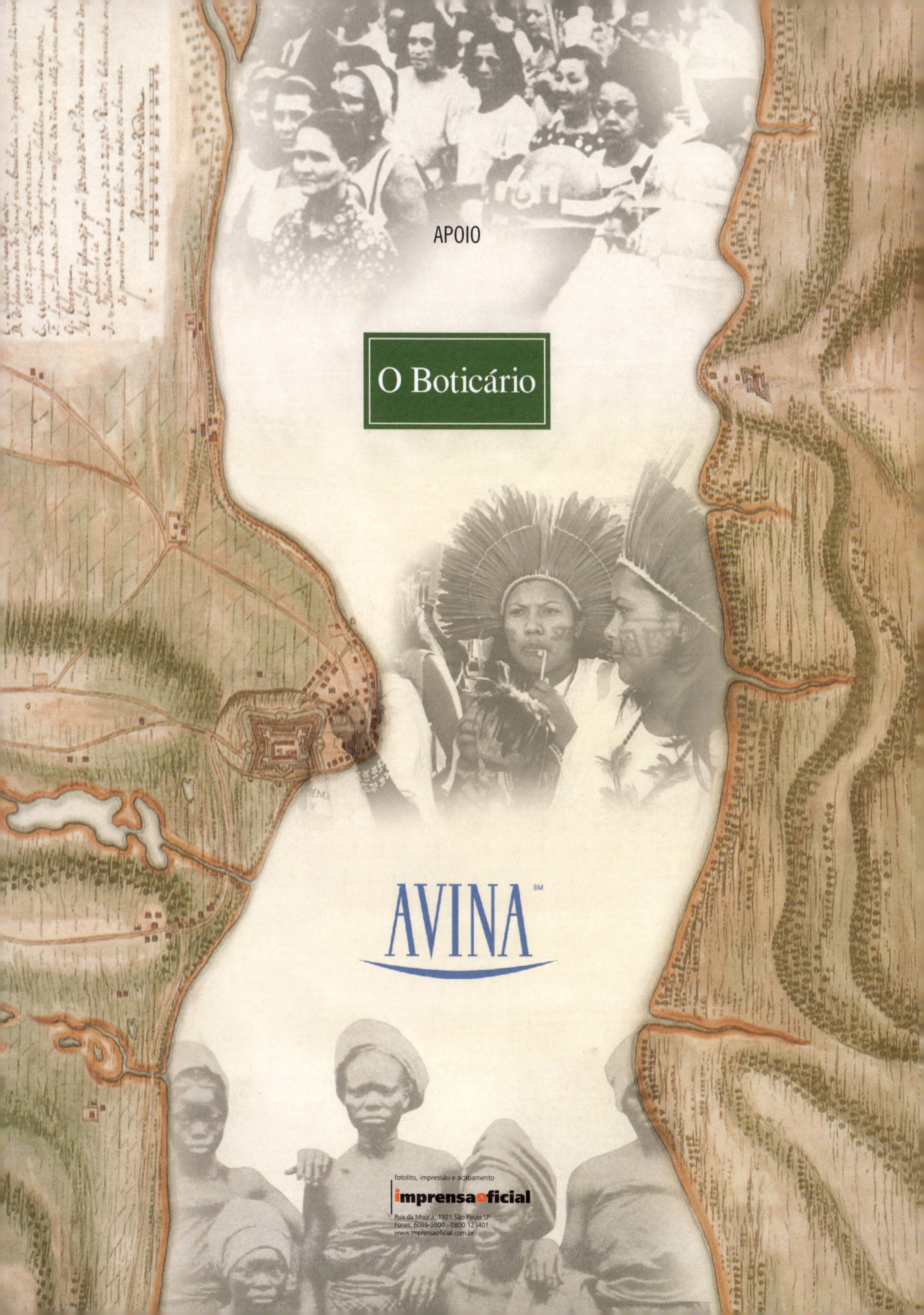
APOIO
O Boticário
AVINA SM
fotolito, impressão e acabamento
imprensaoficial
Rua da Mooca, 1921 São Paulo SP
Fones: 6099-9800 - 0800 123401
www.imprensaoficial.com.br

Conheça nossas publicações:

REALIZAÇÃO

REDEH
REDE DE DESENVOLVIMENTO HUMANO

Programa "Agenda 21"

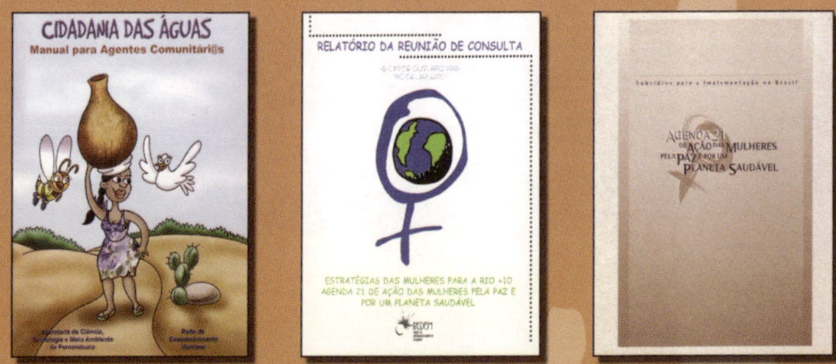

Programa "Mulher 500 Anos"

Programa "Por uma Educação não discriminatória"

Programa "Saúde e Prevenção"

Realização

Parceria

Apoio

REDEH REDE DE DESENVOLVIMENTO HUMANO

Semulher Secretaria Especializada da Mulher

AVINA

imprensaoficial

AL GOVERNO DE ALAGOAS

O Boticário

CASA CIVIL

GOVERNO DO ESTADO DE SÃO PAULO

RESPEITO POR VOCÊ